おろしや国酔夢譚

井上　靖

文藝春秋

目次

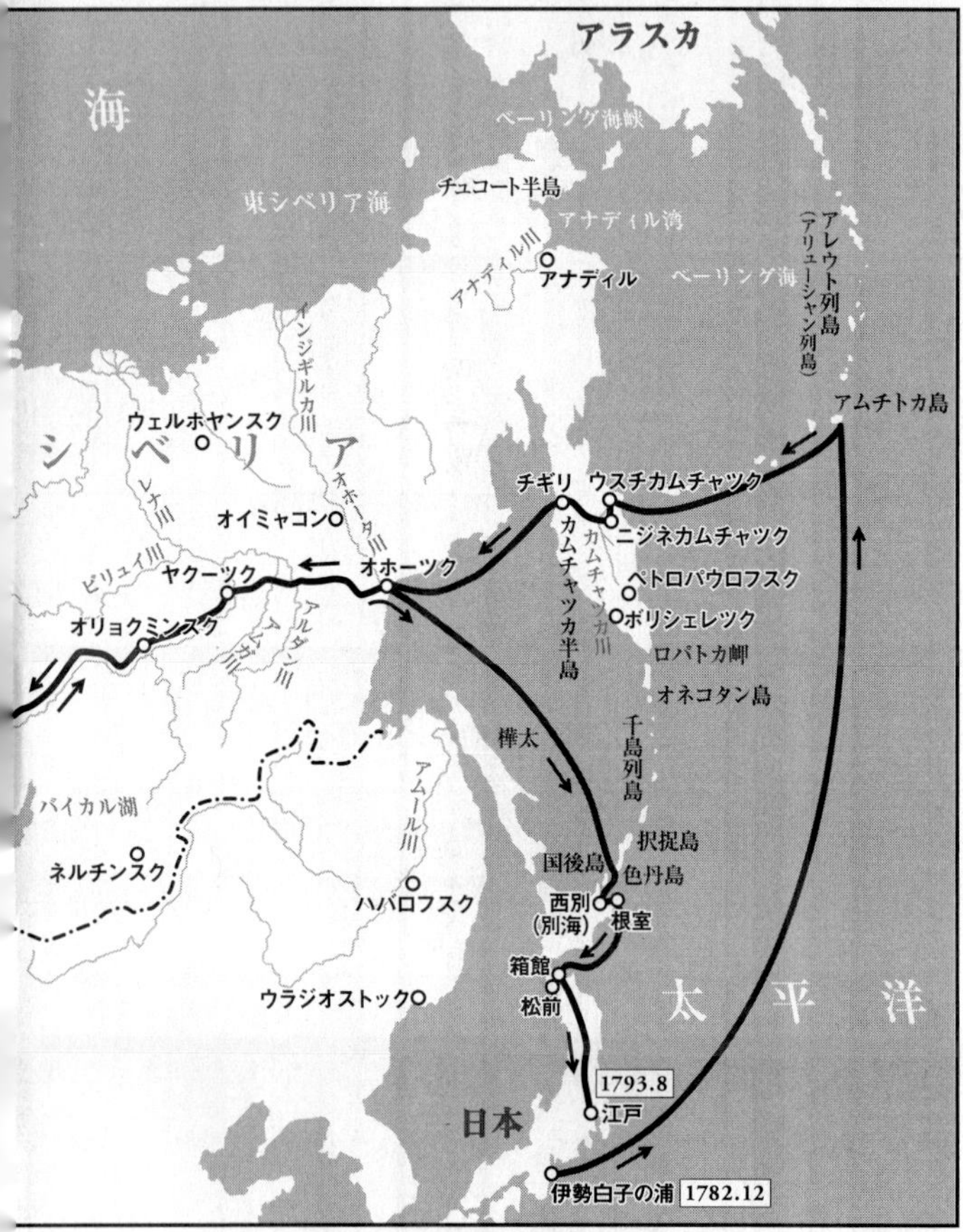

アラスカ
海
ベーリング海峡
チュコート半島
東シベリア海
アナディル湾
アレウト列島
（アリューシャン列島）
アナディル川
アナディル
ベーリング海
インジギルカ川
ウェルホヤンスク
シベリア
アムチトカ島
オホータ川
チギリ
ウスチカムチャツク
レナ川
オイミャコン
ニジネカムチャツク
カムチャツカ半島
カムチャツカ川
ビリュイ川
ヤクーツク
オホーツク
ペトロパウロフスク
ボリシェレツク
オリョクミンスク
アルダン川
アムガ川
ロパトカ岬
オネコタン島
樺太
千島列島
アムール川
バイカル湖
択捉島
国後島
色丹島
ネルチンスク
ハバロフスク
西別
（別海）
根室
箱館
松前
ウラジオストック
太平洋
1793.8
江戸
日本
伊勢白子の浦
1782.12

「おろしや国酔夢譚」参考図
(18世紀)

連載　「文藝春秋」一九六六（昭和四一）年一月号〜一九六七年十二月号、六八年五月号
単行本　一九六八年十月　文藝春秋刊
本書は、一九七四年六月に刊行された文庫「おろしや国酔夢譚」の新装版です。

DTP制作・ジェイ　エスキューブ

おろしや国酔夢譚

序章

江戸末期ロシアに渡って、日本に帰って来た伊勢漂民大黒屋光太夫のことを『おろしや国酔夢譚』なる題名のもとに一篇の小説に綴ろうと思うのであるが、物語にはいるまでに、それ以前に漂流してアレウト列島あるいはカムチャツカ半島に上がり、シベリアからロシアにはいり、再び日本の土を踏むことのなかった不幸な漂流日本人たちのことに一応序章として触れておきたいと思う。

アナディル城砦《じょうさい》の司令として、五十人隊長ウラジーミル・アトラソフがヤクーツクからアナディルに派遣されたのは一六九五年のことである。当時シベリア探険の根拠地であったヤクーツクからアナディルまでは約半歳の行程である。アトラソフの赴任地アナディルというところがいかなる地点にあるかは、シベリアの地図を開いて戴かねばならぬが、アラスカと相対してベーリング海峡を形成しているチュコート半島に抱かれてアナディル湾というのがあり、そこにアナディル川が流れ込んでいて、その河口にアナディルという町がある。アジア一番の北の片隅、アジアのさい果ての町と言っていいであろうが、アトラソフが派遣された一六九五年の頃は勿論町と称するようなものではなく、氷雪に鎖された土民の小聚落があるに過ぎなかった筈である。ベーリング*に依るベーリング海峡最初の通過の一七二八年に先き立つこと三十年、ロシアのシベリア東北部探険の矛先きが漸くこの地点にまで達し、ここに最前線基地が置かれるに至ったというわけである。

アトラソフはアナディルに赴任してから二年目の一六九七年の春、部下の兵士と猟師六十人を連れ、更に土民六十人を伴って、新しい土地を発見するために南方に拡がる未知の氷雪地帯へとはいって行った。馴鹿橇《となかいぞり》の隊列が目指したところはカムチャツカ半島であったが、カムチャツカという地名こそ既に当時の地図に載ってはいたものの、そこがいかなる土地であるか、いかなる人間が住んでいるかは、かいもく誰にも判っていなかった。

当時カムチャツカには、カムチャダール、コリヤーク、チュクチ*の三種の土民が住んでいた。アトラソフは馴鹿橇を駆って半島の西海岸に向い、その後東方に方向を転じて太平洋沿岸に出て、アリュートル川の河口のコリヤークの聚落に辿り着いたが、ここで隊を二つに分けた。そして一隊は東海岸を真直ぐに南下、自らの属する二隊は西海岸に出て、これまた一路南下することにした。アトラソフは道案内に雇っていた土民の叛乱に遇ったり、いろいろと苦難多い旅を続けたが、七月カムチャツカ川の下流地方で初めてカムチャダールの聚落にはいった。聚落は河の両岸に点々と散在しており、いずれも三百から五百ぐらいの住居から成っていて、別に小城砦も何十か算えられた。後年アトラソフはモスクワのシベリア局において、次のように報告している。

――カムチャダールは背はあまり高くなく、ひげも中ぐらいで、着物は貂《てん》、狐、馴鹿の毛皮で作り、犬の毛皮で縁どっている。

――彼等は他国に支配されていず、同族の富める者に従っている。氏族間で相争い、戦闘を行うこともある。妻は一人、二人、三人と、それぞれの力に応じて所有している。

――彼等は鉄砲をたいへん恐れ、ロシア人を火の人と呼んでいる。冬期の戦闘にはカムチャダールは雪靴で、コリヤークは馴鹿橇で出陣する。夏の戦闘には徒歩で裸かで出るが、中には着衣している者もある。

――住居は冬期用のものは半地下室に作られており、夏期用のものは地上に六メートルほどの柱を立て、それに板を張り、樅《もみ》の木の皮で屋根を覆い、梯子《はしご》を使って出入する。

――彼等は魚も獣も食べる。魚は生魚も凍結した魚も食べる。冬に備えて土中に穴を掘って生魚を入れ、上から土をかけて貯蔵する。魚が腐ると、これを取り出して木桶に入れ、水を加え、その中に焼石を入れて湯を沸し、内容物をかき混ぜて飲む。

――彼等は木製や粘土製の壺は自分で造っているが、ほかに下絵のある容器やオリーブ油を塗ってある容器も使っている。こうした容器は別の島から運ばれているが、その島がどこの国に属するかは未だ調査されたことがなくて不明である。

この報告にあるどこの国に属するか、未だ調査されたことがなくて不明な島というのは日本のことで、オリーブ油を塗ってある容器というのは漆器のことである。日本の漆器が千島アイヌを経て、カムチャツカに伝わっていたのである。

アトラソフはカムチャツカ川のカムチャダールの聚落から引返すと、イーチャ川を渡って、更に南進し、クリール人の聚落に達し、土民と事を構えるや、城砦を攻略したり、その大殺戮《だいさつりく》を行ったりした。クリール人というのは千島アイヌのことである。

アトラソフのカムチャツカ探険は一六九七年から一六九九年まで、足掛三年に亘《わた》ったが、この冒険行のために、アトラソフは最初のカムチャツカ発見者としての不滅の栄誉を自分のものとすることができたと共に、またカムチャダールに関する最初の民族学的報告者としての栄誉をも併せ持つことができたのである。併し、アトラソフが発見したものはカムチャツカという大きなものだけではなかった。イーチャ河畔に駐屯中、彼は近くのカムチャダールの聚落に一人の異国の漂流民が囚われの身となっているという事を聞いて、さっそくそれを連行させてみたところ、アトラソフのまだ見たことのない風貌を持った男が現われた。男は囚われている間に覚えたカムチャダールの言葉で語った。

「自分の生地はアサカで、父はディサと言い商人である。自分は同じアサカに住むアワジの息子の家に奉公し、仲間と一緒に三十隻の船団を組んで、アサカから七百露里離れているインドへ向った。自分が乗った船の乗組員は十五名で、積荷は米、酒、緞子《どんす》、木綿、砂糖などであった。途中暴風に遇って、船団はばらばらになり、自分の船は西風によって東方へ二十八週間流された。途中沈没を免れるため帆柱を帆もろとも切り倒したが、この作業で仲間の二人が溺死した。帆を切ったおかげで船はカムチャツカのクリール人の住む土地に漂着したが、クリール人二百名に襲われ、積んであった商品を全部与えることで危く殺されるのを免れた。併し、その後漂流中泣き過ぎて盲目になった二人はクリール人のために殴り殺されてしまった。そしてどういうものか自分だけカムチャダールの聚落に連れて行かれ、残りの仲間十人はクリール人たちの許に残された。自分がカムチャダールに囚われの身になってから今日までに丁度一年ほどの月日が経っている」

この異国の漂民について、アトラソフはシベリア局で次の如く報告している。

――帆船に乗ってカムチャツカに漂流した囚人はギリシャ人に似ており、痩身で、ひげは多くなく、髪は黒い。ロシア人の間で神像を見た時、たいへん泣いて、自分の国にもこのような像があると言った。彼はインド人と称したが、その国では黄金を多く産し、陶器でできた宮殿があり、インドの王宮は銀で造られ、金が被せられてある。

アトラソフはこの異国の漂民を連れて一六九九年七月アナディルに帰還し、更に彼を伴ってヤクーツクに向った。囚人は雪靴を履いていたが、六日ほどすると足が腫れて病みついてしまった。そこでアトラソフは囚人を再びアナディルに送り還し、恢復次第ヤクーツクに連行するように部下に命じた。

男は何カ月か遅れてヤクーツクに送られて来、そこで出先機関の取り調べを受けた。取り調べに於て初めて判明したことは、彼が日本人であり、名はデンベイという者であるということであった。アサカというのは大坂、インド人と称していたというそのインドなるものは江戸の誤りであったのである。

デンベイは生国の日本について、自分の航海について、また漂着地カムチャッカについて、係員の質問に対して答えた。このデンベイの口述はロシア語に訳され、『デンベイの話』として、一七〇二年一月モスクワのシベリア局に提出された。デンベイはこの口述した漂流物語のあとに、ひら仮名で〝でんべい〟と署名している。デンベイに関する記述で現在に残っているものは、この『デンベイの話』のほかでは、アトラソフが一七〇〇年六月ヤクーツクの代官所で為した報告と、翌一七〇一年二月モスクワのシベリア局で為した報告、この二つのものの中に収められてあるデンベイに関する部分だけである。一つはデンベイ自らが語ったものであり、一つは彼をカムチャッカの奥地から救い出しロシア本国にまで連れて行った人物が、ヤクーツクとモスクワで二回に亘って為した報告である。

この二種類のデンベイに関する記述は、その後二百年近くも官庁の倉庫の中に眠っていたのであるが、それが公表されて一般に知られたのはそう遠い昔のことではない。一八九一年十月に史学者エヌ・オグロブリンは「一七〇一年―一七〇五年間のロシアに於ける最初の日本人」と題して、上述の二つの古記録を引いた論文を発表したが、このお蔭でデンベイは世に出ることができたのである。それに次いでは、エル・エス・ベルグがその著『カムチャッカ発見とベーリング探険』の中でやはりこの二つの記述を引いて、デンベイについて記している。これは一九二四年の出版であるから四十年程前のことである。日本では小場有米氏の訳著が昭和十七年に出ている。カムチャツカの発見者でもあり、日本人デンベイの発見者でもあるアトラソフについて、エル・エス・ベルグは次のように記している。

――アトラソフは極めて独特の個性の持主であった。教育はあまりなかったが、抜群の頭脳と豊かな観察力を持ち、その報告は多くの貴重な民族学的、さらには地理学一般に関する資料を含んでいる。十七世紀から十八世紀初頭にかけてのシベリア踏破者のうち、ベーリングを除いては、誰ひとりとしてこれほど内容豊富な報告を提出することはできなかった。

アトラソフはまさにそのような人物であったが、他面恐れを知らぬ冒険者としての香《か》んばしからぬ面もあったことは、カムチャツカ征服後の彼の後半生がはっきりとそれを物語っている。アトラソフはその功によってカザック*の百人隊長に昇進し、再びカムチャツカ赴任の命を受けたが、その任地に向う途中、商船を襲って商品を略奪する事件を起し、そのため一七〇六年まで数年間獄舎生活をしなければならなかった。出獄後再び前と同じ地位について隊長としてカムチャツカに派遣されたが、部下のカザックとの間がうまく行かず、再度投獄の憂目をみたりして、一七一一年のカザックの大規模な叛乱に際して、反抗者たちに寝込みを襲われて命を落している。

さて、アトラソフに伴われてヤクーツクに行ったデンベイは、一七〇一年の末にモスクワに移された。そして翌一七〇二年（元禄十五年）一月に、シベリア局はデンベイから訊き出したことをもとにして、日本の地理的位置、金山、銀山の所在、政治、軍備、宗教、風俗、生業等あらゆることについての報告書を作成したが、これは直接日本人が語ったロシアにおける最初の日本資料となった。この年一月八日に、デンベイはペレオブラジェンスキー村でピョートル一世*に謁している。ピョートル一世は国費に依るデンベイの生活保証と、日本語学校を開設し、デンベイをそこの教師たらしめることを勅令を以て命じた。当時ロシアにも、ヨーロッパの宣教師たちが綴った日本見聞記などに依って、日本という国がいかなる国か、ある程度の知識ははいっていたことであろうが、併しピョートル大帝にとっては、直接日本人を引見し、その口から日本の国情を聞いたことは、何と言っても大きな刺戟的事件であったに違いない。

極く最近のことになるが、一九六〇年にモスクワの国立国際関係研究所から出版されたファインベルグ著『一六九七－一八七五年間における露日関係』にデンベイのことが記されている。その記述に依ると、ピョートル一世の命で、デンベイは一七〇二年四月十六日に身柄をシベリア局から砲兵局の管理下に移され、更に一七〇七年ロシア語の習得を終えるや、ガガーリン公の家に引きとられ客人としての取扱いを受けている。いかに日本漂民がロシア政府から貴重品扱いを受けていたかが判るというものである。

デンベイが〝ロシアにおける日本語学校の教師〟という称号を与えられ、ペテルブルグに設けられた日本語学校で日本語を教えることになったのは一七〇五年のことで、この学校はロシアにおける日本語学習機関の最初のものである。学校は元老院の管轄下にあって、生徒は軍人の子弟で、その数は少なかったが、いずれも終生日本語を研究する義務を負わされた者たちであった。一七一〇年、デンベイは洗礼を受けてガブリエルと名乗った。

――デンベイの時代には、ロシア人はまだ日本への道を知らなかったので、故国へ送還することはできなかった。

ファインベルグは、一九五九年刊のエイドゥス編『日本。歴史の諸問題』に所収されている他の論文「日本の鎖国時代にロシアに居た日本人」の中で記している。実際に当時のロシアとしては漂民を日本に送還する目当てもなかったに違いないが、時代は漸くロシアにとって、その漂民を最も有効に使わねばならぬ方向へと移りつつあったのである。

ロシア政府は日本語学校を開設すると間もなく、日本語教師がデンベイ一人であることを心細く思ったのか、今後カムチャツカ海岸に漂着する日本人があったら、その中の一名をペテルブルグに送るようにという命令をヤクーツク代官に降し、それはヤクーツク代官から更にカムチャツカ各地の所轄機関へと伝達された。

そして一七一四年に、恰《あたか》もその要請に応えるかのように、サニマという一人の日本漂民がペテルブルグに送られて来た。サニマは一七一〇年四月カムチャツカ沿岸に漂着し、十人の仲間と共に上陸したが、カムチャダールに襲われて四名殺され、六名が捕虜になり、更にその中の四名がロシア人の手に移り、その中の一人のサニマがペテルブルグに送られて来、日本語学校の教師になる運命を持ったのである。

当時まだデンベイは生存していたので、サニマはデンベイの助手に任ぜられ、後にギリシャ正教会の洗礼を受け、ロシアに帰化し、ロシア婦人を妻とした。このサニマについても勿論日本側の記録はなく、一七五五年に出版されカムチャツカに関する基本文献として世界的に知られているクラシェニンニコフの『カムチャツカ誌』と、その『カムチャツカ誌』に序文を寄せている同時代のシベリア史家ミュレルの『ロシア史集成』の二つに取り上げられており、この二著のおかげで日本漂民サニマは日露交渉史の上に登場することになったのである。『カムチャツカ誌』のサニマに関する部分の記述は次のようなものである。

——チリコフのカムチャツカ滞在中、ボーブル海岸で日本船が難破した。日本人は難破した地点に住む殺伐なカムチャダールに囚われていたが、チリコフは五十人の兵隊を連れて、その場所に赴き、四人を救出することができた。カムチャダールは官兵を見て、それと闘うことを恐れ、日本人を残したまま森の中に逃げ込んだ。

チリコフというのはカムチャツカの一代官の名であり、それのカムチャツカ滞在中とあるのは一七一〇年のことである。ここにサニマという名は出ていないが、この四人の中の一人がサニマであることは、ミュレルに依って指摘されている。

現代ソ連の日本漂流民の研究家ペトロワ女史に依ると、サニマはデンベイの死後一七三四年まで日本語を教え続け、また村山七郎氏に依ると、彼は紀州の出身で、名は三右衛門であろうということである。またファインベルグは、一七四七年三月十八日附の海軍省から元老院に宛てた報告にもとづいて、前記の「日本の鎖国時代にロシアに居た日本人」に於て次のような文章を綴っている。

――ビトゥース・ベーリング大尉の指揮する探険隊には、その一員として、同じように洗礼を受けた日本人ヤコフ・マクシモフも任命された。これはカムチャツカの沿岸で難破して、一七一三年または一七一四年にロシアにはいった人物である。

そして、この日本人ヤコフ・マクシモフなる人物は、サニマの仲間で、ロシア人の手に移った四人の中の一人であろうとされている。これを事実とすれば、ベーリング探険隊に日本人も一人加わっていたことになり、日本漂流民史の上に興味深い事実が一つ加わるわけである。

デンベイの歿年も、サニマの歿年も判っていない。

次に日露交渉史に登場して来る人物はゴンザとソウザである。一七二九年（享保十四年）の夏、十七人の日本人を乗せた日本船がカムチャツカのロパトカ岬に漂着した。「ファヤンクマル」という船で、サツマ町（薩摩）からアサカ町（大坂）へ木綿や紙などを積んで行く途中、台風に遭って海上にあること七カ月余、ついにカムチャツカに漂着、ロシア人に率いられた土民の一隊の襲撃を受けて、二人を残して他は尽《ことごと》く殺害されてしまった。この生き残った二人がゴンザとソウザである。ゴンザは漁師の子で十一歳、ソウザは三十五、六の商家の手代であった。

ゴンザとソウザがペテルブルグに送られて来たのは一七三三年のことで、この時は少くともデンベイは生存していなかったようである。この二人にもまた曾《かつ》て夢にも考えたことのなかった運命がやって来た。二人は女帝アンナ・ヨアンノウナに謁し、一七三四年には洗礼を受けて、ゴンザはデミヤン・ポモルツェフとなり、ソウザはクジマ・シュリツとなった。そして一七三五年にロシア語学習のため科学アカデミーに送られ、翌一七三六年には科学アカデミーの中に日本語学校が開設されている。デンベイ、サニマの死後、日本語学校は閉鎖の状態にあったのであるが、ここにソウザ、ゴンザという二人の日本語教師の誕生を見ることになり、日本語学校は再び開校の機運を迎えるに至ったのである。

併し、日本語学校が開かれると間もなく、その年の九月にソウザは死亡している。それから三年後の一七三九年にはゴンザの方はロシア人五名に日本語を教え、七月十八日附で百ルーブリの年俸を賜わることになっているが、この年の十二月にゴンザもまた他界している。

そもそもこのソウザ、ゴンザ両名に関する基本資料もクラシェニンニコフの『カムチャツカ誌』とミュレルの『ロシア史集成』であるが、殊に前者には両名のロシアに於ける生活の模様がかなり詳しく脚註の形で書き込まれている。脚註の筆者がソウザ、ゴンザの世話役のような仕事をしていたアンドレイ・ボグダーノフという人物であったからである。その末尾に次のような記述が見られる。

――科学アカデミーはかくも遠い国から来た人たちのロシア滞留を記念するために、日本人二人の肖像を描き、彼らから石膏のマスクをとることを命じた。そのマスクはクンストカーメラに保存されている。

このクンストカーメラというのはピョートル大帝の発意で、ネワ川のワシリエフ島上に建てられた一種の博物館とでも言うべき建物であった。亀井高孝、村山七郎両氏は一九六五年六月レニングラードを訪れた時、現在では人類学・民族学博物館の名で呼ばれているこのクンストカーメラで、その後所在をくらましていたソウザとゴンザのマスクを見、それについて『日本歴史』昭和四十年十一月号に「日本漂民とクンストカーメラ」という文章を発表している。村山氏に依ると、この建物の中で恐らくソウザとゴンザは日本語を教えたのであり、またゴンザはボグダーノフの指導のもとにロシア最初の『日本語簡略文法』を書いているが、その仕事をしたのもここであろうとしている。このゴンザの著作については、氏の近著『漂流民の言語』において詳しく記されており、ゴンザの歿年は二十一歳ぐらいであったろうとされている。たとえ他の指導があったにせよ、兎も角日本語の文法書を作ったということは、この漂流少年が優れた頭脳の持主であったことを物語るものだと思う。

私も亦最近のロシア旅行の折、ネワ河畔に人類学・民族学博物館を訪ね、そこの極東研究室の硝子の陳列ケースに収められてあるソウザ、ゴンザの蠟《ろう》製のマスクにお目にかかった。そこに居合せた研究室の人たちから日本人の顔であるかどうか意見を求められたが、残念ながら私はこれが日本漂民をモデルにしたものかどうかという判定を下す知識は持ち合せていなかった。日本人の顔であるようにも見え、そうでないようにも見えた。

日本漂民ゴンザの亡くなった前年の一七三八年六月十八日に、ベーリング探険隊のシュパンベルグ支隊は、日本近海探険のためにオホーツク港を発して、カムチャツカのボリシェレック港に着いている。そして翌一七三九年五月二十一日にシュパンベルグ隊は四隻の船に乗って日本へ向うべくボリシェレックを出ている。日本語学校の前身とも言うべきものがペテルブルグに開設されたのが一七〇五年であるから、それからこの時までに三十余年の歳月が流れている。前出のファインベルグの著書には、これより四、五年経った時期の記録として、一人の日本人の名を紹介している。

――一七四五年、ボリシェレック港の柵に連行された日本人イガチ（ロシア名はマトウェイ・グリゴリエフ）は、ロシア船に対して、ロシアの織物、ロシア皮、特に日本人の悦ぶ鯨油と塩漬の魚を積んで、直接江戸の港を目指すようにアドバイスした。

これは海軍省の古文書から採った記録らしく、これだけの短いもので、イガチなる日本人がいかなる者とも判らないが、このイガチの登場する一七四五年は、ソウザ、ゴンザに続く次の南部藩出身の漂民竹内徳兵衛の一団が佐井港を出帆し、難船して、千島列島のオネコタン島へ漂着した年である。この竹内徳兵衛の一行の一人に利八という者があるので、イガチというのは利八のことではないかとされている。

これまでの日本漂民はデンベイも、サニマも、ソウザ、ゴンザも、日本の文献には載っていない。僅かに時代のはるかに降った明治十七年に外務省が出した『外交志稿』に米人セバルトーの著書を引いて、サニマやソウザ、ゴンザのことに触れているのを見るだけである。ところが竹内徳兵衛に至って、初めてその遭難漂流記が簡単ではあるが、江戸時代の『蝦夷《えぞ》草紙』や『蝦夷拾遺』等の中に現われて来る。必ずしもロシア側の記録とは一致しないが、一行の中の何人かの名前も挙げられ、それらの者が生存しているという消息が載せられている。こうした日本の記録に現われて来るというのは、当時たまたまアツケシ島にやってきたロシア人に依って、ロシアに於ける日本漂民たちの消息が伝えられ、それが江戸時代のこうした書物に取り入れられることになったためであろうと思われる。この間の事情については、中村喜和氏が『一橋論叢』第六十巻第一号に発表した「おろしや盆踊唄考」において詳しく述べている。

このように日本の記録には現われているが、一行の一人もが故国へ帰って来なかったことは、徳兵衛の一行もこれまでの漂民たちと同じ運命の持主たちであったのである。徳兵衛の一行という言い方をしているが、船長徳兵衛は漂流中歿しているので、正しくは徳兵衛の部下たち十名のことである。彼等のその後の運命を、ファインベルグの著書に依って辿ってみよう。

カムチャツカ毛皮税徴収人マトウェイ・ノボグラブレンヌイとフョードル・スロボドチコフの二人に救われた十名の日本人は、カムチャツカのボリシェレックの柵に連行された。一行の中のユソンジという者は、ロシア人に二ふりの日本刀と沈没した船についての文書を渡し、また彼の話に依って作成された日本地図に署名した。これらの物は全部カムチャツカ長官レベジェフ大尉に依ってペテルブルグの役所に送られ、一行十名のうち五名も日本語教師になる運命を背負わされて直ちにペテルブルグに送られた。これらの者がペテルブルグにおいて日本語学校の教師となったのは一七四八年のことである。またボリシェレックの柵に残された残りの五名のうち病歿者一名を除いた四名の者は、一七四七年九月十日にオホーツクに連行され、ヤクーツクに移され、それからイリムスクを経てイルクーツクに送られている。ここでこの四人の者もまた日本語教師の仕事を課せられている。この場合は漂民全員が日本語教習機関に吸収されたわけで、ロシアの日本および日本近海への関心は急速に昂《たか》まっていたのである。

そして一七五三年には元老院の命令で太平洋探険に必要な通訳を東部シベリアに確保するために、日本語学校はペテルブルグからイルクーツクへ移されることになり、これに伴って、ペテルブルグに居た日本漂民は死亡者二人を除いて、残りの三人がイルクーツクに移されている。イルクーツクの航海学校の建物の中に日本語学校が開設されたのは翌一七五四年のことである。そして開設後七年の一七六一年の記録には日本人教師七人、学生十五人を算えている。日本人教師は言うまでもなく徳兵衛一行の漂民たちである。

このイルクーツクの日本語学校は一八一六年に閉鎖されるまで六十二年の長きに亘って、ある時は盛んに、ある時は細々と、日本語通訳の養成に当り、大きく言えばロシアの極東政策の一翼を担ったわけであるが、そこで実際に働いたのは、その後も千島海流に乗ってカムチャツカ方面に運ばれて行った日本漂流民、あるいはその子孫たちであったのである。

徳兵衛の一行の中の一人〝さのすけ〟の息子アンドレイ・タターリノフは『ニボンのコトバン』という露日辞典を出しており、それが一九六二年にソ連科学アカデミーから、ペトロワ女史の解説付きで写真版の形で復刻出版されているが、その書物の表紙の下部には「にぼんのひとさのすけのむすこ、さんばちこさります」と、日本のひら仮名文字で書かれてある。「自分は日本人さのすけの息子、三八でございます」という意味で、これはこの辞典の著者アンドレイ・タターリノフが自ら日本人二世であることを示している以外の何ものでもない。露日辞典の著者としての資格を一応表示する必要があってのことかも知れないが、日本漂流民の二世としての父の国への烈しい思慕が、こうした言葉のどこかに漂っているのを感じるのは私だけであろうか。

竹内徳兵衛の一団が漂着した一七四五年頃から、日本の漂流船の尽くが潮に乗って運ばれて行くアレウト列島からカムチャツカへかけての一帯の北方の海域は、次第に騒がしいものになって行った。ベーリング探険隊によって発見された北太平洋の毛皮の宝庫が、いつまでもそのまま放置されている筈はなかった。

オホーツク港守備隊の伍長エメリヤン・バソフによる最初の船がアレウト列島方面に姿を現わしたのは一七四三年のことであった。海猟《らっこ》千二百頭、北極狐四千頭が、この船の獲物だった。当時海猟の値段はオホーツクやカムチャツカの現地でも一枚十ルーブリであったから、毛皮採取は文字通り一攫千金の仕事であったのである。

その後この海域へ向う船は年々増加し、一七八一年までに六十四回に亘ってロシアから大小の船団が派せられている。一七八三年の如きは十七隻の大型船がこの海域で活躍しており、この頃すでにアレウト列島中央部では海猟を獲りつくし、主な漁場は北アメリカの海岸方面に近づきつつあるといった状況であった。

またこれと同時に、毛皮採取の商人資本も次第に集中化の現象を示し、この過程の中で、イワン・ゴリコフとグリゴリー・シェリホフの合併会社が頭角を現わし、後にこの会社は露米会社として独占的役割を果して行くようになるが、この時期はその前期に当っていた。ゴリコフ、シェリホフの北東毛皮会社が設立されたのは一七八一年、それから二年後の一七八三年には、シェリホフは新会社の第一回航海として、自ら「三僧正」号に乗り込み、「シメオンとアンナ」号、「聖ミハイル」号の二隻を率いて、オホーツクの港を出帆している。そして一七八六年のカムチャツカ帰着まで、シェリホフは新しい構想のもとに、アレウト列島方面で大々的な毛皮買付けを行っていたのである。

併し、この海域に出現しているのはロシアの毛皮商人たちが派している船団ばかりではなかった。一七七六年には、イギリスのジェームス・クック*が二隻の軍艦を率いて三度目の太平洋探険の壮途に就いている。それから三年後の春、クックは太平洋上のハワイ島で土人のために一命を落すが、探険隊はクラーク大尉の指揮の下に、一七七九年四月にカムチャツカのペトロパウロフスク港にはいっている。続いてディクソン、ポートロク、ミルス等の指揮するイギリス船が北太平洋方面に出没する。

また、これより少し遅れた時期、フランスの海洋探険隊ラペルーズの船も、この海域のどこかを遊弋《ゆうよく》していた。この船がペトロパウロフスク港に寄港したのは、一七八七年九月二十五日のことである。ラペルーズは隊員の一人であるジャン・バプティスト・レセップスを本国への中間報告のために下船させると、水、食糧の補給のためその月いっぱい港に留まった後、九月二十九日港を出て、再び南下して行ったが、ついにこの海洋探険隊はそのまま永久に消息を断ってしまうことになったのである。カムチャツカに下船を命じられた許《ばか》りに一人だけ生き残ることになったレセップスは、後年『レセップス旅行日録』を出版して、探険家、旅行家として名を成すに至るが、この時はまだ二十七歳の若者であった。

レセップスはラペルーズの船を見送ってから一週間ペトロパウロフスクに留まり、十月七日そこを発ち、翌年二月にニジネカムチャツクにはいっている。レセップスは後年出版したその旅行日誌に、ニジネカムチャツクに於ける三日間の滞在の模様を書き記しているが、そこには新しく日本の漂流民たちが登場して来る。レセップスはその旅行日誌に記している。

——自分はニジネカムチャツクという町について期待していたが、実際に来てみるとあまりいい町ではなかった。人家は全部で百五十あまり、いずれも小さな木造建築で、すっかり雪の中に埋まっていた。数日前までは吹雪が荒れ狂っていたそうだ。この聚落には二つの教会があり、そのうち二つの鐘楼を持つ教会は人家の中に混じっており、もう一つの方は四角の柵が張り廻らされた中にあった。長官オルレアンコフ少佐の家は、その柵の傍にあった。

——自分はここでスナフィドフ、イワチキンという二人の不幸な流刑囚に会った。二人とも一七四四年からこの地に住んでいるということだった。自分は出迎えの将校に鄭重に遇せられ、翌日はこの地で勤務しているポーランド人の結婚式に招待された。宴席はカムチャツカとしてはすばらしいものだった。宴会はロシアやポーランドのダンスから始まり、最後は長官の演出によるファイア・ストームに依って飾られた。また翌日は全カムチャツカの正教会管長である司祭長の家に招かれた。司祭長は胸まで届く長く白いひげをたくわえた人物で、貫禄充分の感があった。またこの町には二つの裁判所があった。一つは治安関係を、一つは商人たちの争いを取り扱っていた。

レセップスはニジネカムチャツク滞在中の見聞をこのように綴っているが、そのあとで次のように記している。

――しかし、ニジネカムチャツクにおいて、私が最も興味を抱き、従って触れずに通り過ぎることのできないことは、過ぐる夏アレウト列島からロシアの毛皮取引の船で、この地へ送られて来た九人の日本人に出遇ったことである。

レセップスはこの記述に続いて、日本漂流民九人の棟梁株の一人の人物について、詳細に彼の眼が捉えたことを記し、そのひととなり、風姿、言動いっさいに対して賞讃の言葉を綴っている。

このレセップスの日誌に登場する日本漂民は、シェリホフの船が海猟《らっこ》や膃肭獣《おっとせい》の群がる海域を目指してオホーツク港を出帆して行った一七八三年八月十六日より二十日程前に、アレウト列島のアムチトカ島に漂着し、そこで四年の歳月を過した後、漸くにしてカムチャツカに渡ることができた大黒屋光太夫の一行だったのである。デンベイ、サニマ、ソウザとゴンザ、それから竹内徳兵衛の一行と、過去四回に亘って、日本漂民たちはロシアの土を踏み、ロシアの古い記録の片隅にその名を記される稀有《けう》な運命を持ったが、大黒屋光太夫の一行はそれら先輩漂民のあとを継いで、五回目にロシアにはいって来た漂流日本人たちであった。本章の冒頭に記したように、小説『おろしや国酔夢譚』の主人公たちなのである。レセップスがニジネカムチャツクに於いて光太夫と出遇ったのは一七八八年二月であるが、それはデンベイのカムチャツカ漂着の年から九十年、サニマのそれより七十八年、ソウザ、ゴンザのそれより五十九年、そして竹内徳兵衛の一行のオネコタン島漂着より四十三年という歳月が経過している時のことである。アトラソフの所謂《いわゆる》〝どこの国に属するか、未だ調査されたことがなくて不明な島〟の暦では天明八年、松平定信が老中筆頭となった翌年に当っている。

一　章

伊勢亀山領白子村の百姓彦兵衛の持船神昌丸が、紀伊家の廻米*五百石、ならびに江戸の商店へ積み送る木綿、薬種、紙、饌具《せんぐ》などを載せて、伊勢の白子の浦を出帆したのは、天明二年（西紀一七八二年）十二月十三日のことである。西風に帆を上げて、夜半駿河沖に至ったが、急にしけ模様となり、北風が吹き起り、それに西北の風がぶつかり、二つの風が揉み合ううちに次第に波浪は高くなり、船は忽ちにして舵をへし折られてしまった。船頭*光太夫は生涯で舵の折れる音を聞いたのはこの時ただ一回であったが、それは思い出す度にいつも魂が逆撫でされるような気持になる何とも言えぬ厭な音だった。

この舵の折れるきしみが逆巻く波浪の音の間から聞えたのを境に、船頭光太夫は勿論のこと、一緒に乗っていた十六人の船乗りたちは、彼等が夢にも想像できなかった大きな運命の手に弄ばれることになったのである。運命は先ず神昌丸を何日か狂騰する波浪の中に揉めるだけ揉んで、すっかり船乗りたちがあくを落してしまった頃を見計らって、船を大きなうねりだけがある静かな洋上に置いた。そしてあとは船を北へ北へと運んだ。

明けても暮れても、船乗りたちは黒い潮だけしか見なかった。

年が改まって二月になった頃、難破船の千石船は、袷や単衣《ひとえ》の類を綴り合せて帆として、いずくともなく漂って行った。船内では船乗りたちは、五十里、百里、百五十里といった風に千里までを神籤《みくじ》に作り、御祓《はらい》につけて開いてみた。六百里と出た。神籤のとり直しはしないものであるが、心晴らしにもう一度試みると、また六百里と出た。このことで船乗りたちは色を失ったが、色を失うにはまだ早すぎたことは、あとで船乗りたちの誰もが思い当ったことである。悪戯者《いたずら》の運命は三月に船から二梃の碇を取り上げ、その上船内に海水を滲み込ませた。そしてそれでも足りなくて、船乗りたちを飲水の欠乏で苦しませた。米の方は多量の積荷があったので、水で船乗りたちを責めるしかなかったのである。

五月になると洋上に雪が降り、船乗りたちは綿入れを着た。船はいつ果てるともない恐ろしく長い漂流を続けた。そして七月十五日の夜、神仏の祈願のために垢離《こり》をとって精力が衰えていた水手《かこ》幾八から、運命はそうしたことが何の効験もないという見せしめでもあるかのように、その生命を取り上げた。船乗りたちは、幾八が息を引き取ったことは判っていたが、その死体の処理は明方まで待たなければならなかった。誰も彼もが栄養の不足から鳥目《とりめ》になっていて、夜の間は物の判別もつかなかった。

夜が白んでから、最初の犠牲者の死骸は同僚の手で沐浴《もくよく》させられ、髪を剃られ、桶に入れられた。そして白木綿で隙間をふさがれ、蓋の上に「勢州白子大黒屋光太夫船水手幾八」と記された。白木綿で幾重にも縛られた柩は、底知れぬ潮の中へ沈んだ。

その幾八の葬式の日は夜になると烈しい雷雨があり、翌日は朝から海上が荒れ出し、暮方からは大風雨となって、船乗りたちが見たこともない巨浪が逆まいた。難破船は舷《ふなばた》の牆《かき》を破られ、板子《いたご》を吹き上げられ、火鉢をひっくり返され、その火鉢の火で、水手の新蔵は大火傷を負うた。

運命はあの手この手を使ってもどうしても沈まない船に対して、この暴風雨を境にして態度を改めた。幾八の死から三日置いた十九日に、船乗りたちは昆布が船の近くを流れているのを見た。それを最初に見付けたのは船親父*の三五郎であった。船乗りたちは漂流八カ月にして、初めて陸が近そうだということで生色を取り戻した。続いて二十日に、運命は難破船を島の近くに手繰り寄せ、最初に島影を見る悦びを年少の磯吉に与えようとした。磯吉は暁方小用に起き出して、遠くに島影のようなものを見たが、どうせ雲だろうと思って、そのまま再び床にはいり込んでしまった。今まで何回も雲に騙《だま》されていたので、磯吉は運命の贈りものに見向きもしなかったのである。

磯吉に替ってその幸運にありついたのは年長組の荷物賄方の小市であった。暁方、小市はいつものように楼《やぐら》に登って四方を見遣ったが、その時丑寅《うしとら》（東北）の方角に、霧ではっきりとは判らなかったが、島のような形をしたものを見た。どう見ても島であった。小市は大声で船中の者を叩き起した。船乗りたちはみな楼に登った。海上が晴れ渡って来るに従って、彼等の眼が捉えたものは疑うべくもない島であった。磯も見え、断崖も見え、山も見えた。山の頂きには白い雪が載っている。

船員たちは一様に、自分たちを乗せた船が島を目前に眺めながら、このまま再び沖合に運ばれてしまうのではないかという恐怖心に捉われた。そうしたことがないとは言われなかった。充分にありそうなことに思われた。船乗りたちはあれこれ苦心した果て、艫《とも》を舳《へ》にふり直し、小さい帆を造って、縄を二条舵にひかせ、漸く未《ひつじ》の刻（午後二時）に船を島に近づけることができた。岸から四、五町のところで船は碇をおろし、昆布を見て以来病みついている船親父の三五郎と船表《ふなおもて》賄方の次郎兵衛の二人を船の中で哨船《はしけ》に乗せ、そのまま海上に吊りおろした。それから粮米《ろうまい》二俵、薪四、五束、鍋、釜、衣服、夜具などをそれに積み込み、最後に乗組員一同が乗り移った。小舟が乗りつけたところは一木一草もない島の磯辺であった。

船乗りたちが荷物を陸揚げしていると、異様な風体の島人たちが集まって来た。髪はかむろ髪、顔は赤黒く、すあしに膝ったけの鳥の羽を綴った着物を着、手に手に棒のさきに雁を四、五羽ずつ結びつけたものを持っている。難破船の船乗りたちは、これから何年かの間にさまざまな人間に会わなければならなかったが、この化物のような島人たちがその最初のものであった。

この島はアレウト列島中で一番大きいアムチトカ島であったが、日本の漂流民たちは勿論ここが故国からいかなる方面に、いかに隔たっている島であるか、そうしたことにはいささかの知識も持っていなかった。彼等をここに運んで来たものは潮の流れであったが、彼等をこの潮に乗せたものは、その小さい集団の全員が共通に分け持った運命であった。正確な言い方をすれば、船中で他界した幾八をのぞく十六人の船乗りたちが共有した運命であった。運命というものは、人間個人個人に依って異るものだが、少くともここまでは十六の運命は足並みを揃えて来たのである。伊勢白子浜からこの北の果ての島まで、兎も角彼等十六人を彼等の意志とは無関係に運んで来ることに成功したのである。

大黒屋光太夫の漂流より十年程前に、同じ潮の道を北から南へと逆に南下して行った帆船があった。この方は運命のまにまに流されて行ったのではなく、はっきりと人間の意志に依って舵棒が握られ、運命の方は人間に従属していた。従ってそれは航海と呼んでいいものであったが、結果から見ると、漂流とさほど異るところはなかった。この帆船の船長の名はベニョフスキーと言った。ベニョフスキーは政治犯としてカムチャツカに送り込まれていたポーランド人で、ボリシェレツクに於て軍務に服していたが、長官を殺し、帆船を奪い、その帆船に「聖ピョートル号」と命名し、七十数名の流刑囚を語らって大洋に乗り出した。一七七一年五月十二日のことで、ろくな海図もあろう筈はなく、無鉄砲な隊長の冒険心だけが頼りであった。彼等はカムチャツカを出発してから六日目に千島列島中の無人島に到着した。ここでベニョフスキーは一味の粛清を図り、三人の異分子を島に降ろして出発した。島に棄てられた三人の者は四日後に、たまたまその近くを航行していたロシアの毛皮商人プロトディヤコーフの船に救われるというこの一行では一番の幸運者になった。

ベニョフスキーの船「聖ピョートル号」は日本列島の東岸に沿って南下し、七月初旬、薪水を求めて琉球大島に立ち寄った。ベニョフスキーはこの時、長崎在留のオランダ人に宛てたロシア南侵警告の書簡を島人に托した。ベニョフスキーは日本の歴史の片隅にその奇妙な名を留めるしゃれたことをやってのけたのであった。

船は、光太夫の船とは違って舵棒を折られる災難にも遇わず、その後マカオに到着したが、ここでベニョフスキーは「聖ピョートル号」を四、五百ピアストルで売りとばした。一行は千島に棄てた三人をのぞいて七十名であったが、マカオを出発するまでに十五名が死んでいた。

一七七二年三月、一行はこんどは旅行者として船でフランスのイル・ド・フランス（パリ）に着いた。隊長ベニョフスキーを除いて、彼の同行者たちは無一文であったし、どうして生きて行くかという当てはなく、状態はカムチャツカに於けるより一層悪くなっていた。ベニョフスキー等五人をのぞくロシア人たちは、隊長を見限って、パリへ向って歩き出す以外仕方なかった。そして徒歩でパリへ着くと、見物するひまもなく、フランス政府の手に依ってペテルブルグに送還された。そしてペテルブルグに着くと、こんどはロシア政府の手に依って彼等は再びシベリア流刑に処せられた。ぐるりと地球を半周して振り出しの地に戻ったわけであった。

ベニョフスキーの方はそんな間の抜けたことはしなかった。フランス官憲とわたりをつけ、マダガスカル島に一年半勤務し、同僚と喧嘩してロンドンに逃げ、ここで彼は回想録の筆を執った。この回想録は彼の死後、一七九一年『モーリス・ベニョフスキーの航海とメモワール』と題してパリで出版され、忽ち英独その他に翻訳され、ヨーロッパ中の話題となった。本国ロシアでもコツェブーによって、その物語から脚本が作られ、一時はペテルブルグのドイツ人劇場で上演されたが、その後政府によって上演を禁止された。

さて、回想録を書き終えたベニョフスキーは再びフランスの外人部隊に志願して一七八四年九月マダガスカルの地を踏んだが、原住民の傭兵の叛乱に遇って一七八六年五月二十三日に殺されるに至った。彼の遺体がフランス兵によって発見された時、その胸には聖霊勲章がつけられてあり、懐中には半ピアストルの現金がはいっていたという。

このベニョフスキー一味の逃亡事件の報は、事件発生後二週間のうちに全カムチャツカに伝えられ、ペテルブルグに報じられたのは八カ月後であった。事件後多くの官吏が更迭され、シベリアの一部の役人は通報がおくれたかどで罰せられた。この事件が為したただ一つの社会的影響は、この事件のためにカムチャツカへ流刑囚が送られることは以前より少くなったことであった。

ベニョフスキーの回想録は、その後多くの研究家によって、真実と虚偽とが撰り分けられた。虚偽といっても、全くの作り話は、カムチャツカの長官の娘アファナシヤ・ニーロワが彼を慕って彼の航海に同行し、マカオで彼の腕に抱かれたままあえなく若い一生を終るといったような部分だけで、他は嘘というより誇張というのが当っていた。大尉相当の長官は総督となり、ちっぽけな柵は堅固な城となり、小さい溝はまんまんと水を湛えた濠となっていた。そして彼が為した最大のミスは、自分の眼で見たカムチャツカの風物を写すことを怠って、当時すでに出版されていたクラシェニンニコフの不朽の名著『カムチャツカ誌』をまる写しにしたことであった。

大海はこのようなベニョフスキー氏の航海に腹を立て、十年後にその仕返しとして、大黒屋光太夫の一行を「聖ピョートル号」とは反対に北方の海域の果てに持って行ってしまったのかも知れなかった。

アレウト列島中のアムチトカ島の小石の多い渚《なぎさ》に降り立った時、光太夫はこれで自分たちは必ず助かるだろうと思った。八カ月に亘った漂流の間は、かりそめにも助かるという気持は持つことができなかった。一口に八カ月というが、島影一つ見ない半歳の漂流はおそろしく長いものであった。併し、光太夫は乗員全部を統《す》べる船頭の地位にあったので、漂流中一切弱音を口から吐くことを自分に禁じていた。水手《かこ》の幾八が船中で息を引きとり、翌朝その柩を潮の中に沈めた時、光太夫はこれを皮切りに、これから次々仲間の柩を潮の中に降ろして行くことになるだろうと思った。そして光太夫は柩に詰め込まれ、潮の中へ沈まされて行く者の順番を予め頭の中で作っていた。幾八の次には、船親父の三五郎、その次は船表賄方の次郎兵衛、この二人は他の船乗りたちに較べると、年もとっていたが、目立って体力が衰えていた。三番目は水手の安五郎、次は上乗りの作次郎、次は水手の清七、それから同じく水手の長次郎と藤助、ざっとこのような順番で柩の中に収まるだろうと思った。清七、長次郎、藤助といった連中は年も若く、他の連中より元気でいい筈であったが、こらえ性がなく、何事に依らず女々しい振舞が目立ち、気持の上で自分の生命を棄てているところがあった。板子を掴《かじ》ってもなお生きようとする執念がない限り、人より長く生きられるものではなかった。

そのように仏になる順番まで決めておいたが、幾八以外はどうにか柩に収められることもなく、異様な風体の化物のような人間が棲んでいる島の渚に降り立つことができたのであった。八カ月振りに足の裏に大地の固さを覚えた時、光太夫は初めてこれで自分たちは生きられるだろうという気持を持った。これまで自分たちの生命は、運命という得体の知れぬものの手に委ねられており、いくら息まいても、りきんでも、どうなるものでもなかったが、それが初めて自分たちの管轄下に置かれた気持であった。大地に足がついている限り、どんな環境に置かれようと、自分の判断と決意と努力で、それを少しでもいい方へと持って行けぬ筈はなかった。

光太夫は人とも鬼とも判らぬ土民に、「あんたら」と声を掛けてみたが、いっこうに通ぜぬ模様で、向うからも四、五人が一緒に何か喚き返して来たが、こちらにも何を言っているか判らなかった。光太夫は胴巻から銭四、五個を出して、それを差し出すと、二人の男が近寄って来て受けとり、それぞれ仔細に弄《いじ》り廻していたが、やがてそれを手に握ったまま、そこに突立ってしまった。何かもっと物をやってみろ、と光太夫が言うと、水手の勘太郎が少しましな物をやった方がよかろうということで、木綿一反を取り出し、光太夫の手でそれを土民の方に差し出した。またさきの二人が進み寄って来て、それを受け取ったが、こんどは明らかに悦んでいる様子を示して何か喋り合っていたが、一人が光太夫の傍に来て、こちらへ来いというように袖を引張った。明らかにどこかへ連れて行こうとしていた。

「来いと言っているようだな。誰か行ってみな」

光太夫は言ったが、誰も尻込みして応ずる者はなかった。

「俺は船頭の役で船を棄てて行くわけにはいかぬ。誰か行ってみることじゃ。家もあるに違いないから、様子を見届けてくべし」

併し、余りいい役ではなかったので、自分から進んで行ってみようという者はなかった。あれこれ評議するうち、小市が自分からその役を買って出た。小市は光太夫より四歳年長の三十七で、光太夫と同様伊勢の若松村の農家の出である。読み書きも一応できるので、荷物賄方を受け持っている。その名前のように小柄で、力仕事には向かないが、どこかにしんの強いところがあって、漂流中も一度も弱音を吐かず、持前のひとに聞えるか聞えないかの低い声で、いつか時が来たら助かるべし、助かるまでの辛抱じゃ、短気禁物、不足禁物と、船乗りの間に悶着がある度に、そんなことを言った。小市が口を出すと、不思議にどんな悶着も収まった。光太夫は一行の中で、一番小市を信用もし、頼みにもしていた。やはり同じ若松村の出身で、一番の年長者である船親父の三五郎が光太夫の片腕になるべき人物であったが、この方は漂流六カ月目から精神的にも肉体的にもすっかり弱っていた。

小市が土民と一緒に行ってみると言い出したので、庄蔵、新蔵の二人の若者が自分たちも小市に同行しようと申し出た。すると船親父の三五郎の子で、一行の中では最も若い二十歳の磯吉と、上陸するまでは気落ちして見る影もなくなっていたが、陸地を踏むと急に元気になった清七の二人が、自分たちも小市に従って行ってみようと言い出した。

小市、庄蔵、新蔵、清七、磯吉の五人は土民たちのあとについて、断崖の裾を伝って行き、やがて岩陰に姿を匿してしまった。海辺に残った光太夫たち十一人の者は、いずれにしても今夜はここで寝なければならぬということで、海からの風が強く当らぬ場所を探すことにした。水手の与惣松が海岸に落ち込んでいる断崖の裾に、二十人ほどの人間がはいれる洞穴を探して来たので、光太夫はそこを今夜の宿所にすることにし、そこへみなで手分けして船から降ろした荷物を運び込んだ。

そうした作業に携わっている最中、突然荒磯に異様な風体の男四、五人が現われたと見ると、いきなり空砲を放った。さきの土民たちとは異って、この方は羅紗、天鵞絨《びろうど》の装束をし、明らかに土民たちよりはいい生活をしている異人の一団であった。彼等は怖れる気色もなくこちらに近寄って来ると、赤黒い粉薬のようなものを差し出して来た。

光太夫が受け取ると、相手は同じものを手にして、それを鼻のところへ持って行って嗅いでみせた。同じようにせよということらしかったが、何ものとも判らなかったので光太夫が躊《ため》っていると、水手の九右衛門が替って嗅いでみせ、煙草臭い、煙草を粉にしたものらしいと言った。後で判ったことであったが、これはポロシカと言って、ロシア人が常に用うる嗅煙草であった。

異人たちはロシア人で、頭立った者はヤコファノウィチ・ニビジモフといい、ロシア本国の毛皮商ジガレーフの部下で、配下と一緒に海猟《らっこ》や海豹《あざらし》の皮を買占めにこの島に派せられて来ている者であった。勿論こうしたことはこれから三年ほど経ってから知ったことで、この時はどこの国の者とも判らなかった。

光太夫はニビジモフに文字を書いて見せたが、相手はいっこうに判らぬ様子で、反対に何か認《したた》めて示して来た。文字とも模様とも判らぬものであった。兎もあれ、相手に害心がないらしいことを見て、光太夫は吻《ほっ》とした。そのうちに続々と土民たちが集まって来て、光太夫たちを遠巻きにした。男もいれば女もいたが、これも格別害心を持っているようには見受けられず、漂流民たちを見物するためにやって来たもののようであった。

光太夫たちが上陸したのは未《ひつじ》の刻（午後二時）を少し過ぎた許りの時であったが、一日は早く過ぎて、殆ど信じられぬような早さで暮色が迫って来た。光太夫は船乗りたちに夕食の支度を命じた。石で曲突《くど》がつかれ、釜がかけられた。飯が炊かれると漂流民たちは握り飯を作って空腹をみたした。光太夫は握り飯を口に運びながら、近くに寄って来ている何人かの土民にも与えてみたが、いずれも一口食べただけで棄ててしまった。異人にも与えたが、この方は揃いも揃ってうまそうに全部平らげた。

荒磯に夜の黒い帳《とばり》が降りると、土民たちは一人残らず引き揚げて行き、ニビジモフの部下の二人のロシア人だけが残って、岩窟《いわや》の横手で焚火をしてあたり始めた。

光太夫は岩窟の中の小高い場所に船から降ろした伊勢大神宮の宮居を奉安し、あとは一面に夜具を敷きつめて、一同、そこにごろ寝した。八カ月振りで大地の上に臥すわけで、小市たち五人の者がどうなったか、それを案じて、あれこれ話し合っているうちに、誰が先きということなしに次々に眠ってしまった。光太夫は夜半眼を覚ました。昼間はさほど寒さは感じなかったが、急に冬でも来たのではないかと思われるほどの冷え込み方だった。小用に立ち出てみると、二人の異人たちは着ぶくれた恰好で、焚火のまわりに横たわっていた。漂流民たちが逃げ出さぬようと見張っているか、あるいは警固しているか、孰《いず》れかであると思われた。これもあとで判ったことだが、漂流民たちを安心して眠らせるためのロシア人たちの親切心から出たことであったのである。

光太夫はそれからあとは眠らなかった。暦は七月になっていた。伊勢や江戸なら暑い最中であるのに、一体この寒さはどうしたことであろうかと思った。蝦夷は真夏でも寒いと聞いていたが、ここが蝦夷であろうとは思われなかった。蝦夷が幾ら江戸から遠いにしても、潮の上を八カ月も漂流して到着する地点ではあるまいと思われた。蝦夷から更に先きとなると、そこにいかなる国があるか、いかなる島があるか、かいもくそうした知識の持合せはなかった。光太夫はいま自分が横たわっている場所が江戸や伊勢からいかなる方向へ、どのくらい隔たった地点であるか知りたかったが、知る方法はなかった。それからまたここが小さな島であるか、大きな島であるか、いかなる人間がどのくらいの数住んでいるか、そういうことはいっさい判らなかった。そしてまた今日会った土民や異人たちが、自分たちにとっていかなる気持を持っているかも判らなかった。今のところではさして害心は持っていないように見受けられるが、言葉も通じないし、気心も判らないので、気は許せなかった。小市たち五人の者が土民に伴われて行ったまま戻って来ないことも、気にかかることであった。若しここに居ることが生命に関わることであるならば、再びここを脱出して海に漂う以外仕方なかった。

夜が白むと光太夫は岩窟から外へ出た。二人の異人は焚火の傍に正体なく打ち臥していた。焚火が燃えているところをみると、時々眼を覚ましては、薪を火中に投じているものと思われた。光太夫は寒さに身を震わせながら磯へ降りて行った。海は暁方のそれのようではなく、昼間と同じような烈しい波を磯に打ちつけており、水平線と空の境界は版画で見るそれのように、くっきりと同じ薄墨色の濃淡で分けられている。

光太夫はきのう下船した己《おの》が船の方へ眼を遣ったが、瞬間凍りつくような思いで、そこに立ち竦《すく》んでしまった。船はきのうまでの船ではなかった。船体がむざんに二つに割れて、船底のない船が磯の岩礁の間に打ち上げられて、横倒しになっている。光太夫はそこへ向って駈け出したが、船底をもぎ取られている船体がはっきりと眼にはいって来ると、途中で駈けるのをやめて、そこから岩窟に引き返し、倒れるように身を横たえると、夜具を頭からひっ被った。

もうどんなことがあっても、自分たちはここから脱出することはできないと思った。土民に害心があれば、ここで果てる以外道はないのである。それから自力で国へ帰る方途もなくなった。きのうまでは、まだどこか島へ着いて、そこで船を修繕すればと、そういう気持もあったが、その望みも失くなってしまったのである。差し当っての問題は、船に積んであった食糧と衣類である。米だけは当分食いつなげるだけの量があったが、それも全部失ってしまい、この寒さでは直ぐにも必要な衣類も亦尽く波に持って行かれてしまったのである。光太夫は八カ月の漂流中、一度もこの朝のような絶望的な気持になったことはなかった。

船体が二つに割れた事件は、夜が明けると、忽ちにして大きな騒ぎになった。この何日か寝たきりの船親父の三五郎までが、床から起き上がって岩窟から出て行った。光太夫は船乗りたちに何回も揺り起されたが、その度に、

「心憂いので、見とうないわな」

と言って、そのまま臥して眼を閉じていた。

船が打ち揚げられている磯には土民たちが群がっている模様で、そこで立ち騒ぐ声が時折、風に乗って聞えて来たが、光太夫は夕方まで岩窟に臥したまま、磯には出て行かなかった。その日も小市たちは戻って来なかった。それが光太夫の心を一層暗くしてい

た。

暮方、岩窟の前の磯が騒がしくなったので、光太夫は初めて岩窟から出た。ニビジモフを初めとする異人たち十人程が、破船の中にあった酒一樽を取り出して来て、それを飲み、一人残らず酩酊《めいてい》している模様であった。岩窟の前には九右衛門、勘太郎、藤助たちが固まって、放心の体で、磯辺の酒宴へ眼をやっていた。

光太夫も船乗りたちの間にはいって、異人たちの底ぬけの騒ぎを見ていた。唄っている者、踊っている者、それぞればらばらに自分のやりたいことをやっている感じで、暮れかかっている寒そうな海を背にしている酒宴の一団には何の統制も感じられず、賑やかではあったが、ある淋しさがあった。土民たちが三三五五、それを遠まきにして見ている。そのうちに土民の男たち数人が異人を真似《まね》て酒樽を磯に運んで来た。そして彼等も亦、その樽にたかって、小さい器でそれをすくって飲み出した。土民たちの運んで来たものも酒樽には違いなかったが、中にはいっているものは酒ではなく、船乗りたちが風浪烈しい日、舷《ふなばた》に出て小用することができないので、そこで用を便じ、そのまま溜め置いたものであった。土民たちはさすがにうまくないと思ったのか、樽から離れ、専ら異人たちの騒ぎを見物する方に廻った。

光太夫は荒磯の底抜けの狂態を見ているうちに、昼間すっかり失っていた或いは生きられるかも知れないという気持が、極く自然に再び自分の心に立ち帰って来るのを感じた。乾河道へ水が立ち帰って来るような、それと見えるか見えぬかのゆるやかなみたし方で、生への希望が光太夫の心に立ち帰って来たのである。光太夫は自分に言いきかせるような口調で、自分の横に寒そうに立っている哀れな仲間たちに言った。

「みんな、今日から心を入れ替えるんだな。ここがどこであるか知らんが、兎に角、俺たちもここに生れて、今日までここで育ったと思うんだな。そう思えば生きられんこともあるまい。そういう気にならんと、いいか、到底生きられんぞ。――生きてさえいれば、楽しいこともあるべし、酒飲んで歌を唄うこともあるべし。郷里へ帰るというようなことはお天道さまに任せるんじゃ。お天道さんだって、すっかり任せられれば、お前、棄てておくわけに行かんがな。何とかしてくださるべし。な、そうだろう。要はお天道さまに任せきることじゃ。あの酒飲んで踊っている異人たちかて、きっと俺たちと同じ境遇じゃ。そうでなくて、あんなに途方もなく騒げるかや」

翌朝、眼覚めると、こんどは一同をここへ運んで来た哨船《はしけ》も風浪のため岩礁に叩きつけられて、船体は幾つかに割れていた。光太夫はもはや何ごとが起っても驚かなかった。午《ひる》刻前にニビジモフが数名の異人と、同じく数名の土民を連れてやって来た。ニビジモフの指図で、土民たちは三五郎と次郎兵衛を背負った。

光太夫は異人たちが自分たちをどこかへ移そうとしているらしいことを知ると、逆らわないで、彼等に従って行くことにした。漂流民たちはそれぞれ荷物を手分けして持って、異人たちのあとについて磯を離れた。光太夫は佩刀《はいとう》をさし、自分の荷物を詰め込んである行李を持った。磯伝いに暫く歩いて、断崖の斜面を這っている小道へ出た。道は断崖を上りきると、そのまま丈低い灌木の生い茂っている山へとはいって行った。

山道を半刻程歩いた頃、光太夫は行く手からこちらにやって来る小市、磯吉の二人の姿を見付けた。生きていたかや、そんな言葉が、船乗りたちの間でやかましく取り交された。気が弱くなっている三五郎は、二人に無事に対面できたということで、嬉しさの余り、声を上げて泣いた。

小市、磯吉の二人はそこから一行と共にいま来た道を引き返し始めた。小市の語るところでは、前々日光太夫と別れた五人は、土民たちに連れられて山道を半里許り歩き、峠で異人たちと出会ったが、空砲を放されて胆を冷やした。が、何事もなく、峠を越えて、家一軒もない北の海辺へ連れて行かれた。そこには鎗《やり》、鉄砲を持った羅紗、天鵞絨《びろうど》の装束の異人たちが多勢屯《たむろ》しており、彼等は互いに何やら談合していたが、やがて小市たちは麴むろのようなものの前に連れて行かれ、戸を開けて、その中へ入れられた。横二間半、長さ六、七間の地下に造られた穴蔵で、この地に住む異人たちの住居と思われた。ここで茶の如きものを与えられ、日が暮れると、得体の知れぬ白い汁と、一尺ほどの魚を塩むしにしたものが、戸板のような膳にのって運ばれて来た。それを食べ終った頃、鎗、鉄砲を持った異人たち五人がやって来て、磯吉、新蔵の二人を残し、小市、庄蔵、清七等三人を連れて行こうとした。どうせ殺されるに違いないと思ったので、死ぬなら一緒の方がいいという気持で、磯吉、新蔵も穴蔵から飛び出して同行を懇願したが、取り合われず、この時、どういうものか、年長の小市と新蔵とが入れ替えさせられた。そして小市と磯吉があとに残され、他の三人の者はそのまま何処ともなく連れ去られてしまった。その晩、小市と磯吉の居る穴蔵を多勢の土民の女たちが覗きに来た。面《おもて》に青い条《すじ》があって、鼻のあなと下唇に角を生やしたところは到底人間とは思われなかった。小市たちはここで羅刹《らせつ》の餌食《えじき》になるかと思ったが、別に危害を加えられることもなく、年老いた親切そうな異人が皮衣を持って来てくれたので二人はそれにくるまって眠った。

翌日は三度三度食を与えられて何事もなく過したが、庄蔵、新蔵、清七の三人の身の上も案じられ、また漂着後間もなく磯で別れた光太夫たちのことも気にかかり、今日になって、ついに地下の小屋を脱け出して、いまここまでやって来たのだということだった。

小市は光太夫たちと会えたことがよほど嬉しいらしく、同じ殺されるにしても、みなの衆と一緒ならと、そんなことを繰り返し言った。光太夫は異人たちが自分たちを遇するその遇し方から推しても、また小市たちの話を合せ考えてみても、よもや自分たちがここで殺されることはあるまいといった楽観的な気持になっていた。庄蔵、新蔵、清七の三人の若者も殺されないで、どこかに生きているに違いないと、光太夫は思った。併し、他の者たちはもうあと僅かな生命だと思い決めている風で、なむまいだ、なむまいだと口に唱えながら歩いている者もあれば、思い返してみてさほど非道なこともしないのに、どうしてこのような憂きめをみるのかと、絶えず口の中でぼそぼそ言っている者もあった。

そうした中で、最年少の磯吉ひとりが黙って歩いていた。光太夫たちから離れたあとのことは小市にだけ喋らせて、自分は黙っていた。光太夫には磯吉だけが別人に見えた。彼は現在自分の置かれている立場もさほど苦にならぬのか、時折立ち停まっては、路傍の草の葉をちぎって、それを掌の上で仔細に改めたりしていた。光太夫がそれに眼を当てると、

「伊勢あたりのよもぎの葉に似ているが、違うかや」

そんなことを磯吉は言った。やがて一同は峠を越えた。峠へ出た時、北の海浜一帯が見渡せた。浜は淡い褐色を帯びてゆるやかな曲線を描いてどこまでも延びており、そこへ泡立っているような青黒い潮が寄せては砕けていた。陽は照っていたが、国もとでは見られぬ暗い海であった。西と南の両方は山で塞がれ、眺望は利かなかった。

「ここは島かや、陸かや」

光太夫は仲間に訊ねたが、誰も答えなかった。光太夫はここは案外小さな島ではないかと思った。小半里歩いて反対側としか思われぬ海が見えるくらいだし、いま自分たちが歩いている山のたたずまいも、そう深い奥行きを持っていそうには思われなかった。ただ海上から雪のある山が見えたが、いまはそれが見えないことと、異人たちが住んでいることが解《げ》せぬと言えば解せぬことであった。

一行は峠を降って磯辺へ出、そこから少し離れた異人たちの居処に赴《おもむ》いた。家は二棟並んで作られてあり、一棟は頭領株のニビジモフの住居、一棟は彼の部下たちの住居で

あった。他に倉があって、光太夫たちはそこへ入れられた。倉の中には冬期の食糧として貯えてある乾魚や、雁や鴨の干したのがぎっしりと積まれてあって、その臭気が堪え難かった。光太夫は衣服の間に入れてあった香嚢《こうのう》を取り出し、香を火に焚いて、その夜を凌いだ。

翌日になって、庄蔵、新蔵、清七の三人が異人たちに連れられて帰って来た。三人の話を聞くと、小市たちと別れたあと船場へ連れて行かれ、別に仕事を命じられるでもなく、三度三度食を与えられ、そこに留め置かれたということであった。いかなるわけで、そのようなことをされたのか、言葉が通じないので、かいもく判らぬらしかった。

二、三日経つうちに光太夫たちはいつ危害が身に及ぶかも知れぬという懸念を徐々に失くして行った。土民たちも異様な形相をしていて知能程度は低かったが、さほど残虐な性質とも覚えず、ひと通りの人情は弁《わきま》えているように思われた。また異人たちは明らかにこの島のものではなく、土民たちに対しては権力を持っていて、彼等をあごで使っていたが、光太夫たちに対しては邪慳《じやけん》なところは見せなかった。決して土民たちと同様には見ていないようであった。何日目かに光太夫たちは倉から出され、光太夫はニビジモフの家に、他の者たちは彼の部下たちの家に移された。光太夫だけがニビジモフの家へ移されたのは、異人たちの眼にも漂流民の一団の中で、何となく光太夫が統率者の地位にある人物と見えたためであるらしかった。ニビジモフは長身痩軀の四十ぐらいの人物であった。冷静で何を考えているか判らぬようなところはあったが、格別悪い人間でもなさそうだった。

食事は三度三度汁と魚の塩むしが与えられた。汁は黒百合《ゆり》の根を水で煮、搗《つ》きただらし、水でうすめたものである。後に多少言葉を解するようになって知ったことであるが、土民たちはこの汁をサラナと呼んでいた。木の鉢に入れ、木のさじですくって口に運んだ。また塩むしにして出される魚は土地ではスタチキイと呼び、あいなめの類と思われた。このほかに、タラ、ウニ、海獣の肉、雁、鴨等が食膳に出されることがあった。茶と同様な飲みものもあったが、これは海岸の石の上に生える草の葉を煎じたものであった。異人たちは煙草をタンバコと呼んでおり、これだけが漂流民たちに馴染ある名前であったが、異人たちはいつも桜のすりこぎのようなものを併せ持っていて、それを煙草の中に削りまぜ、煙管で吸っていた。強い煙草なのでそのようにしないと吸えないようであった。

光太夫が入れられたニビジモフの家も、彼の部下たちの家も、みな同じように作られてあった。地面を掘って地下に広い部屋を作り、梁は人字の形に組合せ、横木をわたし、草で葺《ふ》いて、その上を土で覆っており、丁度屋根だけが地上に出るようになっていた。土地下の部屋はまん中の一部だけを土間にし、その周囲に板を張って床を作っていた。土間は火を燃やすためのもので、専ら冬の寒気を防ぐために工夫されていると思われた。

どうやら異人にも土民にも危害を加えられる心配はなくなったが、替って別の心配が一同を襲っていた。それは毎日毎日黒百合の根の汁と得体の知れぬ魚の塩むしを食べさせられているが、これが常食であるとすると、この地に滞在している限り、これで生きて行かねばならぬということであった。船から降ろした米は二俵あったが、これは病人でも出た時の糧《かて》に残しておかねばならなかった。それから夏でも冷んやりした気候だったので、冬期の寒さというものは見当つかぬものであった。住居の作り一つ見ても、やがてやって来る冬に対して、一同は無気味な思いを懐かせられた。

殊にこうしたことはずっと病床にある三五郎、次郎兵衛には人一倍応えているらしく、ある時、一船の者全部が集まった時、三五郎は光太夫に言った。

「わしどもは多年船乗りとして度々難船にも遇い、苦しい目にも遇っているから、これからさきいかような憂き目をみても、どうにかそれに耐えて行けるだろう。そこへ行くと、そこもとはもともと船乗りではなく、船頭の家の養子となったひと、慣れぬ気候や食物に耐えて行けるとは思われぬ。言いおくべきこと、国もとへの書状など、予《あらかじ》め認めておく方がいい。十六人のうち一人や二人は国元へ帰ることもあろうから、それをその者が持って行くだろう。わしどもはこのままに成り果てても思いおくことのない身であるが、そこもとは仕事も手広く身上も大きいので、心残りのないように書き認めておくがよろしかろう」

この三五郎の言葉に対して、光太夫は素直に早速そのようにしようと答えたが、この時、光太夫は三五郎の瘦せ衰えた体をいたましく見守っていた。思い詰めた言い方も普通ではなかったし、病んでいる身でありながら、病んでいない光太夫にそのような死の決意を迫ることも異常であった。光太夫は三五郎の死期が近いのではないかと思った。

果してそれから数日を経ないで、三五郎は身まかった。三五郎の息を引き取った時は誰も知らなかった。朝食の膳が運ばれて来た時、伜の磯吉が父を起しに行ってみると、三五郎は両手を胸の上で組み、静かな顔をして息絶えていた。八月九日のことであり、島へ漂着してから二十日目であった。光太夫と磯吉が三五郎の死体をきよめ、新蔵と与惣松が柩を作った。病んでいる次郎兵衛だけは葬列に加わらなかったが、他の者全部の手で柩は海岸近くの形のいい丘の麓に運ばれ、そこに掘られた穴の中に入れられた。

柩が小石の多い黒土の深い穴に降ろされて行く時、老いた異人が黒衣を纏ってやって来て、異国の様式で死者に引導を渡した。この異人は、あとで知ったことであるが、ジャヤミイロウィチという老人で、もとはカムチャツカの土民であったが、ロシア正教に帰依し、名前もロシア名に改め、ニビジモフ等と一緒にこの島に来ている人物であった。年齢はとうに七十歳を越えていた。光太夫たちはここで生活するようになってから、何かとこの老人に親切にして貰っていた。陽がかげる度に、冬のような寒さが感じられる日であった。誰かが異人に引導を渡して貰うんでは三五郎も浮かばれまいと、そのようなことを口走った。それを耳にして、

「何事も不足は言うまいぞ。三五郎は異国の土になるんじゃ、異国の土になるには、異国の土になり方があろうが」

光太夫は言った。そしてジャヤミイロウィチ老人の為すに任せていた。

三五郎が他界してから幾許《いくばく》もない八月二十日の丑の刻（午前二時）に、三五郎を追いかけるようにして次郎兵衛が身まかった。桑名の出で、生れつきの吝嗇《りんしょく》でもあり、自分勝手な言動も目立って、兎角人からはよく思われぬところがあったが、船中で動けなくなってからの次郎兵衛は朝から晩まで押し黙っていて、傍へ行く者の顔を空虚な眼で見入っていた。そんなところは何を考えているのか不気味に思われたが、息を引きとる日は、自分でも死期を悟《さと》ったのか、光太夫から新蔵、磯吉の若い連中に到るまで一人一人に生前世話になった礼を述べて、それぞれに身につけていたこまごました物を与えたりした。死顔は痩せているためもあったが、漁師らしい荒さはなくなり、優しく、きよげであった。

それから二カ月程経って、毎日のように明けても暮れても雪が降り始めると、十月十六日の卯の刻（午前六時）に安五郎、同月二十三日の同じ卯の刻に作次郎、それから、十二月十七日の寅の刻（午前四時）に清七、同月二十日の卯の刻に長次郎と、次々に不帰の客となって行った。安五郎、長次郎は水手《かこ》であったが、作次郎は上乗りで、積荷の宰領役として船に乗り込んでいた人物であった。もともと紀伊国稲生村の百姓であったが、一回江戸へ行って米を渡してくると、あとは一年中懐手して遊んで食えるところから、自ら上乗りを志願して船へ乗ったのが災難のもととなっていた。

次郎兵衛たち五人の遺体は、船親父の三五郎が眠っている同じ丘の麓に葬られた。次郎兵衛の葬儀の時はまだ雪が落ちていなかったので、一同はジャヤミイロウィチ老人を先頭に立て、葬列らしいものを作って墓所に向ったが、安五郎、作次郎、清七、長次郎の時は、いつも庄蔵、新蔵、磯吉といった若い者たちが吹雪の合間を見て柩を墓所に運んだ。雪を除け、その下の凍っている地面に穴を掘る作業は容易なことではないらしく、庄蔵たちはいつも午刻前に家を出、家へ戻って来るのは夕刻だった。

残った者たちは天明四年の正月を、いずくとも判らぬ雪に閉じこめられた異国の辺地で迎えた。去年の正月と今年の正月と、どちらが自分たちにとってましだろうかと、水手の与惣松が一同を見廻して言ったが、すぐそれに答えるものはなかった。去年の正月は漂流中の船の中で迎えたが、珍しく海上も静かで、海風は冷たかったが、明るい陽光も降っており、一同は陽の光を浴びながら、いまは亡い長次郎が作った餅で雑煮を祝い、少量の酒を飲んだものであった。漂流中で果して陸地を踏めるものかどうかという心配はあったが、まだ米もあり、酒もあり、白子を船出した十七人が一人も欠けていなかった。ところが、いまはそのうち、船中で一人、漂着後六人、併せて七人の者が物故していた。

「だが、まあ、去年の正月に較ぶればいいとせずばなるまい。こうしている限りに於ては、海底に沈む心配もあるまいが、——みんな、この恐ろしく寒い冬を何としても生き抜くことじゃ」

光太夫は言った。この地へ上陸して僅か五カ月の間に六人の仲間を失っていたので、光太夫に言われなくても、誰もがこの冬を生き抜くということがいかに容易でないかはよく知っていた。十人の生き残っている漂流民たちにとって、一番の脅威は、今まで経験したことのない氷雪に閉じこめられた生活がいつまで続くかということと、あとは食糧問題だった。与えられる食糧は毎日決まったもの許りで、よほど我慢しないと口にも入らず、しかもそれが充分あるというわけでもなかった。我慢してでもそれを食べていられるうちはよかったが、安五郎たち物故者は申し合せたように食が細り、食が細って来たなと見ているうちに、無気力になり、日々痩せ衰えて行った。そしてその挙句の果てに、寒気に対する抵抗力がなくなるのか、風邪をひき、咳をし、発熱して、一晩か二晩譫言《うわごと》を言って死んで行ったのである。何としてでも生き抜くためには、自分たちの運命を握っている異人たちの言葉を少しでも解したかった。言葉さえ通じれば、病人が出た場合病状を訴えることもできたし、こちらの要求を聞いて貰うこともできた。

「異人の言葉が少しでも解せたら、安五郎たちをも、よもやあのようにむざむざ殺すこともなかったろうに、心惜し」

光太夫が言った時、年少の磯吉が、

「異人たちは俺たちのところへ来て、時々エトチョワと言うが、あれは、これは何かということらしい。初め、これが欲しいということかと思ったが、そうでもないし、きたないというのかと思ったが、そうでもない。上等なものかどうか訊いているのかと思ったが、それも違っている。どうも、これは何かと訊いているらしい。こっちで何かを指して、エトチョワと言うと、すぐにこにこしながら、返事をする。嘘だと思ったら、ひとつ、やってみるべし」

と言った。この磯吉の報告は光太夫にとっては漂流後初めて経験した明るいものであった。ふいに闇の中に一条の光が射し込んで来たような思いを持った。光太夫はその日、さっそく異人を摑まえて彼等が持っているかぎたばこを指して、エトチョワと言ってみた。

――ポロシカ

異人は答えた。それから暫くして、光太夫は同じ異人に、

――ポロシカ

と言って手を出してみると、相手はすぐ嗅煙草を差し出して寄越した。斯くして光太夫たちが最初に覚えた言葉はエトチョワであり、次に覚えた物の名前はポロシカであった。それから十人の漂流民たちは、それぞれ異人に会う度にやたらにエトチョワを連発した。衣服はプラッテ、外套はカフタン、胴衣はカンゾロ、帯はクシャカ、手袋はペルシャーツカ、履《くつ》はチュフェリ、枕はポトーシカ、朝食はオベダチ、昼食はパウズノイ、提燈はフワナリ、鍋はコチョー、樽はボーチカ、茶碗はチニンノイチャーシコ、――ざっとこういった具合に、光太夫たちは身辺の物の名前から覚えて行った。

毎晩、光太夫は昼間異人たちから聞いた物の名前を半紙に書き記した。一時、漂流民たち全員がこの仕事に夢中になったが、暫くして身辺の物の名前をひと通り覚えてしま

うと、光太夫以外の連中は次第にこの作業に身を入れなくなった。

正月から春へかけて、光太夫は異人がうるさがる程、異人の顔さえ見れば、物の名前を訊き、それを彼等の文字で書き綴らせた。コチョー（鍋）もボーチカ（樽）もチニンノイチャーシコ（茶碗）もポトーシカ（枕）も異人の文字で綴らせた。そして光太夫は毎晩憑《つ》かれたように、その得体の知れぬ文字を綴った紙片を睨みつけていた。漂民たちは火にあたりながら、いつ帰れるか判らぬ郷里の話をしたり、身の不運を歎いたり、賭博をやって憂さを忘れようとしたりしていた。そうしたことを光太夫は咎めなかったし、咎めることもできなかったが、光太夫自身は、そうした仲間にお構いなしに自分だけの仕事に没入していた。光太夫には異人たちの綴る物の名前が、日本の仮名文字と同じように一つの音を持っている幾つかの文字からできているように思われた。僅かに磯吉一人が光太夫ほどではないにしても、そのことに多少の関心を示して、光太夫の手助けをした。磯吉は光太夫と一緒に異国の名詞の綴りから同じ音の文字を抜き出して、それを翌日異人に拠って確かめたりした。

恐ろしく長い冬が終って、春らしい陽射しが照り始めたのは六月であった。雪が落ちなくなると、漂民たちは昼の間は戸外へ出て過した。外へ出ることは、半ば光太夫の命令に依ってであった。お天道さんに当らずして、体にいいわけがあるまいが、光太夫は口癖のように言って、すっかり怠け癖がついて、黙っていれば一日中寝ていかねない仲間たちを地下の穴蔵から追い出した。

光太夫も彼の部下たちも一様に、ニビジモフを初めとする一群の異人たちが、この地の人間でないという見方をしていた。彼等の生活を見ていると、明らかに仮の生活であって、妻も持っていなければ、これといった仕事らしい仕事も持っていなかった。何となく光太夫たち日本の漂流民たちと似通ったものが、その生活の雰囲気の中に感じられた。男たちだけが寄り集まっていて、冬の間は一日中炉端でごろごろして過し、どこかに仮の生活の投げやりなものがあった。光太夫たちは初めは、異人たちもまた自分たちと同じ漂流民ではないかという見方をしていたが、ひと冬過している間に、その考えは改めなければならなかった。漂流民にしては物が揃い過ぎていた。この厳寒の地で暮す準備は万端調えられてあり、食糧に於ても、衣服に於ても、いささかも不自由している風には見受けられなかった。

冬が終って春になった時、光太夫たちは彼等が何のためにここにとどまっているかを知った。彼等は急に精悍《せいかん》な表情になって、毎日毎日忙しそうに動き廻り始めた。島人たちの一隊がまだ雪の解けきらぬ原野をどこへともなく出掛けて行くのを指図したり、あるいは港からこれまたまだ流氷の消えていない海へ何艘かの船が出帆して行くのを見送ったり、時には彼等自身それに乗り組んだりしていた。

「あいつらは、この土地の者にネリパ（あざらし）やボーブラ（らっこ）やシブチャ（とど）を獲らせ、どうやらそれを買い上げている様子じゃがな」

小市は言ったが、光太夫もまた小市と全く同じ見方をしていた。

　ある日、小市は異人たちが数人集まっているところへ行って、カラピリイ（大船）という覚えた許りの単語を口にして、それがいつ迎えにやって来るかということを訊ねてみた。手で帆の形をしてみせたり、それが港へやって来た時の悦びを顔の表情に表わしたりして、いろいろ苦心したが、容易にこちらの質問の内容を相手に伝えることはできなかった。併し、倦かずいろいろと、それを繰り返しているうちに、相手の一人は白いまるを二十四描き、その上に半月を書き添えた紙を示して来た。小市がそれを持ち帰ると、仲間たちは、それを覗き込んで、それぞれ勝手なことを述べ立てた。二十四日経つと迎えの船が来ることだろうと判じた者もあれば、二十四日ではなくて、二十四カ月のことではないかという者もあった。

　それから一同は二十四日目の日を心待ちに待った。併し、二十四日経っても、三十日経っても小さい波止場には何の異変も起らなかった。七月にはいり、やがて日本の漁師たちは、一年前この地に漂着した謂わば漂着記念日とでもいうべき日を迎えた。

　その日、光太夫は九人の部下たちに、こうなったら、もうここに何年居るようになるか判らぬので、腰を据えて、ここで生きる決心をすべきだと言った。異人たちも妻もあり、子もあるだろうから、一生ここに留まっているわけでもあるまい。やがていつか迎えの船がやって来るに違いない。それが来るまで、気ながに待つほかはあるまい。また間もなく雪の季節がやって来るので、こんどは一人の死者も出さぬように今からその準備をせねばならぬ。

光太夫はその日から仲間たちに異人たちの仕事の手伝いをさせて、土民と一緒に近くの小さい島々へ渡らせることにした。漁師たちは港を出て行っては、短い時は二、三日、長い時は五日か六日目に帰って来た。光太夫一人だけは船には乗らず、留守を守りながら、日記をつけたり、異人たちの言葉を帳面に書きつけたりしていた。日本の漂流民たちのこうした態度は異人たちにも、土民たちにも好感を持って迎えられたが、利はそれ許りではなかった。獲物の一部を貰えたので、それを冬の食糧として保存できたし、彼等と一緒に生活することで、異人の言葉も土民の言葉も少しずつ自分のものとすることができた。

磯吉と小市の二人は、異人の言葉を覚えるのが他の者より目立って早かった。殊に磯吉は年少のせいもあろうが、毎日のように新しい言葉を覚えて来てみなに披露した。

「それがほしいというのはエトオホタじゃ、これさえ覚えておけばいい。くれというのはポフロン、そして、ほしいと思うものを貰ったら、オオチェンドウォレスと言えばいいんじゃ。有難うということだ」

磯吉は言った。異人の言葉はだめだったが、土語の習得には新蔵と庄蔵が早かった。この二人は七日間程、土民たちと出漁して帰ると、もう片言で土民の娘たちをからかうようになっていた。みなが土民たちに混じって働くようになってから、日本の漂民たちの生活には僅かではあるが、明るいものがはいって来た。今まで仲間同士で取り交す話と言えば、救いのない暗いものか、刺々したものに決まっていたが、それに漁場における失敗や、物珍しい土民の習性に関する発見などの明るいものが取り上げられるようになって、時には笑い声も聞くことができた。

そしてみなが働き出して一カ月ほど経った九月晦日《みそか》に、突然水手の藤助が心臓の苦痛を訴え、半刻足らず苦しんだだけで、あっけなく身まかってしまった。藤助は働くようになってから急に体のむくみが目立って来て、みなからどこか悪いのではないかと注意されていたが、本人はさほど気にも留めていない様子であった。もともと鈍重な性格で、物の言い方もはきはきせず、挙措動作なども機敏さを欠いていたが、あとで考えると、体は冬の間から悪かったらしく、みなが働きに出る時、自分だけ働かないのは悪いといった気持から、かなり無理を押していたものと思われた。そうしたところは哀れであった。

藤助の柩も亦、仲間と同じ墓所に埋められた。わずか一年の間に七人が他界したわけで、藤助の葬儀の日は、さすがに生き残っている者たちの心は暗かった。誰の気持にも、この次ここに葬られる者が自分でないとは言えないといった暗いものがあった。藤助の柩が穴の中に落されて行った時、藤助と同じ若松村の百姓九右衛門が、突然声を上げて泣き出した。九右衛門は藤助の死を悲しんで嗚咽《おえつ》したのではなかった。やがていつか、自分も亦このようにしてここに葬られるに違いないと思ったからであった。

「新や、墓穴を今のうちにもう一つ掘っておいてくれよな。吹雪の中で掘るのは大変だでな」

九右衛門は新蔵に言った。そして不吉なことを言うものでないと、烈しい言葉で光太夫に叱責された。この葬儀にはジャヤミイロウィチ老人の他に、ニビジモフ、二人の異人、数名の土民が列した。先きに死んだ六人の場合よりは賑やかでもあり、墓前には土民たちの手に依って小さい花が供えられた。この日の海も亦、漂着後真先きに亡くなった三五郎の葬儀の時と同じように、薄墨色に凪いでいて、海面は宛ら《さなが》鉛の板のように見え、その鉛の板の端の荒磯だけに白い波が砕けては散っていた。

二　章

光太夫たちは天明四年、五年、六年の三回の正月を同じ漂流地で迎えた。天明四年九月晦日に藤助を喪ったのを最後に、残った者たちはその後死病には取り憑かれず、兎も角、夏は海猟《らっこ》や海豹《あざらし》を捕える作業に従事し、冬は地下の穴蔵に閉じこもって、曲りなりにも生きのびることができた。

船頭光太夫は三十六歳、荷物賄方の小市は四十歳になっていた。水手の与惣松、勘太郎、九右衛門、藤蔵、庄蔵といった連中はいずれも若いのか、年寄りなのか判らない皺の多い苦渋な相貌に変っていた。ちょっと見た限りでは土民と区別できなかった。それに着る物も、漂着時に纏《まと》っていた物はすっかり磨り切れてしまい、いまは土民が用いている鳥の毛衣とか、胡獱の皮の衣服とか、思い思いのものを身につけていた。はっきりと若さを失っていないのは、二十八歳の新蔵と二十三歳の磯吉の二人で、辺地の生活はこの二人だけを寧ろ逞しい若者に育て上げていた。

一行九人の中の大部分の者は異人の言葉も土民の言葉も日常の用を足す程度には習得していた。取り分け異人の言葉がよく判るのは光太夫で、光太夫だけはニビジモフやジヤヤミイロウィチと話して何の不自由も感じなくなっていた。それに話すだけでなく、ある程度は文字も書くことができるようになっていて、そのお蔭で、日本の漂流民たちはいま自分たちが現在どこに居るかを知ることができたのであった。

光太夫は毎晩のように仲間の顔が揃うと、彼がニビジモフやジャヤミイロウィチから得た知識を披露した。初めは光太夫が何を言っても誰もそれを信じなかった。そんなばかなことがあって堪るかという顔をして聞いていたが、いつか一人信じ、二人信じるといった具合で、全員が或いはそんなこともあるかも知れないといった気持に追い込まれて行った。もともと信じることにも根拠がないと同様に、信じないことにも根拠がなかった。

自分たちの居るところは、蝦夷から遥か遠い北の北の海域で、附近には沢山の島が散らばっていて、総称してアレウト列島と呼ばれ、ここはその列島中の一つであるアムチトカという島であるということ。異人たちはロシアというここから遠く離れたところにある大国の人間で、そこから海猟《らっこ》や海豹《あざらし》の買付けに派遣されて来ているということ。そして、彼等をここへ運んで来た本国の船は同じようなロシア人たちを方々の島々に分配した後、ガマンドルスカという島へ皮革を集めに行って、いまもそこに留まっているということ。そしてやがて三年の年期があけると、本国から交替の買付人を乗せた船が彼等を迎えにやって来るということ。そして、自分たちは多分そのニビジモフ等の迎えの船に便乗して、彼等の国に運ばれることになるだろうということ。

「ロシアと言っても聞きも及ばぬ国だが、兎も角、そこへ行かんことには、郷里へ帰ることは覚つかぬらしい。まずそのロシアという国に行って、その上で帰国の方便を立てるより仕方あるまい」

その光太夫の言葉を聞いて、殆どの者は希望を持つより、反対に烈しい落胆の底に突き落された。併し、それ以外に故国へ帰る方便がないとすると、漂流民たちはロシアの船がやって来るのを待つより他はなかった。

そのロシア船がやって来たのは漂流民たちがこの地を踏んでからまる三年経った天明六年（西紀一七八六年）の七月のことであった。

その日、早朝、ニビジモフは狂人のように穴蔵の家へ駈け込んで来ると、迎えの船がやって来たことを大声で呶鳴った。ニビジモフの部下たちも日本の漂流民たちもいっせいに戸外へ飛び出して行った。

「船が来た。船が来たぞ」

光太夫たちはこのように取り乱したニビジモフを見たことがなかった。ニビジモフはこのような辺地の毛皮買付人の長であるだけあって、どこか非情と言っていいくらいの冷静さを持っていたが、この時ばかりは嬉しさの余り半狂乱になっていた。光太夫たちもロシア人たちと一緒に波止場へ向って走った。なるほど大型の帆船が港の入口に姿を現わしていた。北風の烈しい日で、船は今にも沈むのではないかと思うほど左右前後に大きく傾き揺れていた。帆船はやがて港から出て行った。港へはいることができないので、沖へ戻って、風の凪ぐのを待つものと思われた。波止場には島人たちも群り集まって、何年目かの大事件に眼の色を変えて騒いでいた。

光太夫たちはその日一日を落着かぬ気持で過した。ロシア人たちも、光太夫たちも、その日は仕事に手が着かず、終日波止場附近に屯していた。

翌日、帆船は再び港の入口に姿を現わしたが、この日も北風が烈しく、波浪は昨日より高くなっていた。帆船は再び港外へ出て行った。それから一刻ほどして、誰言うとなく、帆船は一里程離れたところにある入江へはいるらしいということが伝えられ、波止場に集まっていた者たちは、その入江の方へ移動した。ニビジモフも、光太夫も、そしてそれぞれの部下たちもその方へ移動して行った。光太夫はニビジモフと一緒に歩いて行ったが、途中からニビジモフが駈け出したので光太夫もまた駈け出した。

そして、二人は小さい丘を越えて、帆船のはいる入江を見降ろす地点までやって来たが、そこで二人が見たものは、錨綱を切られたのか、岩礁に乗り上げて大破している船の無慚《むざん》な姿であった。船の乗組員のただならぬ喚声と叫声が、時々風に乗って運ばれて来ていた。やがてその帆船から二艘の脚船が離れるのが見えた。と、それを待っていたかの如く、帆船はゆっくりと横倒しになり、船体の半分を潮の中に埋めた。その事件は幻覚ではないかと思われるような、現実性の感じられぬ奇妙な見ものであった。

「あの船は使いものになるか」

大分経ってから、ニビジモフは初めて呶鳴るように言った。

「だめ、だめ、胴体が二つに割れてしまったがな」

光太夫は言った。この方は低い声だった。三年前、ここに漂着した日の翌朝、神昌丸が坐礁して砕けたが、いまのロシアの帆船も全くそれと同じことであった。使いものになろう筈はなかった。ニビジモフは獣でも咆《ほ》えるように、ある間隔をおいては、唸《うな》り声を口から出していた。

大破した帆船の乗組員は二十四人で、船は多量の皮革を積んでいた。ガマンドルスカ島から来た船で、ニビジモフ等を乗せてカムチャツカへ向う予定のものであった。それから何日か、大破した船の船具を取り上げる作業が行われた。日本の漂流民たちもそれを手伝った。光太夫がニビジモフに、この次のロシア船はいつやって来るかと訊くと、

「それは、俺の方が訊きたいくらいだ」

と、ニビジモフは答えた。同じことを帆船から降りて、この地の生活へはいって来た新顔のロシア船員に訊くと、

「それは、俺の方が訊きたいくらいだ」

彼等も亦、ニビジモフと同じことを答えた。

日夜待ち暮していた迎えの帆船が漸く姿を見せたと思ったら、島の荒磯で坐礁して砕けてしまったという事件は、ニビジモフを初めとするロシア人たちを見る影もないほど落胆させてしまった。光太夫たちも落胆しないわけではなかったが、日本人たちには初めから漂流民としての諦めもあり、またロシアの帆船に乗り込むことが、事態をよりよ

くすることか、より悪くすることか、簡単には判別できないところもあって、迎えの船の破船からロシア人たちほどの打撃は受けなかった。

ロシア人たちのある者は兇暴になり、あるものは女々しくなった。兇暴組は仕事をすっかり放擲《ほうてき》してしまい、島民の家から酒類を徴発して来ては、それを浴びるほど飲み、ちょっとしたことでも暴力沙汰に及んだ。ニビジモフの威令は全く行われなかった。日本の漂流民たちはつとめて彼等に触らぬようにした。これに反して、残りの半分は、仕事に出て行かないのは同じだが、この方は一日中めそめそしていた。国へ帰りたいと言って泣き、女房に会いたいと言っては泣いた。男としての体面とか誇りとかいったものは全くなかった。与惣松はよく彼等の真似をしてみせて、仲間たちを笑わせた。ニビジモフの威令はこのめそめそした連中にも亦行われなかった。

破船事件から一カ月ほどした頃、ニビジモフは光太夫に相談を持ちかけて来た。

「このあと、いつ船がやって来るか見当がつかない。俺たちの交替にやって来た連中の迎えの船が順調に来るとして、それを待つとしても、なおこのままここに三、四年釘付けになっていなければならない。そんなことが辛抱できると思うか。へたをすると、何年も、何十年も、船は来ないかも知れないのだ。本国の方で、われわれのことを忘れてしまえば、もうそれで上がったりだ。こうなったら自力で船を作り、それでカムチャツカに渡る以外術《て》はない。カムチャツカにさえ渡れば、あとは地続きであるから、どうにでもなるだろう。お前さんたちも、俺たちと一緒に大陸の地へ渡らない限りは、帰国の方便があろうとは思われぬ。問題は船を造ることだが、一緒に力を併せてやったらできないことはないと思うが、どうだろう」

「そうさの」

光太夫は言った。いささかもニビジモフの提案を拒む理由はなかった。それができれば、それに越したことはなかったが、肝腎なことは船を作り得るかどうかということであった。

「お前さん方は何人乗ることになるか」光太夫は訊いた。

「二十五人」

と、ニビジモフは答えた。二十五人というのはニビジモフと彼の部下全員の数であった。新たに破船した船より二十四人のロシア人が島には上陸していたが、彼等はニビジモフの言の如く、ニビジモフたちに替って、この島でこれから何年か過す連中であった。ニビジモフ等二十五人に、日本の漂流民九人を合せると、三十四人を乗せる船を造らなければならなかった。それにニビジモフ等がこの島で交易した海獣の毛皮も積み込まなければならないであろうし、食糧も積まねばならなかった。どんなに小さく見積っても、七、八百石の大きさの船が必要であった。

「大工の心得のあるものは何人居るかな」光太夫は訊いた。

「専門の船大工は居ないが、みんな大工の心得はある」

ニビジモフは答えた。どの程度の大工の心得か甚だ当てにはならなかったが、日本の漂流民たちとは較べものにならぬ大きい図体と、その体から出て来る腕力は、使い方に依っては使えるものに違いなかった。日本の漂流民九人の中にも専門の大工は一人も居なかったが、併し、この方は一人残らずが、やらせれば何でもやってのける器用さを持っていた。なるほど両方が協力して、日時さえかければ船の一隻ぐらい造れないものでもあるまいと光太夫は思った。

ニビジモフに依ってこの計画は発表された。ロシア人たちも、日本の漂民たちも、初めは自分たちをカムチャツカに運ぶ船が、果して自分たちの手で造れるものかどうか、半信半疑の面持であったが、何人かの者は素直に動き出したので、他の者もそれに引きずられた恰好で、それぞれ自分に課せられた仕事に従事し始めた。

ロシア人たちは破船した帆船の船具の収容に取りかかり、日本の漂民たちは潮に半身を埋めたまま腐りつつある神昌丸の船体から古釘を抜きとる作業に取りかかった。そうした仕事が終ると、あとは全員が手分けして周囲七里の島の海岸線を経廻って漂木という漂木を集めた。島には木らしい木はなかったので、船材は専ら漂木に頼る以外仕方なかった。島全土から集められた漂木は夥しい量に上り、波止場の一角に幾つかの大きな山を築いた。使うことのできる漂木もあれば、全く使いものにならぬ漂木もあった。

一応材料集めが終ったのは九月の初めであった。船の建造作業の采配を揮う者として、ロシア側から三人の大男が出、日本人側からは小市と九右衛門が出た。五人の者たちは、毎晩のように、いかなる船を造るかを協議した。三人のロシア人のうち二人は図面を引く心得があったが、小市と九右衛門はそうした方面の知識はなく、初めは相手の言うことをなかなか理解できなかったが、暫くすると彼等も亦、船の平面図とか、断面図とかを読みとることができるようになり、自分たちでもまたそれを描いたりするようになった。小市と九右衛門は漂流民の中では一番漁師生活が長く、実際上の知識も持っていたが、光太夫が彼等二人を棟梁格に据えたのは、何よりかんが鋭くて、物判りがよいことのためであった。

十月になって、戸外が全く氷雪に閉ざされてからも、仕事は作業場として新しく造られた地下の二つの穴蔵で続けられた。そこで漂木が断ち切られたり、削られたりした。二つの作業場にはいる人数には限りがあったので、他の者たちは寝起きしている部屋で小さい仕事に従事した。漂木のこととて到るところに穴が開いており、それを埋める仕事だけでもかなりの人手を要することだった。ニビジモフと光太夫は監督者といった格で、部下たちの仕事を見廻ったり、仕事の相談に乗ったり、毎日のように起る喧嘩口論の仲裁をしたりした。

それぞれが仕事を持っているということで、この冬は日本の漂民たちにとっては、今までは最も凌《しの》ぎやすい冬であった。長い冬が終りに近づいて、雪の落ちるのが歇《や》むと、作業はまだ寒さの厳しい戸外へと移された。ロシア人も日本の漂民たちも同じように着ぶくれていて、服装からは全く区別できなかったが、どこに居てもすぐその大きさで判った。たくさんの親熊の中に九匹の小熊が混じって居た。

船体の骨格が組み立てられた日、ニビジモフに依って、ロシア人にも日本の漂民たちにも酒が配られた。酒宴は戸外の作業場で行われた。みな着ぶくれた恰好のままで、立って酒を飲んだ。光太夫は酒のはいった木製の器を、彼に近寄って来るロシア人たちの手にしている器と触れさせては口に運んでいた。そうしたことを、光太夫は何の不自然もなくやってのけるようになっていた。

ニビジモフが、やがて二カ月後に、われわれはこの船に乗り込むだろうというようなことを、祝宴の挨拶として喋ると、そのあと光太夫も喋った。光太夫はロシア語で、日本人とロシア人とが力を併せて作ったので、日本とロシアの合の子の、今までについぞなかった頑丈な船ができ上がるに違いないというようなことを、ゆっくりとした口調で喋った。九右衛門が泣いた。酒気を帯びるといつも泣き上戸のところがあったが、この時の九右衛門の泣き方は、他の日本の漂民たちの心をも打った。

「船のできるのも嬉しいが、船頭の光太夫が堂々としていて、異人たちに指一本もさささせねえのが、おらあ嬉しいんだ。それで、おらあ、泣けて来るんだ」

九右衛門は泣きながら言った。確かに光太夫は堂々としていた。ニビジモフこそ立てていたが、ニビジモフの部下たちに対しては、この日に限らず、光太夫はいつも自分を上位に置いていた。それも少しも背のびしている感じではなく、極く自然に振舞っての上のことだった。荒くれたロシア人たちが一歩おくものを、光太夫は生れながらにして身につけていたのである。短い時間で酒宴は打ち切られたが、酒宴場を島の男女や子供たちが取り巻いて見物していた。ニビジモフ等に交替するためにこの島へやって来た二十四人のロシア人たちは、こちらの船造りには指一本藉《か》さず、これといった表面上の理由もなくニビジモフと何となく対立しているようなところがあったが、この日は彼等も酒宴の席に招かれていた。この席で歌ったり、踊ったりしたのは、この連中だけだった。

「この島へ来て一年ぐらいの間は、俺たちも歌を歌ったものだが、奴らも、いまに歌わなくなるに決まっている。二年、三年となると、いくら歌おうと思っても、歌など口から出なくなるんだからな」

ニビジモフの部下の一人は言った。まことにその通りであった。まして日本の漂民たちの口から歌が出よう筈はなかった。九人の日本人たちはいずれも謙虚で、無口で、実直な小柄な人間に見えた。

船が竣工に近づいたのは六月の終りであった。船の周囲には毎日のように島民たちがたかっていた。船が潮の上に浮かぶと、最後の仕上げと荷積みとは平行して行われた。乗海猟、海豹、胡獱の皮、食糧の乾魚、乾雁の類が次々に新造の船内に運び込まれた。乗組員はロシア人二十五名、日本人九名の大部隊だったので、食糧だけでも相当の量に上った。順調な航海で一カ月、不測の事態を考慮すると、何カ月分かの食糧を用意しなければならなかった。

いよいよ明日出帆という日の夜、与惣松は、

「俺はこのまま、ここに留まって居たくなった。無事に着くかどうか判らねえ船に乗る

のが何だか厭になった。それに無事にカムチャツカというところへ着いたとしても、それからさき、どんな日がやって来るか知れたもんでねえ。ここでサラナ（黒百合の根を水で煮、搗きただらし、水にてゆるめたもの）すすって、スタチキイ（魚、あいなめの類）食って、生きていられるだけ生きている方がいい」

と言い出した。すると勘太郎も、

「ここに住みついても、そう不自由はねえぞ。島の言葉も覚えたでな」

と言った。そして勘太郎も船に乗ることを尻込みし出した。庄蔵や磯吉がなだめても、二人はなかなか諾《き》かなかった。

「ばか者、二人とも残って居たけりゃ、残っているがいい。いまは九人も仲間が居るからこそ生きていられるんだ。二人になってみろ、その日のうちに、おめえら、すぐ殺されるぞ」

光太夫はいつになく烈しい言葉で二人を叱った。

翌日、光太夫たちは九人打揃って、この島で物故した三五郎、次郎兵衛、安五郎、作次郎、清七、長次郎、藤助の墓に詣でた。墓にはそれぞれ思い思いの石が墓標代りに置かれてあったが、余程近寄らぬと墓場の所在が判らぬほど辺り一面を夏草が埋めていた。若い磯吉と新蔵が手製の鎌で、墓石の周辺の草を刈った。

一同は午刻前に船に乗り込んだ。兎も角も満四年住みついた島であったので、光太夫たちは島人たちと、いろいろな形で交渉を持っており、そうした島人たちに、波止場で別れを告げなければならなかった。光太夫たちは四年前漂着した時、島人たちを見て、鬼以外の何ものにも思えなかったが、現在はそういうことはなかった。一見無表情に見えるその顔の中に、喜怒哀楽の情も酌みとれたし、人間らしい心の動きも看《み》てとれた。

「みんな倖せに暮さっしゃれや」

九右衛門は郷里の言葉で言った。九右衛門は仲間の中で一番物覚えが悪く、ついに島の言葉の一つをも自分のものとすることができなかったので、郷里の言葉で言う以外仕方がなかったのである。倖せに暮せと言っても、それが無理な注文であることは、当の九右衛門にも、仲間の誰にも判っていた。ロシアの毛皮買付人が島にはいり込んでいる以上、島人たちは彼等の頤使《いし》に甘んじ、食うや食わずの生活を続けなければならなかったのである。

ニビジモフは、ふた言めには、昔は鬼のような買付人が乗り込んで来て、強制労働を強い、反抗的態度を示すと片っぱしから叩き殺したものだが、それに較べると、いまはおんの字だというように言っていたが、公正に見て、必ずしも〝おんの字〟とは言えなかった。島人の獲った海猟、海豹、胡獱の皮を無償では取り上げず、必ず代償物と交換してはいたが、交易とは名のみで、結局のところは、島民たちを搾れるだけ搾っていた。

日本の漂流民たちが一番別れを惜しんだのは、滞留中何かと親切を尽してくれたジャヤミイロウィチ老人であった。ロシア本国の教化に帰してロシア名を名乗ってはいたが、カムチャツカの土民の出であり、島人でも、ロシア人でもない奇妙な立場にあった。この島のただ一人の牧師であり、ロシア人、島人の区別なく親切を尽し、この島で相果てることを天命と心得ていたが、この先き何年も生きようとは思えなかった。光太夫を初めとして漂民たちは、ひとりひとり老人の前に行っては頭を下げた。老人はその度に十字をきって、人間とは思われぬ柔和な顔を向け、相手の眼を優しく見入るようにした。

午刻きっかりに船は解纜《かいらん》した。ロシア人たちはニビジモフ号と名付けていたが、日本人たちは仲間の間で神昌丸と呼んでいた。二本の帆柱を持った船は少し傾いたままで波止場を離れ、波よけの突堤を過ぎると、すぐその傾きを直した。天明七年（一七八七年）七月十八日のことであった。

船が沖合に出ると、島のまん中にある山の頂きが雪で白くなっているのが見えた。四年前の漂着の日、船の上から白い山を見たが、それ以来初めて見るものであった。どういうものか、島に住んでいる時は、この雪の山を眼に入れることはできなかった。勘太郎、九右衛門、藤蔵、庄蔵、新蔵、磯吉の六人は、本来そうであったように水手に廻り、小市と与惣松は賄《まかない》や雑用に廻った。船の操作にかけてはロシア人の多くは無能だったので、船が動き出してからは、日本人たちは自然に彼等に命令する立場に立った。光太夫は当然のこととして、船頭になり、ニビジモフは雑用係の長といった地位に下がった。

光太夫、ニビジモフたちを乗せた船が、カムチャッカのウスチカムチャツク港に着いたのは、八月二十三日の午下がりであった。ニビジモフの計算に依ると、アムチトカ島から着岸地までは千四百露里で、その航海に一カ月と五日を要したことになった。光太夫が得た知識に依ると、一露里は五百間で、一間は日本の曲尺《かね》の七尺八分に当っていた。日本の漂流民たちの眼にはカムチャツカの海岸も、アムチトカ島のそれとさして変っては見えなかった。港といっても、小さい入江の奥に粗末な船着場があるだけで、郷里の白子の持つ港の設備も賑わしさもなかった。大体船といったものは一隻も見えず、波止場附近の海岸には、ロシア人の女子供二十人ほどが、ヤゴダという草の実を採っている姿が見られた。磯には布で蚊帳のように造られた遮陽《ひおおい》が張られてあった。あとで知ったことであるが、これらの女子供はこの地に在勤するロシア人の妻子たちで、海岸に張ってある遮陽はバラッカというものであった。船が着岸しても、ニビジモフの勧めで、光太夫たちは船から降りないで、船の入港を知ったカムチャツカ政庁の役人がやって来るのを待っていた。

長官オルレアンコフ少佐がやって来たのは翌日になってからであった。光太夫たちが異国の役人に接するのは、こんどが初めてであった。日本の漂民たちは船から降りると、長い間一緒に暮したニビジモフたちとろくに挨拶をする暇もなく、あわただしく役人たちの命令下にはいり、役人に連れられて、淋しいウスチカムチャツクの聚落を横ぎり、一艘の川船に乗せられた。聚落を横ぎる時見掛けた土地の男女はいずれも蝦夷人に似ていた。

「蝦夷そっくりだな」

光太夫は言った。光太夫は江戸で一度蝦夷人を見たことがあったが、他の者たちは蝦夷人を知らなかったので、光太夫に対して相鎚を打つことはできなかった。そうか、蝦夷に似ているか、すると、ここは蝦夷かも知れないなとか、カムチャツカ、カムチャツカと言うが、若しかしたら、カムチャツカというのは蝦夷のことじゃねえのかとか、急にみながやがや騒ぎ出した。言われてみると確かに土民たちはアムチトカ島の老人と同じ老人に似ていると言った。磯吉はここの土地の人たちはみんなジャヤミイロウィチ容貌を持っていた。ジャヤミイロウィチ老人はこの土地の出であるから、そのことに不思議はなかったが、光太夫は四年もつき合っていて、老人の顔から一度も蝦夷を感じたことがなかったのを奇異なことに思った。

船は川を溯《さかのぼ》って行った。多少流れはあったが、日本ではめったに見ることのない平坦な土地を流れる掘割のような川で、カムチャツカ川と言い、川幅は広く、水量は豊かで、両岸は草に覆われた土手になっていた。五露里ほど溯ったところで光太夫たちは船から上がり、川の左岸の戸数百五、六十戸の聚落の中へはいって行った。ここが政庁の所在地であるニジネカムチャックであった。民家はいずれも落葉松の丸太で造られてあり、野鳥を店先きに吊り下げた店とか、毛皮屋とか、古道具屋とか、そうした店が目立った。民家に混じって教会があり、教会は二つの鐘楼を持っていた。

聚落のまん中に、周囲に柵を廻らせた四角な城砦があった。光太夫たちは櫓《やぐら》様に造られた門からその城砦へとはいって行った。門には歩哨が立っていた。城砦の中にも亦教会があった。この方は鐘楼を持っていなかった。柵内に長官オルレアンコフ少佐の家があり、光太夫たちはそこへ連れて行かれた。長官の家も亦民家同様落葉松の丸太で造られてあり、このほかに貢租として取り立てた毛皮を納める倉庫とか、兵器庫とか、売店とか、そうした建物があったが、いずれもやはり落葉松の丸太で造られてあって、長官の家の周囲に配されてあった。

ニジネカムチャツクに着いた夜、一同は長官の家でチャブチャという魚を乾したものと、白酒のような汁《スープ》にタラワという草の実を入れたものを御馳走になった。汁は錫《すず》の鉢に入れられてあった。そして卓の上には熊手のようなものが置かれ、それに小刀と大さじが添えられてあった。箸の替りに使うものと思われたが、使い方が判らなかった。光太夫たちは、これから長い間毎日使わなければならぬホークとナイフに、この時初めてお目にかかったのであった。

その夜から光太夫は長官オルレアンコフの家に泊ることになり、他の八人の者は柵外にあるオルレアンコフの秘書の家に止宿することになった。

翌朝、光太夫も他の八人の者も、それぞれの宿舎で、朝食として麦の焼パンと、ゆうべと同じ白酒のような汁を供された。汁はゆうべのより濃くてうまかった。アムチトカ島で毎日のように啜った百合の根を材料にして作った汁と同様のものであろうかと思われたが、数日後にこれが牛の乳であることが判った。宿舎の主婦が毎日のように小桶を持ってどこかへ出掛けて行くのを、磯吉が怪しんで、そのあとをつけて行ってみると、彼女は家の横手の牛小屋にはいり、黄牛と黒牛から乳を搾り、一匹より一升四、五合も出るのを採って帰ったということであった。この磯吉の報告で、一同は穢《けが》らわしく思い、以後白い汁は飲まないことにし、加えて肉食をしない由を申し立てて、時折食膳にのる牛肉をも返上することにした。

日本漂民がいっさいをその手にゆだねている長官オルレアンコフは清廉な役人であった。日本漂民に対しても親切であったが、同じようにカムチャダールやコリヤークに対しても親切で、長官としての原住民間の信望はたいへんなもののようであった。現在カムチャツカはイジガ、アクラン、ニジネカムチャツクの三地区に分けられ、それぞれに役所が設置されていた。そしてカムチャツカ半島全域を統治する管区庁がニジネカムチャツクに置かれてあってオルレアンコフはその管区庁長官の地位にあった。従って彼はカムチャツカに於ける最高の権力者であったが、そうした立場の人間には見えず、土民の小さい訴えの一つ一つにまで耳を傾け、それを取りあげてやっていた。だからと言って、カムチャツカに於ける行政権がオルレアンコフの手にあるかと言えば、そうは言えなかった。

シベリアに総督府制度が布かれたのは一七八二年、つまり光太夫たちがカムチャツカにはいる数年前のことで、その時イルクーツクに初めて総督府が置かれ、その下にイルクーツク州、ヤクーツク州、ネルチンスク州、オホーツク州の四州が配され、それぞれの州に知事が置かれた。オルレアンコフが長官をしているカムチャツカはオホーツク州に包含されていたので、カムチャツカ管区庁長官としてのオルレアンコフは、何事もオホーツク州知事の指令を仰がねばならぬ地位にあり、更にその上のイルクーツク総督の意嚮《いこう》を無視しては何事もできなかった。

こうしたことからしても、光太夫たちの帰国の方便は、ここではどうにもならず、少くともオホーツクまでは出向いて行かなければ話にならぬわけであった。オホーツクまで行けば、どうにかそこで身の振り方が決まるに違いないと思われた。

一同がこのニジネカムチャツクに停め置かれているうちに、季節はいつか冬に向っていた。このままこの地で越冬しなければならぬことは誰にも明らかだった。光太夫は無《ぶ》聊《りよう》を慰める意味もあって、ニジネカムチャツクという聚落について、人から聞いたり、自分の眼で見たりしたことを、毎日のように仔細に書き記していた。

城砦内にある教会は聖母昇天祭を記念する教会で、その建物の内部には、奇蹟を行うニコライを記念する副祭壇があった。光太夫は時々教会の建物の中にはいって行った。眼に映るすべての物が珍しかった。併し、珍しいと言えば、柵外の二つの鐘楼を持った教会で毎日のように行われる礼拝時の雑踏は、頗る異様なものであった。教会の鐘が鳴り響くと、聚落のどの家からも人がまろび出て来て、三三五五教会の建物の中に吸い込まれて行き、やがて、多勢が合唱するのにどうしてこんなに静かなのかと思われるような歌声が流れて来た。教会から出て来る時は、眼を泣きはらしている男女も見受けられた。光太夫は毎日部下たちの宿舎を見廻ることを日課としていたが、宿舎へ向う時とか、そこからの帰りに、よくこうした光景にぶつかった。光太夫はその礼拝なるものをかいま見たかったが、その時刻は教会へ近づくことを許されなかった。

カムチャツカ管区庁の役人は上から下まで全部で九十余人であった。いずれも柵外に住居を持ち、柵内の役所に通っていた。

この地は物資に恵まれていた。塩漬の魚や乾魚も多く、附近の山から出る木材も多かった。木材は家屋の建築材料として集められるだけでなく、造船の材料としても集められていた。カムチャツカ川は川幅が広く、水量が豊かだったので、木材はどこからともなく毎日この川を流されて来た。聚落の狭い通りを歩いて行くと、いつも異様な臭いが鼻を衝いた。魚脂を煮上げている臭いであった。海岸では潮から塩が作られていた。また聚落の周辺の耕地では小麦と野菜が、この地の住民であるカムチャダールの手で栽培されていた。

またこの聚落は野鳥に事欠かなかった。どんな貧しいロシア兵でも、他人に振舞うのに、白鳥を食卓にのせることができた。雁や鷗などはやたらに多くて人々は見向きもしなかった。近くの山野にはほむろいちご、こけももなどの灌木の実が多く、人々は冬期の食糧にそれらを多量に貯蔵していた。これらはこの地の人々には、魚に次ぐ重要な冬の食糧であった。またカムチャツカで獲れる最も良質の貂《てん》も、この聚落に集まって来て、ここで売買されていた。

聚落を歩くと、カムチャダール以外に、ロシア人と、少数のコリヤークの姿が見られた。コリヤークはここに住んでいるのではなく、商売にやって来ている連中で、彼等に依って馴鹿《となかい》皮や、それで造った衣服、食用馴鹿の肉、それから寝具や、日用雑貨などが運び込まれ、カムチャツカのどこの地よりもこれらの品を安く買うことができた。カムチャダールは生活用品のすべてをコリヤークに負うていたので、コリヤークの製品を安く手に入れ得るということは、生活の上で大変有難いことであった。

カムチャダールに次いで多いのはロシア人で、市長のほかに、カムチャツカの正教会管長である司祭長もこの聚落に住んでいれば、裁判長も住んでいた。この時期に、正確に言えば翌年の二月のことであるが、三日間この町に滞在したレセップスが後年その旅行日誌に於て記してあるように、司祭長は胸まで届くみごとな白髯を蓄えた人物であった。裁判所は二つあって、一つは治安関係を、もう一つは商人たちの争いを扱っていた。いずれもオホーツク裁判所の管轄下にあって、審議の模様を逐一オホーツクに報告しなければならなかった。またこうした役人以外に、何人かの流刑囚もいた。いずれも何らかの罪によって、この地に追放され、ここに何年も住んでいる連中で、中には三十年以上住みついている者もあった。

このように一応自然の恩沢に恵まれたカムチャツカ政庁の所在地、ニジネカムチャツクであったが、光太夫等日本漂民がこの地で、この年、越冬中に経験したものは、まだ先きの話であるが、容易ならぬものであった。やがて来る氷と雪の季節におけるニジネカムチャツクの生活が、いかなるものに変ずるかは、夏から秋へかけて何年かぶりで人間らしい生活をしている日本の漂民たちには、夢にも想像できぬことであったのである。それからまた現在至極平穏にこの聚落で生活しているカムチャダールの過去の歴史が、いかなるものであったかも、日本漂民の誰もが知っていなかった。一見蝦夷と同じように見えるカムチャダールの顔の中の穏和さは、単なる生活の穏やかさから来るものではなかった。それは、現在この聚落に住んでいる人たちの祖父母か、曾祖父母かに当る年代の祖先たちが彼等に残した遺産であった。諦め、無抵抗、そういう名の遺産であったのである。

光太夫たちがカムチャツカにはいった時より五十年程前のこの地の原住民の生活は、言語に絶する惨めなものであった。『カムチャツカ誌』の著者クラシェニンニコフは十八世紀の三十年代にカムチャツカを訪れたが、その時カムチャツカのロシア兵たちが、奴隷を所有して王侯貴族のような生活をしている事実を、その著述に於て報じている。ロシア兵たちは掠奪した毛皮や奴隷にした原住民まで賭けてカルタや博奕《ばくち》をやり、ために原住民は一日のうちに二十度も主人を変えなければならぬ有様だったのである。収税吏たちは取り立てるものがないと、上衣を剝ぎとったり、男や女を連れ去ったりした。奴隷にされた納貢者はカムチャツカで奴役に従事するだけでなく、当時奴隷交易の中心地であったヤクーツクに連れて行かれ、そこで売り飛ばされていたのである。

一九三五年に刊行されたオークニ著『カムチャツカの歴史』（原子林二郎氏訳）に依ると、一七二四年の人口調査の記録は、ニジネカムチャツク防塞では平民二十七名に対し奴隷百一名、ボリシェレツク防塞では平民三十四名に対し奴隷百八名、アナディル防塞では、平民六名に対し奴隷十七名という割合を示しているという。こうした状態だったので、当然のこととしてカムチャダールの徴税吏殺害事件はカムチャツカ各地で起っていたが、犯人はその度に惨酷に処刑されていた。

突如として、ニジネカムチャツク周辺のカムチャダールの大規模な叛乱が起ったのは一七三一年七月のことであった。叛乱は前もって充分に計画されたものであった。当時ボリシェレツクから派せられていた討伐隊がカムチャツカからアナディルに向って出帆した時を期して、カムチャダールは反抗の火蓋を切り、四十名のロシア兵が家族と共に住んでいたニジネカムチャツクの防塞を襲って、ロシア人たちを殺して、これを占領した。叛徒たちにとって不幸だったことは、アナディルに向けて出帆した筈のロシアの討伐隊が、まだカムチャツカを離れず、カムチャツカ川の河口に碇泊していたことであった。最初に七十二名のロシア兵が、次いで大砲二門、臼砲二門を持った第二隊がニジネカムチャツクに急行した。カムチャダールは堅固な防塞内にたて籠り、食糧も豊富だったので、長期戦を策した。叛徒たちは二十挺の小銃を持っていたが、主な武器は弓で、戦闘は矢と砲弾の応酬に終始した。二日間の戦闘で防塞はロシア兵の手に落ち、カムチャダールは尽く闘って死に、最後まで生き残った者は、火薬を使って防塞と貢物庫に火を放ち、自らを火中に投じた。首謀者フョードル・ハルチンだけは逃れた。この事件を合図に叛乱の火の手は四方に拡がり、各地のカムチャダールは防塞を築き、ロシア人を襲い、騒擾は半島全土に及んだ。エロフカが叛乱カムチャダールの第二の拠点となった。ニジネカムチャツクを逃れたハルチンも亦ここに拠った。戦闘はこの周辺で行われた。和平交渉は二回に亘って行われ、二度目の時、ハルチンは偽られて捕えられ、叛徒たちの拠点は崩れた。

これ以後カムチャダールは単一の反抗基地を持たず、各地に分裂して、それぞれの地点で頑強に続々数を増す討伐隊に抵抗した。あるカムチャダール（チギル）は自分の砦で矢を射ち尽すまで闘い、矢が尽きると、妻子を殺して自刃した。またあるカムチャダール（ワフイルイチ）は五百名の同族と防塞を築き、砲弾の雨と闘い、降伏を選ばないで全滅の悲運を採った。

こうした反抗は一七三九年まで続いた。そして叛乱鎮圧後、メルクン少佐を隊長とする「討伐審査団」が五百五十四の荷橇に乗ってカムチャツカに派遣されて来た。叛乱の張本人と目されたハルチン、および彼の叔父ゴルゴチの両名が処刑された。処刑者は不敵にも笑って絞首台に上った。そしてこれと同時にカムチャツカにあるロシア三防塞の三名の統督も処刑された。ロシア政府は、徴税吏の非道な行為をも決して是認していないということを、原住民に見せるため、それぞれの防塞で統督たちの刑は行われたのであった。いかにこの叛乱事件がロシア政府を動揺させたかを物語るものである。

『カムチャツカの歴史』の著者オークニは記している。——併し、ロシア政府は住民保護の訓令を発しながらも、訓令が実行に移されているか否かを無視し、専ら所定の時期に所定の毛皮貢税が入って来るか否かのみに関心を集めていた。

こうした有様だったので、その後も小規模の反抗事件は跡を断たなかったが、併し、この一七三一年の叛乱事件の結果、ロシア政府が持った根本的結論は、各原住民種族の間に植民地政策の支柱を作る必要があるということであった。そしてこうした認識に到達した結果、各原住民の中の人物を選んで長老《トイオン》に任命するという政策がとられた。長老の義務は、原住民の行動を監視し、鎮撫し、正確に毛皮貢税を納めしめることであった。長老制はその後行われていたが、なお事件は絶えず、ロシア兵は長く毛皮貢税の徴収以外、いかなる用があろうともカムチャダールの聚落を訪れることは禁止され、毛皮貢税の徴収には武装した部隊があてられていた。

現在ニジネカムチャツクおよびその周辺に住んでいるカムチャダールは、五十年前に蜂起した叛乱者たちの子孫であった。往年のような暴虐な仕打ちはロシア人たちから受けなくなっていたに違いなかったが、併し、その生活が楽になっているわけでもなかった。貢税取立ての組織は五十年前よりもっと完備したものになっている筈であった。それにも拘らず、彼等が顔に柔和さを持ったのは、叛乱後半世紀の間に家畜のように飼い馴らされてしまい、反抗の主導権は、もっと北方のコリヤークの手に移ってしまっていたのである。

十月になると、ニジネカムチャックの町は吹雪に閉ざされた。日本の漂流民たちはアムチトカ島で四回冬を過しており、厳寒地の越冬には多少の訓練ができていたが、この地の吹雪の凄まじさには舌を捲かなければならなかった。アムチトカ島でも吹雪くことはあったが、併し、カムチャツカのように、何日も何日も際限なく狂った雪片が舞い続け、天地を幽暗の中に押し包んでしまうことはなかった。カムチャツカの冬に較べると、ベーリング海の孤島の冬の方がまだしも明るく思われた。雪は海風に依ってどこかに持って行ってしまわれるのか、雪片が宙間に立ちこめるといったことは少く、風が静まると、氷で固く鎧《よろ》われた天地が陽に輝いて美しかった。カムチャツカの冬にはそんな明るさはなかった。雪の中にすっぽりと包み込まれてしまったニジネカムチャックの町はただただ暗く陰惨だった。吹雪が吹雪くだけ吹雪いて静まると、何日か平穏な寒いだけの日が続いた。陽は照らず暗かったが、恐ろしいほど静かだった。そんな日を縫って、町の人々は家よりも高くなっている道路上に姿を見せ、黙々と雪を掻いた。商売している店屋は一軒もなかった。

光太夫は吹雪いていない日は、毎日のように、柵外の部下の日本人たちの宿舎を訪ねた。仲間の者たちの健康に異状がないかどうかを知るためであった。反対に柵外の宿舎からも、必ず誰かが光太夫の許を訪ねて来た。大体に於て、小市、磯吉、与惣松、勘太郎、九右衛門、藤蔵、庄蔵、新蔵の八人が、交替で二人ずつやって来た。何日か吹雪が続いた時、磯吉と新蔵の若い者二人が、吹雪を冒して、光太夫の宿舎へやって来たことがあった。その時、光太夫は烈しく二人を叱責した。

「ばか者、吹雪に捲かれたらどうするんだ。折角、苦労して、今日まで生き延びて来ておいて、死ななくてもいいのに、カムチャツカの町などで死ぬ気かよ。あたら生命を粗末にするものでねえ。小市にそう言え、いい年齢《とし》をして、若い者の監督ができねえかって」

光太夫は言った。小市が光太夫のことを心配して、磯吉と新蔵を派して寄越したに違いないと思われたからである。

それ以来、吹雪の間は光太夫の部下たちも、光太夫の許を見舞うことはなかった。その替り、吹雪が歇《や》むや否や、すぐそれを待っていたように誰かが姿を現わした。日本の漂流民たちには、この年の冬は恐ろしく長いものに思われた。もう何年分かの冬を過したように感じられた頃、聖降誕祭がやって来た。珍しく雪が歇んでいる夜で、その夜は遅くまで町の教会の鐘がつき鳴らされた。光太夫は長官オルレアンコフ少佐とその部下たち、それから何人かの町の有力者たちが取り巻く卓の隅に坐らされ、異国の酒を饗された。それから間もなく正月がやって来たが、正月の三ガ日は吹雪に明け、吹雪に昏《く》れ、光太夫が部下たちから新年の賀を述べられたのは、七草正月が過ぎてからであった。

この頃まで、日本の漂流民たちはよもや食糧が尽きるであろうというようなことは夢にも心配していなかったが、そうした事態は、間もなく、しかも突然やって来たのであった。既に十一月頃から小市たちの食卓には麦の焼餅が時折しか姿を見せなくなり、鮭と、チャブチャという魚の乾したものだけが三度三度出されていたが、歳末からその魚の量まで少くなり、饑饉の噂があちこちで囁かれた。役所は八方手を尽して、食糧になるものを地方地方に求めているが、少量の貯えのある者も、自分たちの用意に匿してしまって供出しないということであった。

それでも年が改まって十日程は、日本の漂流民たちの食卓にも少量の麦粉が出、魚も普通に出されたので、それほど案ずることもないと思っていたが、一月の中旬のある日、突然、柵外の宿舎では、食べるものが尽きてしまったので、これで辛抱するようにと、桜の木のあま皮に魚の子を混ぜたものが出された。小市が先きにそれを口に入れてみたが、全くの桜の木の皮で、食糧の代用になるようなものではなかった。

小市たち八人の者は、二日間、一物も口に入れないで宿舎に臥せっていた。戸外は烈しく吹雪いているので、光太夫がどういう状態に置かれているかも判らず、またこちらの窮状を光太夫に知らせることもできなかった。一同は、アムチトカ島のような孤島を離れて、折角大陸の土を踏んだのに、却ってこの地で餓死するようなことになるとは、何という因果なことであろうかと、互いにわが身の不運を喞《かこ》つ以外仕方がなかった。

食糧が尽きた三日目に、吹雪の中を役人がやって来て、牛の股《もも》を二つ持って来た。固く凍りついた牛の股は、一同には牛の股とは見えず、土中から掘り出した腐木のように見えた。役人は言った。

「お前さんたちは、伊勢とかいうところの生れで、獣の肉は食わんそうだが、この期に及んで、そんな禁忌を守っていたら餓死してしまうだけだ。何としてもこの肉を食って一命をつなぎ、食糧の足りた時にはまたその禁忌を守ったらいいではないか」

小市たちが押し黙っていたので、役人は繰り返し繰り返し同じことを言って、最後は、

「ひとの親切を無にするものではない。こんな牛肉にありつけるのは、お前さんたちが他国の人間であればこそだ。ニジネカムチャックの町の人間に聞かしてみろ、胆を潰すぞ」

と言った。役人が帰って行くと、磯吉がすぐ小刀で肉を切りとって、そのひときれを口に入れた。それを見て他の者もみなそれに倣《なら》った。役人の言うように、この肉を食わぬ限り餓死することは明らかだった。

「みんな食ったな。食ってしまった以上、もはや兎《も》や角言っても始まらねえことだ。この牛の股二つで、俺たちはできるだけ長く生命を保ち堪える算段せねばならぬ」

小市は言って、当分の間五、六寸許りの肉の塊りを八人一日の食に当てることにした。宿の者たちにも分けてやろうとしたが、官からの支給品であるということで、宿の者は受け取らず、彼等は蒼い顔して桜の木のあま皮に魚の子を混ぜたもの許りを食べていた。

吹雪が歇《や》むと、光太夫はやって来た。光太夫の方は長官の家に居るお蔭で、勿論充分ではないにしても、飢餓の恐怖にさらされるような状態には置かれてなかった。併し、部下の難渋を救うということでは、全く無力だった。町中の者が飢えかかっている際、

日本の漂民たちに対して、これ以上の特別待遇を要求することはできなかったし、また要求したところで何の効果があろうとも思われなかった。

「五月になると、食い切れぬほど魚が川に上がって来るそうじゃ。五月までの辛抱じゃ。何としてでも、五月までは生きんことには」

光太夫は部下たちの顔を見る度に言った。そして土地の者が桜の木のあま皮を食って生命を繋いでいる以上、慣れたら食えんことはあるまいと、桜の木のあま皮をも食うことを勧めた。

小市たちは牛の股一つで二十日許りを凌いだ。そして残っているもう一つの股で、更に長く食い繋ぐために、毎日、百匁許りの肉に麦ひと摑みを入れてよく煮、その汁を啜ることにした。こうして更に一カ月を持ちこたえることができた。

このように食糧事情が急を告げ始めた二月のある日、オルレアンコフの上司にあたるオホーツク州初代知事コズロフ・ウグレニンが五十名のカザック兵を連れてこの町へはいって来た。ウグレニンは前々年の一七八六年十一月オホーツクを発してカムチャツカにはいり、それから今日まで巡視旅行を続けていたが、これから春までをボリシェレツクで送ろうとして、その途中ニジネカムチャツクに立ち寄ったのであった。

このウグレニンの巡視旅行に対しては原住民の間では烈しい非難の声が上がっていた。ウグレニンは自分たちの旅のために三百頭の犬橇の犬を徴発し、勿論犬の使用料を払わない許りか、各地で毛皮を徴発し、人も徴発していた。この歓迎されざる一行は三日間雪の町に滞在したが、その間オルレアンコフは上司のために相手が一応満足する程度の晩餐会を開かねばならなかった。光太夫も異国人であるために、飢えかかっている町としてはこれは容易なことではなかった。光太夫も異国人であるために、一度だけではあったが、その席に出た。このウグレニンの一行の主だった者の中に、後年の『レセップス旅行日録』の著者ジャン・バプティスト・レセップスは居たのである。ウグレニンの一行はペトロパウロフスク港でラペルーズ探険隊と遇い、祝砲をもって迎えられ、そんなことからそこで下船したレセップスを己が一行の中に加えたのである。

ウグレニン一行はあまり面白くもなさそうなニジネカムチャツクの町を三日間で引き上げているが、その間にレセップスは日本の漂民光太夫を仔細に観察し、後年その旅行日誌に綴る大きい感銘を受けていたのである。

併し、レセップス自身も亦《また》この旅行において何人かに観察されていたのである。一八六九年に『海事論集』に三回に亘って発表された史学者スギブネフの「カムチャツカにおける主要事件の歴史的概説」の中に次のような文章がある。

――ウグレニンはボリシェレックで冬期街道の開通を待って三カ月以上過したが、この間若いレセップスや警察署長シュマレフらと共に遊興三昧な生活を送った。殆ど毎夜のように住民の妻や娘が夜会に招かれ、その遊興仲間の要求を拒むことはできなかった。なかでも破廉恥で厚かましい態度をとったのはレセップスであった。後年彼は旅行記の中でロシア人やカムチャダールは嫉妬深くない、その妻の貞操や行動についていささかも案じていないと記している。ウグレニンの保護下にあった若いレセップスがこうした確信に達したことは充分ありそうなことである。

それはさて措《お》き、光太夫の方はレセップスもウグレニンもなかった。そんな訪問者たちに注意している心のゆとりはなかった。それどころでない事態の中に、自分の部下たちは置かれていたのである。

光太夫は柵外の部下の宿舎を訪れる度に、部下たちの精力が衰えて行くのを知った。気分はさして変りないらしく、物も普通に喋っているが、歩くところを見ると、誰も彼もがふらふらしていた。この頃は桜の木だからというような贅沢は言えず、誰も彼もが宿の人たちがやるのを見倣《みなら》って、桜の木の外皮を取り除き、あま皮を水に浸して食べていた。牛の肉が全くなくなって、桜の木のあま皮ばかりの食事が四、五日続いた時、与惣松が他界した。股から足まで青黒く腫れ、齦《はぐき》が腐る妙な病気だった。足が腫れ出した時から、与惣松は物を言わなくなり、眠っていてもいるように、いつも眼をつむっていたが、四月五日の辰の刻（午前八時）に息を引きとった。

それから何程も経たない同月十一日の寅の刻（午前四時）に勘太郎も亦同じ病気で死んだ。四月の初めから中旬まで烈しい吹雪が荒れ狂い続けていたので、二人の死は光太夫に告げることはできなかった。小市の計らいで、二つの屍体はそれぞれ木箱に入れられたまま、屋外に置かれ、吹雪の静まるのを待って葬られることになった。

「与惣松も勘太郎もアムチトカ島に残りたがったが、やはり、あれは虫の知らせだったのだ。不憫《ふびん》なことだ」

藤蔵は時々、思い出しては言った。

「喋るな」

その度に九右衛門か庄蔵が呶鳴った。九右衛門も庄蔵もめったに荒い言葉を口から出す男ではなかったが、藤蔵の言うことがよほど神経に障るらしかった。併し、幾ら呶鳴られようと、そんなことにはお構いなしに、藤蔵は、昼と言わず、夜と言わず、

「与惣松も、勘太郎も、――」

と、同じことを同じ調子で言った。その度に九右衛門か庄蔵が呶鳴った。

吹雪が静まった時、光太夫はやって来た。部下たちは歩行が困難になっていたので、彼等の方から光太夫の許を訪ねることはできなくなっていた。光太夫はやって来ると、室内にごろごろ臥せっている部下たちを見廻してから、

「勘と与惣松か」

と言った。光太夫は屋外にある二つの柩を見て、一行の中で二人の人間が欠けたことを知ったのであった。

小市、九右衛門、庄蔵、新蔵、磯吉、それに光太夫も加わって、柵外の墓地に行って、不幸な二人のために、柩を埋める穴を掘った。藤蔵は衰弱がひどかったので、彼だけが墓掘りの作業に加わらないで、宿舎に残っていた。宿のロシア人に案内されて赴いて行った墓地だったが、一面雪に覆われていて、墓地らしく思われるものは何一つなかった。

墓掘りの作業は何日にも亘って行われた。丈余の雪を掻き分け、漸くにして凍った地面を露出させたが、地面は石の如く凍っていて、そこに柩を入れる穴を掘ることは容易でなかった。長い間焚火して凍った地面を少しでも柔らかくしてから、若い磯吉と新蔵が主になって鍬を揮ったが、二人とも体力が衰えていたので、他の者たちも若者二人だけに任せておくことはできなかった。

漸くにしてどうにか柩を収め得るだけの穴を掘った時、また吹雪が荒れ出し、葬儀は更に半月程先きに延ばさねばならなくなった。その間に、藤蔵が二人の仲間のあとを追った。五月六日の未の刻（午後二時）のことである。与惣松、勘太郎と同じ病気だった。屋外の二つの柩の横に、藤蔵の柩も並べられた。ニジネカムチャツクに於て、日本の漂民三人の生命を奪った病気は、光太夫があとで知ったことであるが、和蘭《オランダ》ではシケウルボイクと謂っている病気で、中国の医書には青腿牙疳の症として載っている壊血病であったのである。

藤蔵が永眠した前後の吹雪を最後にして、降雪もなくなり、漸く寒気はぬるみ始めた。与惣松、勘太郎、藤蔵の葬儀は五月の末頃行われた。この頃は川々の氷も解け始め、パキリチイ（糸魚）という小魚のはしりが獲れ始めたので、日本の漂民も町の人たちも、漸くにして食糧難も峠を越したという思いを持った。葬儀は異国の僧の読経に依って営まれた。アムチトカ島のジャヤミイロウィチ老人と同じ黒い僧服を着た僧侶であった。光太夫等六人の漂流民もそれぞれ僧侶に倣《なら》って、胸のあたりで十字を切った。いつか、それが少しも不自然でない気持になっていた。

三人の葬儀が終って数日した頃から、ニジネカムチャック周辺の川々には、夥しい数のパキリチイが溯《さかのぼ》って来、ために川の水は黒ずみわたって見えた。小市たちも土地の人たちに倣って、網で獲って水煮にして食べた。この辺は塩が払底していて価が高いので、土地の人たちは煮るのに塩を用いないのである。

さしものパキリチイも失くなる頃、替ってチャブチャという魚が押し寄せて来た。これを獲るのは女たちの仕事で、網で日に三、四百ども獲った。五月の末になると、この魚もなくなったが、こんどは替って鮭の群れが溯って来た。腹を擦り、鼻をぶつけ合って死ぬほどの群り方であった。

光太夫も、また小市たちも、それぞれの宿舎で毎日毎日鮭を食べたが、それを食べ飽きた六月の中頃、突然ニジネカムチャックから移動するという話が出た。

「一体、俺たちはここからどこへ行くんか。アムチトカ島へ漂着するまでに幾八を海に葬った。今考えてみれば、幾八は仲間の者みんなに看とられて死んだんで、まだしも倖せだったとせねばなるまい。アムチトカ島では、船親父の三五郎、船表賄方の次郎兵衛、水手《かこ》の安五郎、上乗りの作次郎、水手の清七、長次郎、藤助の七人が死んだ。あいつらは今も、あの吹きっさらしの海っぺたの丘の麓で眠っているんだ。それからこのカムチヤツカに渡って来たら、こんどは与惣松、勘太郎、藤蔵の三人が欠けてしもうた。もうあとに残っているのは六人きりだぞ。場所を替える度に、誰かが欠けて行く。一体、俺たちは、こんどはどんなところへ行くと言うんだ。どんな苦難が待ってるか判ったもんでねえ。俺は、何だか、ここから離れて行くのが厭になった」

小市は言った。小市らしからぬ弱気な発言だった。実際に小市の言う通りであったので、誰もそうした小市の言葉を非難する者はなかった。座には光太夫が居なかったので、場所を移動する度に、仲間は欠けていた。ニジネカムチャツクで経験した冬期の飢饉は世にも恐ろしいものだったが、一度それを味わってしまった今は、それに対処する方法が考えられぬわけではなかった。食糧のふんだんにある今から冬に対する準備に取りかかれば、よもや過ぎ去った冬のような惨事を招くとは思われなかった。これから移動して行く場所が、未知の場所であるというただそれだけのことで、誰も彼もが怖くもあり、不安でもあった。

小市が喋ったあと、長い間、誰も言葉を口から出さなかったが、みんなが喋らないのなら、それではわしがひとつといったように、九右衛門が口を開いた。

「おらあ、前から思っているんだ。みんな、生きて伊勢へ帰ろうなどとは思うなよ。よおく胸に手をおいて、帰れるか帰れないか、考えてみな。帰れる筈はなかろうが。誰が、おめえ、俺たちを伊勢の国へなど送ってくれましょうに。大体、伊勢の国へ行くには、どの道をどう行ったらいいか知っている人間がひとりでもあるか、あったら、お目にかかりたいもんだ。所詮、俺たちは異国の雪と氷の中で果てるように生れついているんだ。因果なことだが、これも仕方ねえ。それで、俺は思うんだが、どうせ郷里へ帰れぬものなら、ちっとでも知らん土地を見ておくことじゃ。生きて郷里へ帰ろうと思えばこそ、いろんな分別も働くというものだが、帰れねえとなったら、どこで死んでも同じことだ。どこへでも連れて行って貰いましょう。俺は、こうなったら、死ぬ場所は他のところの方がいいと思う。ニジネカムチャツクの鮭臭い町はもう倦き倦きした。たとえ獣に食われても、ほかの土地の方がいい」

開き直った言い方だったが、これはこれですじの通った意見だった。九右衛門の言うように、再び生きて故国の土は踏めないのだと腹を据えてしまえば、ニジネカムチャツクからどこへ連れて行かれようとたいして気に病むことは要らなかった。

「そうさの、国へ帰ろうと思えばこそ、じたばたするんじゃ。異国で果てる運命から免れられねえとなれば、考え方は自らまた違って来る」

小市も言った。

併し、この席には居合せなかったが、光太夫ははっきりと別の考えを持っていた。白子の浜を出る時は十七人の人数だったが、それがいまは自分を入れて六人になっている。十一人の漁師たちが次々に物故したのである。考えれば残念なことだが、どの一人の場合を考えても、その死は不可抗力と言うほかはなかった。仲間たちの力ではどうすることもできなかったのだ。死んで行った連中は、これでもかこれでもかと押し寄せて来る苦難に対して、気力も体力も及ばなかったのである。

いまここに生き残っている六人の者たちは、兎に角、その苦難と闘って、それに勝ち抜いて来た連中である。生き残るだけの体力と気力と、そしてその時々に身を処する分別と判断力を持っていたのだ。一番繊弱に見えるのは小男の小市だが、彼にしても驚くほどしんの強いところがあり、頭のよさで、体力の欠けたところを補って来ている。九右衛門は鈍重で、異人の言葉はいっさい覚えないが、生れながらの頑健さを持ち、時々はっとするような意志の強いところを見せる。庄蔵、新蔵、磯吉の三人は何と言っても若さが身上である。庄蔵は三十五歳、新蔵は三十歳、磯吉は二十五歳である。三人とも白子の浜を出た時とは見違えるほど頑丈になっている。食うものが失くなったこの冬はさすがに痩せ細ったが、川に魚が上り始めたら、あっという間にもとの体になってしまって、ロシア人たちを驚かせたほどである。性格は三人三様だが、三人とも取得を持っている。庄蔵は無口で、めったに喋らないが、いつか、アムチトカ島で、

——きれいやな、この夕焼！

と、呆然と夕焼に見惚《みと》れたことがあった。生きるか死ぬかという厳寒期に、夕焼の美しさに見惚れるということは、余人のできる芸当ではない。ニジネカムチャツクに来れば来たで、教会の鐘の音に感心して、

——伊勢にこんなきれいな音を出す鐘があるかや。これを聞いていると惚れ惚れするぞ。

と言って、死んだ勘太郎に殴られかかったことがある。日本の漂民の中では一番屈託がなく、他の者同様、家郷のことを思わない筈はなかったが、そんなことはいっこうに

口にしなかった。

——おめえ、たまにはおふくろのことでも喋ってやれよ。おふくろもお前みたいな子を持つと、張り合いのないことだ。

そんなことをみなから言われたが、庄蔵はいつもにやにやしていた。庄蔵の場合、張り合いのないのはおふくろばかりでなく、郷土そのものも、張り合いがないと言わねばならなかった。庄蔵とて、郷里の土を踏みたくなかろう筈はなかったが、さして帰りたそうな顔はしなかった。漂流そのものを結構楽しんでいるようなところがあった。アムチトカ島はアムチトカ島で、ニジネカムチャツクはニジネカムチャツクで、庄蔵には満更でもないらしかった。ニジネカムチャツクから移動する話が出た時、

——こんどはどんなところへ行くんかや。

この時だけ、庄蔵は眼を光らせて言った。

新蔵は誰よりも頭の廻転が早く敏捷だが、唯一の欠点は女が好きなことであった。アムチトカ島では島民の娘に手を出しかけて悶着を起したことがあるが、ニジネカムチャツクの町でもカムチャダールの娘の尻を追い廻して、これも死んだ与惣松に意見されたことがある。

——お前、カムチャダールの八百屋の聟《むこ》になる気かよ、ばかもん。

すると、新蔵は言った。

——聟にしてくれれば、聟になるとも。子が生れたら、与惣松と名をつけてやるよ。

与惣松は真剣に憤《おこ》って追いかけたが、足の早い新蔵を捉えることはできなかった。

磯吉は船親父の三五郎の伜だが、三五郎からいいところだけを貰っていた。三五郎にはいっこくなところがあったが、磯吉はずっと融通が利き、気立ては父親同様明るく優しかった。最年少なので一番体を動かさなければならなかったが、一度でも厭な顔を見せたことはなかった。光太夫は心の中では磯吉に一番目をかけていた。恐ろしいほど異人の言葉の呑み込みが早く、ロシア語も、アムチトカ島の島民の言葉も自由にこなした。またニジネカムチャツクの町に来て、僅か一年だというのに、カムチャダールとも、コリヤークとも、かたことながら、それぞれの言葉で話して用を足すことができた。

光太夫には、もうこれからは、いい加減のことでは、五人の部下たちの誰一人も欠けることはあるまいと思われた。ずいぶん屢々《しばしば》柩の釘を打って来たが、ニジネカムチャツクにおける藤蔵の場合が、その最後の打ちどめになるに違いないと信じていた。

光太夫はニジネカムチャツクから移動して行くさきがチギリという聚落であり、そのチギリから船でオホーツクへ渡ることを知っていた。オホーツクへ辿り着くまでは、まだまだ予測しない苦難に見舞われることもあるかも知れないが、オホーツクにさえ到着すれば、あとはロシア本国の庇護下に置かれ、そこから便船のあり次第蝦夷のどこかの港へ送り返されるだろうと思っていた。これは光太夫の身勝手な推測ではなく、長官オルレアンコフが光太夫に語ったことであった。光太夫は一年間の交際で、オルレアンコフという人物をすっかり信用もしていたし、また出先機関の長官オルレアンコフを通して、彼の母国であるロシアという国をも信用していた。地図で見ると、ロシアは日本の何層倍あるか判らぬ大きな国であったが、単に大きい許りでなく、あらゆる面に於て、文明の度合が日本よりずっと進んでいるように思われた。

ニジネカムチャツクを発つ前日、光太夫たちは、与惣松、勘太郎、藤蔵の三人の墓に詣でた。一同はロシア人たちの風習に倣って、墓石の前に花を供え、十字をきって、不幸な仲間三人の冥福を祈った。

六月十五日に、光太夫等は、ニジネカムチャツクの町の端れのボリショイ川の波止場で四艘の川船に分乗した。オルレアンコフの下役テモヘ・オシポウィチ・ホッケイチと、その部下の二人が日本漂流民の護送官として同船し、ほかにロシア人の水手が二、三名ずつ、それぞれの船に配された。日本人六名、ロシア人十五名、総勢二十一名の集団であった。船は長さ五間、幅三尺、独木《まるき》をくり抜いたもので、一艘の船に二人の水手を加えて、五、六名ずつが乗った。どんなに詰め込んでも、七、八名以上は無理と思われた。ボリショイ川を溯り始めたが、川の流れが急なので、船はなかなか進まなかった。日本の漂流民たちには、半島の中央を縦走している山脈を越えて、向う側のオホーツク海岸に出る方法として、このように川船を用いることが解せなかったが、これはカムチャツカ、シベリア地方の最も効果的な移動方法だったのである。

まず一つの川をその源ぎりぎりまで溯って行く。そして川が尽きると、今まで乗って来た船と荷物を、冬は橇、夏は転《ころ》を利用して、分水嶺を越えて、その向う側に運ぶ。そしてこんどは新しい川に船を浮かべて、そこをいっきに降る。それからまた越えなければならぬ山脈があると、同じようにして新しい川を溯り、また分水嶺を越え、新しい川を降る。これはロシア古来の旅行者たちの移動方法であり、カザックたちが毛皮を求めて、ウラル山脈から太平洋岸まで進出して来たのも、多くはこの方法に依ったものであった。

光太夫たちの船は、ボリショイ川を溯るのに十三、四日を要した。そして船から降りると、一日がかりで、山路を越えて、また新しい川の源から船に乗った。こんどは降りなので、あっという間に数十里を奔り降って、七月一日にチギリに到着した。水陸併せて三百七十露里の行程を十五日で踏破したわけであった。川筋の所々には駅があって、そこで船を乗り替えるようになっていたので、光太夫たちは船を担いで分水嶺を越える必要はなかった。川を溯るのに冬は船の替りに橇を用い、犬にひかせて、凍結した流れの上を溯って行くということであった。

船がチギリの聚落に着くと、光太夫は馬に乗り、他の者たちは徒歩で、この地の役所に出向き、一同は郡官の家に泊った。チギリは人家百四、五十の小さい聚落であった。一同は約一カ月、ここに滞留した。ここから海を越えて、対岸のオホーツクへ渡るわけであるが、航海が天候次第で何日かかるか見当がつかなかったので、十五日や二十日の食糧は用意しなければならなかった。チギリにおける一カ月の滞留は、そのためのものであった。オホーツクへ向けての出帆が八月一日と決まった日、日本の漂流民たちは揃って、小さな波止場に、自分たちの乗る船を見に行った。四百石積ほどの船で、帆柱は一本であった。好むと好まないに拘らず、数日後には、これに乗らなければならなかった。

「こうして、だんだん日本から遠ざかって行く」

小市は九右衛門に囁くように言った。小市はそう思った。それ以外は考えられなかった。併し、この気持は小市ばかりでなく、光太夫一人を除いて、九右衛門も、庄蔵も、新蔵も、磯吉も同じであったのである。

八月一日、船は、チギリの港を出帆した。追風を受けてうまく行けば、半月ほどでオホーツクへ着くということだったが、二十四、五日も海上に漂った果てに、食糧も尽き、水も乏しくなってしまった。どこを吹き流されているのか、いっこうに陸地の影は見えず、船内には漸く不安の色が立ちこめ始めた。食物はチェレムシャという草の塩漬だけになり、茶碗で計った水が、一日に二度支給された。

やがて陸地が見えて来て船内には歓声が上がったが、船乗りの言うところでは大分北の方に流されているので、目的地のオホーツクへ着くにはまだどのくらいかかるか見当がつかぬということだった。船は陸地に沿って南下していたが、風がないので船脚は捗々《はかばか》しくなく、三日経っても、一木一草のない海岸線の荒涼たる眺めは変らなかった。乗り組んでいる者たちは、すっかりチェレムシャの塩漬に閉口してしまって、どこへでもいいから着岸して、上陸したらどうだろうかと言い出した。そんな評定をしている時順風が吹き出して、誰にも船が早く進み出したことが感じられた。

翌日の夕刻、船はオホーツクの港へはいった。月明の夜であった。日本の漂流民六人にとっては、伊勢白子浜を出帆して以来、何年かぶりに見る港らしい港の夜景であった。格別出船入船が輻輳《ふくそう》して殷盛《いんせい》を極めているといった港ではなかったが、それでも何隻かの大型船が碇泊しているのが見られ、岸には人家の燈火が並んでいた。チギリからオホーツクまで海路八百露里、陸路では、二千五百露里だということであった。光太夫たちはその夜は船内に留め置かれた。九右衛門と庄蔵は眠ったが、ほかの四人は眠らなかった。昂奮しているのか、眠ってもすぐ眼覚めた。暁方までずっと誰かが起きていた。

翌朝、光太夫たちは船から降ろされ、この地の役人の手に引き渡された。

「港はまああだが、その割に、なんと町のちせえことよ」

小市は、町を通りながら言ったが、小市の言う通り小さな町であった。ニジネカムチャツクよりずっと小さく、人家は二百戸あるかなしかであった。町の大通りは海岸に沿わないで、東から西へと、つまり海岸線に直角にぶつかるように造られてあった。光太夫たちは町の東端に当る波止場に上がると、海の方を背にして、その大通りを歩き出したが、何か期待に反した裏切られた思いであった。波止場附近こそ多少人家が波止場を取り巻くようにばら撒かれてあったが、少し行くと、道に沿って人家がひとつ並びに並んでいるだけの貧相な通りになった。

「ここらの家の建て方は、どれも同じだな」

庄蔵が言った。いずれも丸太を積み上げた校倉《あぜくら》造りに似た建て方であった。

「東向きの大きな家には将校が住んでいる」

一同を引率して行く役人の一人が説明した。その役人に、

「この近くに川はあるか」

磯吉はロシア語で訊いた。

「お前目玉を何のために持っている？　オホータ川を見なかったか。ここの港はオホータ川の河口にできているんだぞ」

役人は言った。

「その川には魚が棲んでいるか」

磯吉はまた訊いた。

「ばか者！　魚がいないなんて言ってみろ、頭をかち割られるぞ」

「その魚喰えるか」

「なんだと！」

役人は口を尖らせて、

「俺たち、一年中、その魚で生きているんだ」

と言った。すると、磯吉は仲間たちの方へ、食える魚が獲れるそうだと、日本語で言った。ニジネカムチャツクで懲りていたので、磯吉は、この地に魚の獲れる川があるか

どうかを、先ず確かめずにはいられなかったのである。併し、そのことは磯吉ばかりでなく、誰にも共通した関心事であった。光太夫もオホーツクの町にさえ着けば、あとは便船のあり次第、日本へ送り返されないものでもないという期待を持っていたが、そうした気持は、港へ上がった時から失くなっていた。異国の漂流民の措置を司る役人がこの町に居ようとは思われなかった。恐らく自分たちはここから他処《よそ》へ移されるに違いなかったが、問題はその他処への移され方であった。ニジネカムチャツクにおけるように、すぐには移されないで、当分ここに留め置かれ、越冬させられることも充分考えられることであった。未知の土地における越冬生活の恐ろしさは、誰もが骨身に徹して知らされていた。

役人は一同を役所に案内する前に、聚落の一番の北の端れまで連れて行き、

「みろ、ここに川があろうが」

と言って、そこを流れているオホータ川を指し示した。水は灰色に濁っており、川幅はさして広くはないが、深そうな川であった。

それから光太夫たちは郡官イワン・ガウレロウィチ・コオフに会って、宿舎を与えられた。ここは州庁の所在地だが、知事ウグレニンはカムチャツカ視察旅行中で、一切の事務を郡官コオフが代行していた。そして翌日、光太夫には銀三十枚、他の五人にはそれぞれ銀二十五枚ずつが支給された。初めて手にする異国の金であった。金を与えられた翌日、光太夫は招ばれて役所に伺候した。十日後にこの町を発して、ヤクーツクへ向

うことが郡官コオフの口から申し渡された。ヤクーツクまでは千十三露里、その間絶えて人家がない原野ではあり、しかも寒さに向う時季であるので、支給された金で防寒具を買い調えるようにということであった。

光太夫がそのことを五人の仲間に伝えると、一同は顔色を変えた。めったなことでは驚かなくなっている九右衛門も息をのみ、新蔵もうんざりした顔をした。

「一体、どこまで、俺たちを連れて行けば、気がすむというんかや。ここからまた千十三露里も奥地へ運ばれるとなると、もう帰ることは望めねえな」小市は言った。

「ヤクーツクというところはどんなところか知らねえが、おら、普通のところじゃねえと思うな。俺たちみたいな異国の難破人ばかりを集めて、住まわせておくところじゃねえか。どうもそうとしか思えねえ」

九右衛門も言った。光太夫は一同に、ニジネカムチャツクの出先機関も、ここオホーツクの役所も、みなイルクーツクの役所の管轄下に置かれている。が、イルクーツクに行くにはヤクーツクを通らねばならぬ。ヤクーツクはここと同じ州庁の所在地だが、町は比較にならぬほど大きいと聞いている。ヤクーツクまで行ってみたら、またいかなる方便がないとも限らぬ。そのヤクーツクまでも行かないことには、自分たちの帰国の便宜が得られよう筈はないということを説明した。それでも一行が納得した顔を見せなかったので、

「おめえらが、どうしてもヤクーツクまで出向いて行くのが厭だというなら、その由を

郡官まで申し出てやる。そして、俺が、みなを代表して一人でヤクーツクへ行って来る。ただ、言っておくが、そうなると、おめえら、ここでこの冬を越すことになるんだぞ。この吹きっさらしの町で、冬を越すんだぞ」

光太夫は言った。そう言われると、誰も一言もなかった。越冬の状態はニジネカムチャツクより一層悪いことは明らかだった。町も小さく、宿舎も粗末であり、町の周辺にも耕地は見られなかった。

「一体、ヤクーツクというところまで何日かかるんかな」

庄蔵が訊いた。

「馬でふた月ほどだ」

磯吉が答えた。磯吉はもうどこからかそのような知識を仕入れているのであった。

「ふた月か、ふた月も歩いていれば、渡り鳥の凄いのにぶつかるぞ。俺きのうも今日も、ぶったまげた。何の鳥か知らねえが、空の半分をまっくろにして渡って行った」

庄蔵は言った。光太夫は庄蔵と磯吉の会話を好もしく聞いていた。光太夫とてヤクーツクへ行って、果してその後自分たちがどうなるものやら、確とした見通しはついていなかった。それは恐らく、この地の郡官にも判っていないことに違いなかった。こうなった以上は、渡り鳥の渡るのでも見るのを楽しみにして、千十三露里の大原野の旅へ出て行く以外仕方なかった。

光太夫たちはオホーツクの町を、辺境のちっぽけな、なんの取得もない聚落だと思い込んでいたが、併し、当時すでにこの町は極東開発の上では、重要な役割を果していたのである。カムチャツカ半島、アレウト列島方面から来る獣皮は尽《ことごと》くこの町に集まり、ここからヤクーツク、イルクーツク方面へ運ばれ、そこから中国との交易場である国境の町キャフタへ送られて、中国産の茶や絹と交換されていたのである。

オホーツクからヤクーツクに向う道は、オホーツク荷駄街道と呼ばれているもので、一七二七年にベーリングの第一次探険の時に開発され、その後、露米会社の活動とともに次第に整備されて、光太夫たちがこの地に現われた十八世紀末には、この街道を荷物の運搬のために通るヤクート馬は、一年に六千から一万頭、荷役は千二百人から千六百人を算えていた。

この荷駄街道にも、詳しく言うと二本の道があり、一本は主として夏期に荷駄を通すための最短路で、ヤクーツクから東へ出て、アムガ川とアルダン川の合流点から一千キロの地点で、アムガ川を渡り、ついでベーラヤ川の流入点附近で、アルダン川を渡る。それからベーラヤ川の河谷に沿って東進し、シュピリ・タルバガナフ山（二二一三メートル）を南から迂回して、アカチャン川に出、ユドマ川を渡って、オホーツクへ出るのである。一七二六年八月末に、ベーリングは六百六十三頭の馬を動員して、ヤクーツクを出発し、この道を通って、十月中旬オホーツクに着いたが、途中二百六十七頭の馬を失っていた。当時この道がいかに難路であったかが判るというものである。

もう一本は、ベーリング探険のシュパンベルグ支隊が重材料運搬に利用した道である。シュパンベルグ支隊は同じ一七二六年に、十三艘の平底船でヤクーツクを出発し、レナ川を降って、アルダン川との合流点に達した。それからアルダン川を溯ってマイー川との合流点に到り、こんどはマイー川を上って、ユドマ川との合流点に着いた。ユドマ川はレナ川水系の河川の中で、オホーツク海に最も近接している川である。この川の屈曲部に、道路標識として木製の大十字架が建てられていた。ここから東は前の荷駄街道にはいって行く。

シュパンベルグ支隊の船は、このユドマの十字架の数百キロ手前で氷に閉ざされてしまった。十一月の初旬のことであった。シュパンベルグは附近に住むヤクート人やツングース人*から強制的に犬橇を徴発し、資材を積み替え、積み切れない分は川岸に残して出発した。併し、その後の難路で糧秣は不足し、隊員は烈しい飢えと闘わねばならなかった。ベーリングはその報告書に綴っている。——途中、隊員は飢えのために馬の死肉、皮袋、鞄、靴の半製皮まで食べた。

シュパンベルグ支隊は、この最後の移動に二カ月を要し、一七二七年一月末、この支隊の百台の橇のうち、四十台だけがオホーツクに辿り着くことができたのであった。

光太夫等六人の日本漂流民は異国の同行者十一人と共に、九月十二日にオホーツクを出発することになった。出発に先き立って、光太夫たちは町へ出て、支給された金で、皮衣、皮帽子、皮の手袋、皮の靴などを買った。買物をしたあとで、港へ出てみると、造船所で奇妙な形の船が建造中であった。磯吉がどこからか聞いて来たところに拠ると、探険船であるということであった。

港で、光太夫は仲間たちに、いつかまた自分たちはここへ来て、ここから船で日本へ送り返されるようになるかも知れないと口に出しかけたが、危くそれを呑み込んだ。光太夫自身、そのことにいささかも確信を持ってはいなかった。そういう日を実現するために、これからヤクーツクへ向おうとしているのであったが、果してヤクーツクへ行くことが、自分たちの帰国に役立つことであるかどうかは判らなかった。九右衛門が言ったように、漂流民だけが集められている場所へ入れられるために、ヤクーツクへ向うのであるかも知れなかった。

光太夫はそうしたことは何も考えまいと思った。日々見聞したことを仔細に記しておくことだけが、いまや光太夫の毎日のただ一つの仕事になっていた。

ヤクーツクまで一緒に旅を続ける異国の同行者たちの顔触れは雑多だった。カムチャツカ各地区から税に出す、海獺、海豹、貂、熊などの皮を取り集めて本国へ持って行くワシリーという役人、その部下三人、それからオホーツクに在勤していたが、任期が終ってイルクーツクへ帰るという医師と、その妻子、それから夷族通事二人、他にポルトガル人一人、ベンガル人一人。

ポルトガル人とベンガル人の二人は、日本の漂民たちと同様に難破船の生き残りであった。何でもカムチャツカに交易に来たインドのカラビレという大船に乗っていた者たちで、ほかにその船には支那人、フランス人、ベンガル人など全部で六十二人が乗っていたが、ガマンドルスカ沖で大風に遭って破船、六十人が一時に溺死したが、二人だけが岸に泳ぎついて助かったということだった。溺死した連中は、みな泥酔して睡眠していたが、助かった二人は生来下戸で酒気を帯びていなかったという。二人はカムチャツカから陸路をとって、光太夫と殆ど同じ頃オホーツクへ到着していた。

一行十七人は予定通り、九月十二日にオホーツクを発した。食糧や荷物はみな馬の背につけた。十七人の二カ月近い食糧となると、食糧だけでも大変な量になった。主食としては、長もちするように二度焼いた麦の餅を用意し、それに牛肉、乾野菜、砂糖、塩類も持たなければならなかった。そのほか野宿用の天幕、馬草なども馬の背に積んだ。

一行が採った道は二本の荷駄街道のうち、ベーリングが初めて通った方の道で、光太夫たちはベーリングに遅れること六十年、ベーリングとは反対に、オホーツクからヤクーツクへ向って発って行ったわけである。

一行は果しない原始林の中の道を、馬に乗ったり、馬から降りて歩いたりして、少しずつ進んで行った。アレウト列島の孤島の風物も、カムチャツカの風景も、それぞれ日本の漂流民たちの心を仰天させたものであったが、このシベリアの原野もまた、それに劣るものではなかった。行けども行けども原始林は続いていて、切れるということはなかった。

十月にはいると寒気がやって来た。手足が凍る時は馬を降りて歩行し、体があたたまると、また馬に乗った。十月の中旬を過ぎると、雪が舞った。雪の夜は木の枝を折り敷いて臥した。漸くにして原始林が切れ、ヤクーツクに三百露里程というところになると、所々に土民の家があった。家を見付けると、一行はそこに泊めて貰った。一行の中に本国へ送る官物を持っている役人がいたので、土民の家では牛などを殺して款待してくれた。

長い難渋な旅を終えて、目的地であるレナ河畔の聚落ヤクーツクに着いたのは十一月九日であった。ヤクーツクは人家五、六百、聚落の大きさからは考えられないほど、町は殷盛を極めていた。多勢の旅行者が犇《ひし》めき合っていた。

ヤクーツクはロシアのシベリア北東部およびカムチャツカ経営の前進基地として発展した町で、ここにはイルクーツク総督に直属する知事が置かれていた。十八世紀前半にロシアで活躍したドイツの博物学者グメリンは、一七五二年に著した『一七三三年—一七四三年間のシベリアの旅』の中で、ヤクーツクの町について、次のように記している。

——ヤクーツクの市街はレナ川左岸の平野に位置している。このレナ川たるや、ここから二百ドイツ・マイル流れて北氷洋に突き当っている。市街はレナ川の入江に依って横断されている。この入江は、夏と秋は乾燥するが、早春には水が多く、時には溢れるほどである。この入江の向う側、つまり下流側にある市街は、住民に依ってザ・ローグ(谷の向う側)と呼ばれている。ローグというのは深い谷を意味するのではなく、入江が多くの場合干上がって谷のように見えるからである。市街はこの入江の手前側の方が向う側よりも大きい。両方併せて五百乃至六百戸の木造家屋があるが、十数戸をのぞいては、外観から見ても、住みよさの点からしても、特に褒められるほどのものではない。入江の手前に木造の砦《とりで》があり、その中に二つの木造と石造の教会があり、知事の住居、役所、文書保管所があり、更に酒類倉庫、火薬庫、貢税倉庫等がある。また入江の手前側にはスパスコイ・モナスティリと呼ばれる修道院があるが、そこの修道僧の大部分は死に絶えていた。

光太夫たちはヤクーツクの町へはいって、寒さの厳しいのに震え上がった。今まで何年も氷と雪に閉じこめられた冬を経験して来ていたが、この町の寒さは特別であった。一同は与えられた宿舎へはいったままで、よほどよく晴れた日でない限り、一歩も外へは出なかった。

ヤクーツクを中心とする一帯の地は、ロシアでも最も寒いところとされている。ヤクーツクの位置は北緯六十二度であるが、冬期この緯度にある他の地点よりも二十度ほど寒い。ヤクーツクの北方にあるウェルホヤンスク、東部にあるオイミャコンは最低零下七十度を記録し、北半球の極寒の地とも言われている。ずっと北方の北氷洋岸の方が内陸部よりもはるかに暖かい。ヤクーツクに於ける一月の平均気温は零下四十三度、七月はプラス十八度である。気温が零下にならない日数は平均九十五日にすぎず、夏の最高気温と冬の最低気温の差は百度を越え、地球上で最もその差の烈しい場所とされている。

夏は短いが、かなり暑く、一番秋らしい時期は九月で、冬は十月から始まり、無風快晴の日が続き、零下四十度以下の日は年間ヤクーツクで四十八日、ウェルホヤンスクで八十七日である。零下三十度以下になると原則として雪は降らず、したがって積雪は四十糎を越えることは稀である。しかし気温は下がっても乾燥して無風であるため、人間の生活にとっては、気温は高くても湿気があって、風の強い北氷洋岸よりもはるかに堪えやすい。ヤクーツク一帯にはひろく永久凍土が分布している。

光太夫たちは、この町へ来て、初めて寒気というものにも、いろいろ段階があるものだということを知った。凍傷が一番怖かった。町には耳や鼻の脱落している男女が多かった。光太夫は、五人の部下たちに用もなくして出歩くことを固く禁じた。

ヤクーツクの町へはいって十日ほど経った頃、光太夫は役所へ出頭を命じられた。出向いて行くと、役人の一人から、お前らはやがてイルクーツクへ行くようになるから、そのつもりでいるようにと言われた。それはいつのことであるかと光太夫は訊いたが、いっこうに要領を得なかった。相手は意地が悪くて答えないのではなく、全然そのことについては知っていないと見るほかはなかった。

光太夫は宿舎へ帰ると、イルクーツク行きのことを仲間たちに伝えた。光太夫は小市や九右衛門が落胆したり、喚いたりするのではないかと思っていたが、こんどは意外に静かだった。

「何を驚きましょうに、どこへなりと連れて行って貰いましょう。ヤクーツクからイルクーツク、イルクーツクからメシクーツク、メシクーツクからソバクーツク」

小市はそんなことを言ってから、

「わしはゆうべ、つくづく考えたんだが、毛の色も眼の色も変った国へ来て、——それも難破して流れついて来たんだ。客に招かれて来たわけじゃねえ。それを、こっちの思うようにならねえと文句を言ってみたところで、始まらねえと思うんだ。言うなりになっているしか仕方がねえ。みんなそう思うことじゃ」

「そうさの。こんなとてつもなく寒いところへ来たのも、考え方によれば果報と言うもんじゃ。こんな寒いところでも、結構みんな子を拵らえて、その日その日を生きている」

九右衛門も言った。日本の漂流民たちは、イルクーツクへ行くにしても、勿論来年の春のことで、この冬はここで過すものと許り思っていたが、更に十日程して、もう一度光太夫は役所に招ばれ、イルクーツク行きの旅費だという金子を渡された。こんども、光太夫には銀三十枚、他の者たちには二十五枚ずつであった。

この時も、光太夫はいつイルクーツクへ移動するか、その移動の時期について質問したが、相手はいっこうに要領を得なかった。来年のイルクーツク行きに対する旅費としては、何となく支給の時期が早いように光太夫には思われた。それが不気味だった。この金を支給された事件は、日本の漂流民たちを大きい不安におとしいれた。若し、この厳寒期にイルクーツクへの移動を命じられるとすると、それは大変なことになると思った。イルクーツクまでは、二千四百八十六露里、オホーツクからヤクーツクまでの倍以上の長さである。しかも厳寒期に、それだけの道を踏破する自信は誰も持ち合せていなかった。

と言って、厳寒期の交通が途絶えているわけではなかった。イルクーツク行きの雪橇《ゆきぞり》は何日目かに出ていたし、また毎日のように、どこから来るのか、かなり多勢の旅行者がこの町へはいり込んで来ていた。宿舎の窓からも、そうした旅行者たちの姿が見られた。いずれも、皮製の衣服を何枚も重ねて着、皮の帽子をかぶり、ムフタという表は熊の皮、内側は狐の毛皮で作った筒のような大きな手袋に手をさし入れ、その手袋を顔に当てて、鼻から下を覆って、眼だけを出して歩いている。彼等がこの町の人間でないことは、十人、二十人の一団を作って歩いていることで判った。こうした旅行者たちは、勿論、この地方の寒さには慣れきっている連中で、冬の旅行など何とも思っていないに違いなかったが、それでもなお一団の中には、必ず耳や鼻を落したり、手指を欠いたりしている者があった。この地方のとてつもない寒さを初めて経験している日本の漂流民たちにとって、イルクーツクまでの旅行は、死以外の何ものも意味していなかった。誰一人満足な躰でイルクーツクへ辿り着けようとは思われなかった。

月が変り、十二月にはいって四、五日経った頃、光太夫は役所に呼び出された。何となく不安な思いで出掛けて行くと、果して十二月十三日にイルクーツクへ向けて出発することになったので、その準備をするようにということであった。同行者は何人で、いかなる人たちであるかというようなことを訊いてみたが、こんども役人から満足な答えは得られなかった。この役所からワシリー・ダニロウィチ・ブシニョーフという軽吏がひとりついて行くことになっているが、それもまだ確定したことではないというようなことを、役人は言った。心細い話であった。

光太夫は役所から宿舎までの道を絶望的な思いで歩いた。いま生き残っている六人の者は、もう誰ひとり欠きたくはなかった。併し、二カ月か三カ月の長い旅の間に、いかなる災難が見舞って来るかも判らなかった。吹雪に見舞われることもあろうし、道に迷うこともあるかも知れなかった。そんな時、雪橇の旅には何の知識も経験も持っていない日本の漂民たちがどのようなことになるか、光太夫は重く暗い思いで足を運んでいた。その光太夫の思いを一層絶望的なものに追いやったのは、時折、木のつぎ足をして、杖をついている土地の者と擦れ違うことであった。そうした不自由な者は老人にも子供にも居たし、男にも女にも居た。十三、四の少女で、片側の頰がくりとられたように失くなっているのもあった。光太夫は自分たちが、たとえ生命を失わないまでも、満足な躰でイルクーツクまで辿り着くことは難しいだろうと思った。

宿舎へ戻ると、光太夫は一同にイルクーツク行きのことを伝えた。小市初め五人の者は、一瞬息を呑んで顔色を変えた。小市は口をもぐもぐさせて、何か言い出そうとしたが、すぐには言葉が出ないようであった。それを見て、光太夫は小市が喋り出さない前に自分の方から口を開いた。いつもの光太夫と違って、語調は厳しく、命令的であった。

「いいか、みんな、よく心を落着けて、俺の言うことを聞けよ。アムチトカ島でも、ニジネカムチャツクでも、俺たちは仲間の葬式を出して来た。十七人の仲間がこれだけになるほど葬式を出したんだから、俺たちはもう葬式を出すことには倦き倦きしている。だが、こんどはどうやら俺たち自身に葬式の番が回って来た。イルクーツクまで、磯吉が聞いて来たところではふた月かかる。ふた月の間には、いろんなことが起ろう。何が起るか判ったもんじゃねえ。この恐ろしい寒さの中を、ふた月も橇で旅をすれば、一人減り、二人減り、六人みんな失くなっちまうには、そう手間はかかるまい。俺たちは、ここらの人間と違って、寒さに関して身を守るすべは何も知ってねえ。鼻や耳などが失くなるのは、最初の一日で事足りる。二日目に手足がなくなり、三日目に生命が失くなる」

誰も一言も口から出さなかった。

「いいか、みんな性根を据えて、俺の言うことを聞けよ。こんどは、人に葬式を出して貰うなどと、あまいことは考えるな。死んだ奴は、雪の上か凍土の上に棄てて行く以外仕方ねえ。むごいようだが、他にすべはねえ。人のことなど構ってみろ、自分の方が死んでしまう。いいか、お互いに葬式は出しっこなしにする。病気になろうが、凍傷になろうが、みとりっこもなしにする」

「えらいことになったもんだな」

九右衛門が憮然とした面持で言った。光太夫は更に続けた。

「たとえ、生命が救《たす》かっても、鼻が欠けたり、足が一本なくなっていたりしては、伊勢へは帰れめえ。——いいか、みんな、自分のものは、自分で守れ。自分の鼻も、自分の耳も、自分の手も、自分の足も、みんな自分で守れ。自分の生命も、自分で守るんだ。十三日の出発までに、まだ幸い十日許りある。その間に自分の生命を守る準備をするんだ。きょうからみんな手分けして、長くこの土地に住んで居るロシア人や、土着のヤクート人たちから、寒さからどう身を守るか、万一凍傷になったらどうすればいいか、吹雪の中におっぽり出されたら、自分の橇が迷子になったら、馬が倒れたら、そんな時、どうしたらいいか、そうしたことをみんな聞いてくるんだ。それから、みんな揃って、皮衣や手袋や帽子を買いに出掛ける。ひとりで出掛けて、いい加減なものを買って来るんじゃねえぞ。買物にはみんな揃って出掛けるんだ。いいな」

光太夫の言い方が烈しかったので、機先を制せられた形で、誰も文句を言うものはなかった。ロシア語も土地の言葉もろくに話せない九右衛門は別にして、他の者は光太夫の言ったように、その翌日からの数日を、厳寒期の旅についての知識を集めることに費った。光太夫は仲間の気持を引き緊めるために、そのようなことをみなに課したのであったが、このために一同はこの地方で生きて行く上に、実際に役立つ種々の知識を身につけることができたのであった。

出発三日前に、光太夫はヤクート人の老人を頼んで防寒具を調えるために町に出掛けた。いかなる品も尽くヤクート人に点検して貰った上で購入した。軽い凍傷の手当には牛酪に丁子肉桂《ちょうじにっけい》の粉末を加えて塗れば、速かに癒るということだったので、そうした物も買い入れて、各自がそれぞれに持つことにした。

防寒具の購入を終った日、日本の漂流民たちは、宿舎で重い衣服を身につけた。皮の帽子をかぶり、大きな手袋に両手を差し入れると、誰が誰とも判らなくなった。磯吉と新蔵はそうした恰好でロシア語で言葉を交したり、ヤクート人の言葉で冗談を言い合ったりした。

「死ぬか生きるかの旅へ出ると言うのに、若い奴等は仕様ねえもんだ」

小市は言って、

「おめえらは、もう、何も日本に帰るにゃあ及ぶまい。ロシア人にでも、ヤクート人にでもなれ」

実際に、磯吉も、新蔵も、防寒具を纏っている限りは、ロシア人と言っても、ヤクート人と言っても通りそうであった。日本人であるという証しはどこにも残っていなかった。

その翌日、光太夫はまた呼び出されて、役所へ出向いて行った。そして、イルクーツクまで同行してくれることに決まった役人のワシリー・ダニロウィチ・ブシニョーフなる中年の人物と会った。そして彼の話で、ニジネカムチャックからヤクーツクまで一緒だった連中十一人と、こんどもまた行を共にすることになったのを知った。光太夫は吻《ほっ》として明るい気持になった。心細い旅だったので、道連れはひとりでも多い方がよかった。それにこの前の旅で一応気心の判った連中許りだったので、その点も心強かった。

光太夫が宿舎で、この吉報を仲間に披露すると、どっと歓声が上がった。

「どうも、そんなことじゃねえかと、俺は思っていたんだ」

小市が言うと、

「俺は前から知っていた。あのまっ黒いベンガル人に会ったら、俺たちと一緒に行くんだと言っていた」

と、磯吉は言った。

「それなら、なぜそのことをみんなに話さなかったんだ」

光太夫が咎《とが》めると、

「本当に知らなかったのかな」

と、磯吉は信じられぬといった顔をした。磯吉は勿論そんなことは光太夫が知っていて、何もかも知っての上で、仲間の気持を引き緊めるためにあのような態度をとっていたのだと思い込んでいたという。そういう言い訳をしてから、

「なあ！」

と、磯吉は庄蔵の方に同意を求めた。庄蔵は、光太夫に叱られるのを怖れてか、あいまいな表情で笑った。

「庄、おめえも知っていたのか」

光太夫が訊くと、

「うん」

庄蔵は頷《うなず》いた。

「二人とも立派なものだ。いい心掛けだ。俺はおめら二人に船頭を譲るから、おめら交替で船頭をやれ」

光太夫は皮肉を言ったが、内心嬉しくないこともなかった。若い二人がこの時ほど頼もしく感じられたことはなかった。小市、九右衛門の二人は年齢《とし》のせいで、兎角文句が多くなり、何事にも無気力になり勝ちであったが、そうしたことを若い二人は、特に磯吉はちゃんと見抜いていたのである。磯吉が庄蔵には話したのに、同じ若い新蔵には話さなかったのは、庄蔵は口が固かったが、新蔵の方は何事も腹の中にしまっておくことができない性格で、すぐべらべら喋ってしまうからであろうと思われた。それからまた、新蔵は小市や九右衛門とは違った意味で、やはり緊張させておく必要があった。どこへ行っても、女の尻を追い廻すくらいだから、多少軽率で、思慮の足りないところがあり、凍傷などにかかるとすれば、新蔵がまっ先であろうと思われた。磯吉はそうしたところから、庄蔵にはうちあけたことを、新蔵の方には秘めておいたのかも知れなかった。

光太夫はヤクーツクに滞留した一カ月ほどの間に、この附近一帯の原住民ヤクート人について、いろいろのことを知り、それを忘れないように書き記した。ニジネカムチャツクの一年間に、カムチャツカの原住民であるカムチャダールに関する見聞をかなり仔細に書き留めたが、こんども亦それに倣ったのである。

ヤクート人は、カムチャダールに較べると、遥かに数も多く、分布範囲も広かった。初めてオホーツクで大陸の土を踏んだ時、光太夫たちはヤクート人なるものにお目にかかったのであるが、そこからヤクーツクまでの二カ月の旅の間、人家があるところへはいると、そこは必ずヤクート人の聚落であった。

ヤクーツクにはロシア人も多かったが、併し、町の住民の大部分はヤクート人であり、富裕な生活をしている者も少くなく、ロシア人と対等につき合っている者もあった。町に住んでいる者も、レナ川の両岸に住んでいる者も、一様に低い家に暮していた。屋根は棟がなく平らに造ってあり、四壁は牛の糞で塗り固め、内部は土間になっていて、臥すところだけ床が高くなっていた。

富裕な者の中には、牛羊馬おのおの千余頭も持っている者もあったが、衣服や住居はなんら賤人と異るところがなかった。妻は貧富によって違うが、十四、五人から二十五、六人まで持っており、妻一人に家一軒のたてまえで、富んでいる者ほど妻の数も家の数も多かった。経費も多くかかるが、家族全員が働くので、その家から上がる収益もまたそれだけ多くなっていた。男女共に辮髪《べんぱつ》も黒く、眼睛《ひとみ》も黒かった。牛馬の皮で拵らえたゆったりした衣服を着ているが、僅かに腰に至る程度の長さで、肌には布の襦袢を纏っている。食物は獣の肉と、松の木のあま皮を搗いて粉にしたものに麦粉を少し加えて餅にしたものを食べている。

家の壁を牛糞で作る許りでなく、麦や松のあま皮を搗く臼も亦、牛糞で作られていた。桶の内側に牛の糞を厚く塗り、その上に何度も水をかけて凍らせ、石臼同様に使うのである。光太夫は初めなぜ牛糞を使うのか不審に思ったが、間もなく、土が石より堅く凍っていて、掘ることができないためであることを知った。

光太夫たちは町でヤクート人の酋長《しゅうちょう》のひとりと会ったことがあるが、その人物はロシア政府から許されたという紅く縁どった緑色の服を着ていた。酋長は己れが統べている聚落の住民には絶対の権力を持っており、毛皮税の取立てをロシア政府から委管されていて、それを誇りにしていたが、光太夫たち異国の人間に対しては、曾て自分たちヤクートはこの地方一帯を傘下に収めていた部族であるというようなことを自慢そうに話した。そして、

「英雄ティギンの話を知っているか」

と訊いた。知らないと、光太夫が答えると、

「ティギンは曾てわれわれヤクート人の優れた統率者であり、支配者であった。ロシア人でも、この名を知らぬ者はないくらいだ」

酋長は言った。あとで光太夫は何人かのロシア人にティギンなるヤクート族の曾ての権力者について訊いてみたが、誰もそんな名前は聞いたことがないということだった。

ヤクートという名称はもとツングース人がこのシベリア一帯に住む民族に対して用いていたもので、それをそのままロシア人がうけついだものである。ヤクート人は自分のことをサハと称している。ロシアの民族学者たちの研究によると、ヤクートの言語は、基本的にはチュルク語*に属し、周囲の北方系の民族とは全く異っている。また生業の面から見ても、北方系の民族が馴鹿《となかい》や犬を飼養しているのに対し、専ら馬や牛の牧畜に頼っている。

ヤクートの言語や文化は、遥か南方の中央アジアや南シベリア方面の種族と似通っていて、その意味では北方において島のように孤立している民族と言えよう。彼らが使う言語の中には象、駱駝《らくだ》など、北方には棲息しない動物の名が沢山残っており、生活様式にも南方の遊牧民のものが多く保持されている。併し、北方への移動の時期ははっきりしておらず、長い北方における生活に於て、周囲の北方民族から多くの影響を受けていることは言うまでもないことである。

ロシア人がこの地方へ進出して来たのは十七世紀の前半であるが、それ以前のヤクート人の社会は、二千人から五千人ぐらいの多くの独立した氏族に分れており、互いに抗争していた。これらの族長の中でも最も有名な伝説的人物はカンガラス族の族長ティギンであった。ティギンはボゴロン族、ベチュン族、ナハル族等、四隣の諸氏族を征服した人物であるが、その他氏族平定の英雄譚は荒唐無稽であるにしても、素朴で面白く、ア・オクラードニコフの『ヤクート自治共和国史』（一九五五年刊）に紹介されている。ティギンの時代に、ヤクート人はロシア人の進出を迎えた。ロシア人との遭遇についても幾つもの伝承がある。エス・ボロが採集し、エルギスによって編集刊行された『ヤクート人の伝承』（一九六〇年刊）にはティギンの登場する話も収められている。

四隣を征服してティギンの勢力が絶頂に達した年の馬乳酒祭のあと、突如雪溶け水の氾濫を利用して、筏に乗ってロシア兵たちが押し寄せて来た。ロシア兵たちは水平に丸太を積み上げた側壁を持つ砦を築き、その内部に筏に乗せて運んで来た家を並べた。ヤクート人は一夜にして出現した聚落を見て胆をつぶした。一六三二年にカザックの百人隊長ピョートル・ペケトという者がレナ川右岸に〝レナ川の柵〟を築いたことは史的事実であるが、恐らくこれが〝一夜にできた聚落〟であろう。そして、十年後の一六四二年に、柵は上流七十キロのレナ川左岸に移されている。これがヤクーツクの起源である。

それはさて措《お》き、ヤクート人たちは大人も子供も一夜にしてできた不思議な城砦《じょうさい》に近付いて行って、内部を覗き込んだ。すると城砦の上から菓子やビーズ玉などが降って来た。城砦の前に集まるヤクート人たちの数が多くなった時、思いがけずこんどは丸太が降って来た。そして火縄銃が火をふき始め、ヤクート人の男女は次々に倒れた。ロシア兵とヤクート人との闘いは斯《か》くして始まったのである。ティギンはサフサラ湖岸の丘に兵を集め、ロシア兵たちに弓矢で応戦した。ティギンは弾丸が命中しても何とも感じなかった。彼は傍の部下に、

「唸りをあげて飛んで来て、ひとの体に吸いつくこの代物は、一体何ものなのか」

と言って、帽子で弾丸を払い落したという。こういう傑物であったが、ロシア側からの和解の提案を容れたことが失敗のもとであった。ティギンはロシア軍の陣営に赴き、したたかウォトカを飲ませられ、おとし穴に入れられて殺された。ティギンは二人の息子を持っていたが、その一人が抜群の怪力を持っていたので、自分より強い人間を育てるわけには行かぬと言って殺したことがあった。おとし穴に入れられた時、ティギンは初めて息子を殺したことを悔いた。

伝承は以上のようなものだが、ティギンが実在の人物であったということは、今日ロシアの歴史学者の一致した見解になっている。ただその最期については、一六三一年ガルキンの指揮するロシア兵との戦闘に於て戦死したという説と、ロシア兵に捕えられて、人質としてヤクーツクの柵につながれたという説とに分れている。

ティギンが死んでから、ロシアのカザック兵はヤクート人を追ったり、征服したりしながら大森林地帯を東へ、また北へと進んで行った。彼等の目的は原住民を見出して、それに毛皮税を課することにあった。ヤクーツクが都督の所在地となったのは一六三八年で、ティギンの率いるヤクート人たちが破れてから僅か七年である。最初の都督ピョートル・ゴロウィンと、マトウェイ・グレボフが、モスクワを出発して任地に到着するまでに三年の月日を要している。

一六四一年に、ヤクーツクの都督の手から国庫に納めた貂《てん》の毛皮は八千枚であり、その十年後には一万三千四百五十枚という大きな数になっている。これらの毛皮はロシア帝国の貴族が着るだけでなく、中国および西欧諸国に輸出された。外国貿易は国家が独占していたので、毛皮は国の有力な財源で、国の歳入の約三分の一を占めていたと言われる。当時ヤクーツクを中心とする一帯の土地がいかに毛皮獣の宝庫であったかが判る。

原住民に対する毛皮税の賦課は当初馬牛の所有数に応じて定められ、大体馬牛一頭または二頭あたり貂の皮一枚の割であった。都督は守備隊を持ち、それを背景として、原住民から毛皮を徴収し、納入を怠る者に対しては本人を牢獄につないだり、その子弟をヤクーツクの柵に連行したりした。毛皮税の徴収にはいろいろの方法がとられ、族長をして氏族毎に集めしめたり、毛皮税徴収人が辺地を廻ったりした。

こうした状態は当然毛皮獣の濫獲を招き、その数は急速に減って行き、一六四七年から一六四八年にかけての一年の捕獲数は六千枚であったが、それから五十年後は半減し、しかも貂皮の替りに、これより廉い赤狐の納入を認めなければならなくなり、更に降ると、毛皮の替りに金銭による納入をすら認めなければならなくなっている。

光太夫等日本の漂流民がヤクーツクを訪れた頃は、毛皮税法の再検討によって新しい税法が採用され、その活動が始まっている時であった。十八歳から五十歳までの男子数を基準にして税額が定められ、貂がない場合は、リスや狐、あるいは金銭で納入できることが合法化されていた。

ヤクート人は毛皮税納入のほかに、もう一つ、これに劣らない苦役が課せられていた。

オホーツクやカムチャツカ方面への食糧その他の官品の輸送を義務づけられ、またヤクーツクからイルクーツクまで、またヤクーツクから各辺地へ通ずる駅逓の維持をも強いられていた。十八世紀中頃のオホーツク街道の輸送に従事する馬の数は年間四千から五千に達し、これに伴うヤクート人の数も千人を超えていた。政府は馬一頭あたり三ルーブリ十五コペイカを支払っていたが、族長とか役人に上前をはねられ、馬の持主には極く僅かしか渡らなかった。

ロシアの行政当局は毛皮税の徴収や輸送などで、ヤクート人の族長の勢力を積極的に利用したため、族長の中には経済的にも、政治的にも著しく己が地位を強化したものが現われるようになった。ボゴロン族の族長アルジャコフ、カンガラス族の族長スィラノフ等はその代表的な人物であった。丁度光太夫たちがヤクーツクにはいった年、アルジャコフはエカチェリーナ二世*に宛てて、ヤクート人族長に更に大きな権限を賦与して、ロシアの貴族なみの待遇を与えて貰いたいという願書を出している。光太夫が町で会った酋長が纏っていた緑に紅縁《あかべ》りの服も、そうした身分を現わすものだったのである。

光太夫はあすはイルクーツクに向けて出発するという前日、ヤクート人の中に、シャーマン*と呼ばれて、幻術を行う人間があると聞いて、その人物を見るために、レナ河畔の聚落へ出掛けて行った。光太夫以外の者は、そうしたものにさして深い関心は示さなかったので、光太夫は誰をも連れず、一人だけで出掛けて行った。異国の珍しいものは何でも見ておこうといった好奇心は、ニジネカムチャツクの冬籠りの生活あたりから強くなり、それが大陸へ渡ってから、一層目立つようになっていた。光太夫は暇さえあれば、そうした自分の見聞きしたものを仔細に書き綴っていた。時には心覚えのために、幾つも絵を添えることもあった。別段絵を習ったわけでも、絵心があるわけでもなかったが、結構器用に物の像を写すことができた。光太夫がヤクート人の子供などを自分の前に立たせて、眼に見えるままを描き写していると、必ずロシア人やヤクート人たちがそれを覗き込んでは感心した。

光太夫はシャーマンなるものに会ってみたが、突然喚いたり、叫んだり、笑ったりするところは狂人としか思えなかった。瘦せた四十歳前後の男であった。光太夫は日本で言う道士のようなものを想像していたのであるが、もっと狂人じみていた。肝腎の幻術なるものは、それを見るために行ったのであるが、その方は見せて貰えなかった。ただその家の土間に馬の皮をまる剝ぎにしたものが置かれてあって、内部にしんを入れて、生きている馬ではないかと思うくらい上手に作ってあった。光太夫に同行したヤクート人の言うところでは、それはシャーマンが自分の手でまる剝ぎにした馬の皮であった。しかも、シャーマンは霊力で、その馬をして、大木の梢の上を走らしめるということだった。

光太夫はシャーマンが幻術を行うところを見て、それを書きとめておきたかったのであるが、それは果すことはできなかった。光太夫はいろいろ質問してみたが、シャーマンは答えなかった。異人が来たということで、シャーマンの家の門口に集まっているヤクート人たちの誰かがシャーマンに替って答えた。シャーマンはいかにして霊力を具えるに到ったのか、と光太夫が訊いた時だけ、ヤクート人たちは返事をしないで、いっせいにがやがや騒ぎ出した。どの顔もとんでもないことを訊くものだといった表情だった。シャーマンは人間の子ではなくて、神の子であり、その霊力は生れながらにして身につけているものであると、ヤクート人たちは信じていたからである。

今日ロシアの民族学者たちに依って蒐められているシャーマンに関する伝承、説話は、その多くがシャーマンの出生の秘密について語ったものである。

――昔ムイタフクアというところに、美しい娘が住んでいた。彼女は己《おの》が美貌を鼻にかけて、年頃になっても嫁に行こうとしなかった。ある朝、彼女は、放牧中の牛の群れを探しに草原に出掛けて行って、純白の馬に乗って東方からやって来た若者に出遇った。ついぞ見かけたことのない若者であった。若者は娘の周りを廻って、娘に愛を囁き、これがきっかけとなって、二人は人眼をしのぶ仲になった。何日かして、若者は娘に言った。自分は上天に住むハラ・スオルンの子で、あなたを求めて地上に降りて来たのである。今や、あなたはある使命をもった二人の子を孕《はら》んだ筈である。十カ月経ったら、あなたは家に仕舞ってある斑《まだら》馬の皮を、湖のある森の三本の高い落葉松の下に拡げて、その上で子供を産まなければならない。生れた子供は人間でなく二羽の鳥で、啼《な》きながら落葉松の太い下枝にとまるであろう。そしたらあなたはその木の下を三度廻り、自分の下着の端で木を叩く。すると、烏は馬の皮の上に落ちる。それを、あなたはそのまま馬の皮に包んで、天幕の柱の下に置かなければならぬ。三日後に二羽の烏は二人の男の子に変る。兄にはジャアナイ・ピチキイ、弟にはエクセチュレフ・エルゲンと命名せよ。兄は四十一歳で、弟は四十歳でシャーマンになる。兄は大鹿をその子供と共に吹き飛ばす霊力を持ち、弟は長さ十丈の乾草堆を空に舞い上がらせることができる。若者はそれだけ言うと、姿を消してしまった。女は上天から来た若者が言い残して行った通りにした。斯《か》くしてこの聚落に二人のシャーマンは現われたのである。ヤクート部族のシャーマンは、多少の違いはあれ、孰《いず》れもみなこのような出生に関する伝説を持っていたのである。

十二月十三日に光太夫たちはイルクーツクへ向けて、一カ月滞留したヤクーツクを発った。オホーツクからヤクーツクまでの旅で一緒だった顔触れに、新たに軽吏ワシリー・ダニロウィチ・ブシニョーフが加わり、一行は総勢十八名、何台かの橇《そり》に分乗した。日本の漂流民にとっては、橇の旅は初めての経験であった。橇の上には皮で張ったキビツカと呼ぶ輿《こし》のようなものが載せられ、旅客は起臥飲食共にそのキビツカの中で調えるようになっていた。馬は五頭あるいは六頭、御者一人乃至二人、橇は信じられぬ程の速さで雪上を走り、日に百余露里を行くこともあった。

イルクーツクまで二千四百八十六露里のうち、初めの四、五百露里は、あちこちにヤクート人の聚落があったが、それより先きは全くの無人の凍土地帯であった。八、九里ごとに官駅があって、そこで馬を替えるようになっていた。馬には鈴がつけられてあって、その馬の鈴の音が聞え出すと、駅ではすぐ馬の準備を始めたので、橇の到着と同時に馬を替えることができ、それがためにいささかも遅滞することはなかった。

ヤクーツクからイルクーツクまでの旅は、光太夫たちが案じたようなものではなかった。明けても暮れても、同じような白いだけの、単調な眺めであることに耐えれば、あとは横たわったままで、日に何十里も運ばれて行った。時折、夕刻や深夜に、狼の遠吠えが聞えた。初めのうちは不気味であったが、それも慣れると、気にならなくなった。

南へ下るにつれて、白い雪原に生えている樹種が変った。ヤクーツク地方では落葉松が多かったが、イルクーツクに近づくにつれて、松が多くなった。なかには日本の五葉松に似た枝ぶりのふさふさしたみごとな松も見られた。御者たちの説明に依ると、ケードルという松の種類で、りっぱな松の実をつけるということだった。熊や貂もこの実を好むが、住民たちもこれを食べるという。樹木という樹木が尽く落葉している中で、松の黒ずんだ緑だけが眼についた。

また天に衝き上げるように枝を伸ばしている高い木も、南へ下るにつれて多くなった。ヤクーツク地方では見られぬ丈高い樹木が、雪原のところどころに、絵に描いたようなみごとな林をつくっていた。白樺の林も多く、時にそれは何里も何十里も続いた。

三　章

光太夫たちは天明九年（寛政元年、西紀一七八九年）の正月を橇の上で迎えた。神昌丸が白子を出て江戸へ向ったのは天明二年十二月のことだったので、それからいつか六年余の歳月が流れていた。

イルクーツクが近くなると、次第に丘陵が波打って高原風の原野が拡がり、ところどころに小聚落があって丸太積みの家が見られるようになった。そして一行は旅の最後の日の午後、松と白樺の丘が散らばっているすばらしい景観の中にはいって行った。そしてもうすぐイルクーツクの町だというところで、右手に突然アンガラ川の凍った白い水面が見えた。その白い流れの帯に平行し、それを遠くに見ながら進んで行くと、ヤクーツク門という門があり、それをくぐるとイルクーツクの町であった。二月七日のことである。

光太夫たちはイルクーツクにはいると、ウシャコフ地区のホルコフという蹄鉄工の家の離れを宿舎として与えられた。イルクーツクに着いてから判ったことであったが、庄蔵は脚に凍傷を受けていた。もうイルクーツクへ数日という旅の最後になって凍傷に罹《かか》ったが、庄蔵はそれを黙っていたのであった。

イルクーツクはヤクーツクに較べるとずっと大きい町であった。二カ所で大きく彎曲しているアンガラ川の岸に沿って造られた町で、人家は三千余、それが前はアンガラ川に遮られ、背後は丘を背負った不整形の地域に、互いに身を寄せ合うようにして立ち並んでいる。町にはあらゆる商店が軒を並べており、富豪の邸《やしき》も多かった。官庁も、商店も、一般の住宅も、その殆どが木造の二階建で、稀れには土蔵造りもあった。寺院も、学校も、病院もあった。総督の居る総督府の建物が大きいことは勿論だが、イルクーツク州の長官もヤクーツク州のそれよりずっと大身だということで、州庁の建物も亦大きかった。

町のほぼ中央と思われるところにアンガラ川の河港があり、この附近が一番の繁華地区を形成していて、一丁半四方の大きな取引所を挟んで、その片側は官庁街になっており、その反対側には商店街がひらけている。

取引所はやたらに大きいものであった。取引所内の商店はみな土蔵造りで、屋根は赤銅でふいてあった。入口は一方で、そこには役人が見張っており、商人たちは毎朝ここに来て店を開き、終日商売をし、夕方店を閉めて、それぞれの住居に帰って行く仕組みになっていた。官から派せられている番人が居るので、盗賊の心配もなく、支那、朝鮮の商人たちも多勢ここに姿を見せていた。ここでは毛皮類のほかに薬料、ベニ、白粉《おしろい》、茶、氷砂糖、木綿、綿布、木椀などが取引きされていた。

取引所の前には大きな広場があってチフビンスカヤ広場と呼ばれ、終日各地から集まって来る商人たちで賑わっており、ここからザモルスカヤ通りというのが伸びている。バイカル湖のかなたに通ずる道に当っているので、アンガラ川と共にバイカル湖への主要交通路をなしていて、このザモルスカヤ通りも亦、終日荷橇の往来が絶えなかった。

光太夫たちはヤクーツクでも、イルクーツクへ来る旅の途中でも、御者や同行者たちから、バイカル湖に源を発して、イルクーツクの町の岸を洗っているアンガラ川の流れがいかに綺麗であるか、またその水の味がいかにうまいかということについて何回も聞かされていたが、今は残念ながらそれを確かめることはできなかった。アンガラ川は完全に凍っていて、その上を夥しい数の馬橇が走っていた。凍った河面に穴をあけて魚を釣っている人たちの姿が見えなかったら、光太夫たちはそこが川であることに気付かなかったに違いない。

港附近のアンガラ川の岸には西方エニセイスクから運んで来た商品や、バイカル湖を渡って馬橇で運び込まれる物資が、幾つもの小山を造り、人夫たちが終日それにたかっていた。また川岸には毛皮や茶を納める倉庫が立ち並んでおり、銃を持った役人が徹宵《うずたか》焚火を囲んで番をしていた。毛皮の包みや茶箱は倉庫に納めきれないのか、露天に堆く積まれてあった。

光太夫たちの宿舎のあるウシャコフ地区は、アンガラ川に注ぐウシャコフカ川の河口をまん中に挟んだ地区で、川の片側は住宅街、片側は馬丁などの住居の多い下町を成していた。光太夫たちは下町の蹄鉄屋の離れを宿舎として与えられていたが、ここはここでまた人家が密集していて賑やかであった。光太夫たちはヤクーツクから来た時、ヤクーツク門をくぐってイルクーツクの町へはいったが、そのヤクーツク門をはいって最初の町らしい賑わいを見せているのがこの地帯であった。アンガラ川の岸へもさほど遠くなく、その岸にある尼寺のズナメンスコイ修道院の二つの美しい塔は、宿舎の前の道からも眺められた。

光太夫たちはここへ来てロシアという国の町らしい町を初めて見たわけであるが、初めの何日かは眼にはいって来るすべての物が珍しかった。ここは確かに人間の住む町であった。丘を背負い、川に臨み、樹木の生い繁った美しい平和な町であった。これまで見て来た荒涼たる灰色の聚落ではなかった。人間はみな生きていることを楽しんで生活していた。町を歩いている人たちの服装も立派に見えたし、女たちも美しく見えた。ヤクーツクでは人々は馴鹿《となかい》革の靴を履いていたが、ここではフェルトの靴を履いている者も見られた。

町にはたくさんの教会があった。教会はたいていのものが鐘楼と尖塔を持ち、その建物はいずれも眼を見張らずにはいられぬほど美しいものであった。主なものだけを拾ってもトロイツカヤ寺院、スパスカヤ寺院、ボゴヤウレンスコイ寺院、ズナメンスコイ修道院、クレスト・ウォズドビジェンスカヤ寺院等、教会が八つ、修道院が二つあった。それぞれの寺院が毎日のように礼拝時を告げる鐘を鳴らした。この鐘を聞くと人々は一日の倖せを神に感謝するために、そしてまた明日も倖せであることを神に祈念するために、それぞれが所属している寺院の中に吸い込まれて行った。

日本の漂民たちはこの町に来て初めて冬というものに対して、冬の寒気というものに対して、これまで持ち続けて来た恐怖心を解くことができた。この町に居る限り凍死することも、餓死することもないであろうと思われた。雪は、ヤクーツクも同じであったが、湿気というものをいささかも含んでいず、さらさらしており、それが一面に町に降り撒かれている。吹き溜まりになっている場所を除くと、町に積っている雪はごく薄いものだった。寒さはヤクーツクよりずっと弱まっていた。尤《もっと》もこの町は一月中旬が一番寒さの厳しい時で、二月にはいると急に衰えるということであった。

ロシア人のバイカル湖方面への進出は、一六一八年に建設されたエニセイスクを基点として、アンガラ川を主な交通路として進められた。一六三一年ブラーツク柵*が築かれ、五二年にイワン・ポハボフを長とするカザックの一隊が原住民のブリヤート、モンゴル人から毛皮税を徴収する目的で、アンガラ川、イルクート川の合流点にあるディヤチエ島上に冬営地を築いた。現在のイルクーツク市域にロシア人の構築物が現われたのは、これが最初のことである。隊長イワン・ポハボフは性質が残忍で、ために周辺一帯のブリヤートはひとり残らず南モンゴリヤへ逃亡し、長いこと郷里へは帰らなかったと、史学者ミュレルは述べている。

ディヤチエ島は詳しく言うと、アンガラ川の左岸、イルクート川の河口の三角洲にある川中島で、冬営地としては必ずしも望ましい場所ではなかった。カザックたちは一六六一年にディヤチエ島からアンガラ川右岸の地に移って、そこに柵を築いた。ここは現在のイルクーツクの市街の中心部に当る場所である。高さ六メートルの四角な丸太積みの塔、毛皮を納めるための倉庫、原住民の人質を繋いでおくための建物などが造られたのである。

この柵が築かれてから十四年後に当る一六七五年に、清国に派せられた使節スパファリーはこの地を通過したが、その旅行記『シベリアと中国』に次のように記している。

――イルクーツクの柵はアンガラ川右岸の平地にあり、たいへん見事に構築されてあって、カザックと一般住民の住居が四十軒以上ある。地味は穀物に適し、柵には慈悲深い救済者の名を冠した教会が建てられている。……この柵には、ブリヤート人やツングース人がロシアの皇帝から離反しないようにと、彼等の人質《アマナート》が置かれていた。ブリヤート人は、男子一人当り一枚または二枚の黒貂の皮を、その奴僕から徴収して毛皮税として納めている。

その後一六八二年には、それまでのエニセイスク都督管轄から独立して、初代イルクーツク都督としてモスクワからウラシェフが着任した。そして九〇年には、イルクーツクは市として認められ、モスクワ政府のシベリア局から、銀色の楯に、貂を口にくわえた野猫を配する紋章を与えられた。貂は財宝を、野猫は力を意味している。併し、当時のイルクーツクは、人口ではエニセイスクに及ばず、商業上の取引高ではネルチンスク、エニセイスクの下位にあり、毛皮の収集ではヤクーツクに一歩を先んぜられていた。イルクーツクのその後の発展は何よりも地理的条件に負うている。ウラルから太平洋に至る歴史的通路の中心にあたり、ザバイカル地方から蒙古、中国に至る通商路上の要衝をなしていた。バイカル湖は当時の水路交通の難処であって、これを渡るためにはイルクーツクで万端の準備を調える必要があった。バイカル湖に暴風が吹き荒《すさ》ぶ晩秋の頃には、多くの商人はイルクーツクに滞留し、物資も亦ここに留め置かれた。こうして十八世紀には人口九千の町にまで発展したのである。

十七世紀にはイルクーツクの経済の中心は毛皮であったが、十八世紀には商業と製造業が前面に登場して来た。更に一七二七年のキャフタ条約後は露清間の官営貿易が盛んになり、イルクーツクはその中継地となった。露清貿易は、十八世紀にはロシアの毛皮と中国の織物が主役であったが、十九世紀以後はロシアの織物と中国の茶がそれに替っている。

一七六〇年代にモスクワ街道と呼ばれる大陸横断道路が完成、以来夥《おびただ》しい量の貨物、それを運ぶ馬、馬車、それから足枷《あしかせ》をつけた流刑囚がここを通って西から東へ進むようになる。イルクーツクからペテルブルグまで五千八百二十一露里、モスクワまで五千九十三露里、トボリスクまで二千九百五十九露里であった。光太夫たちがイルクーツクへはいったのは、大陸横断道路完成後二十年程経った時のことである。一七六五年にはイルクーツク県が置かれ、イルクーツク市はエニセイ川以東太平洋岸までの行政的中心地となったが、更に光太夫がこの町にはいる七年前の一七八二年には、シベリアに総督府制度が布かれ、イルクーツクはイルクーツク州、ヤクーツク州、オホーツク州、ネルチンスク州を統轄するイルクーツク総督府の所在地となったのである。

また、一七五六年以後はイルクーツクに定期市が開かれ、商人たちは毛皮取引の有利さにひかれて、遠くカムチャツカやアレウト列島方面へ毛皮買付けに出掛けるようになった。一七四三年から一七九九年の間に、アレウト列島並びに北アメリカ北西部海岸への毛皮採集団の派遣は百回以上を数え、八百万ルーブリの毛皮が国庫に納められている。日本の漂流民たちのアレウト列島からカムチャツカ、カムチャツカからシベリアへの移動はこの期間中のことである。

イルクーツクにはいった日本漂流民たちにとって、最初の大きい事件は庄蔵の凍傷が悪化したことであった。光太夫は若しヤクーツクからイルクーツクへの旅の間に於て、凍傷騒ぎでも引き起す者があるとすれば、多少軽率で怖いもの知らずのところのある新蔵であろうと思っていたが、そうした光太夫の予想は当らないで、鈍重ではあるが慎重な庄蔵の方が凍傷に罹ってしまったのであった。

庄蔵は傷の痛みをさほど口に出して訴えなかったので、光太夫は脚の指の一本や二本は失うことはあるかも知れないが、それにしてもたいしたことはあるまいとたかをくくっていたのであるが、事態はそんな生やさしいものではなかった。一番いけないのは、庄蔵自身が凍傷の怖さを知っていなかったことである。

イルクーツクへはいって三日目に、庄蔵は膝から下の筋肉の痛みを訴え、五、六日目からは反対に無感覚になったことを訴えた。光太夫は庄蔵の脚に触って顔色を変えた。既に生きた肉体の一部ではなかった。力をこめて押して行くと、そのまま崩れてしまいそうな不気味な手応えで、色もまた薄紫色に変っていた。

光太夫は役所に出向いて行って、医師の来診を求めた。医師は宿舎へ来て庄蔵の脚を診るや否や、このまま放置しておくと、腐爛《ふらん》は大腿部にまで及び、果ては一命にも関わるだろうと言った。

庄蔵の手術はすぐ行われた。医師は大鋸で庄蔵の脚を膝の下より切り棄て、焼酎で作った薬を木綿に浸し、それで傷口を巻いた。僅か一刻か二刻の間に、庄蔵の片方の脚は失われてしまったのである。手術には光太夫と小市が立ち会った。苦しからぬ筈はなかったが、庄蔵は声を上げないで耐えた。庄蔵が我慢強い性格であることは知っていたが、誰もまさかこれほどとは思っていなかった。

半月程して傷口は癒ったが、その間庄蔵は自分が脚を失ったことについて何も言わなかった。何を考えているのか、仰向けに伏したまま、四六時中天井だけを見守っていた。仲間の者が声をかけると、もう痛みはなくなったとか、ずっと臥しているので背が痛むとかそんなことは言ったが、脚については一言半句も洩らさなかった。そうした庄蔵に対して、仲間の者たちもまた脚の〝あ〟の字も言わないことにしていた。

「脚のことはいっさい言うな。言うまいぞ、言うまいぞ」

小市は磯吉や新蔵に注意した。気持が落着いたら庄蔵が自分から言い出すだろうが、それまではこちらからは言わない方がいいという小市の考え方であった。光太夫も同じ考えだった。脚に関することは、日本の漂流民の間ではかなり長い間禁句になっていた。庄蔵は、この事件で、誰の眼にも人間が少し変ったように見えた。口の重いことは以前と同じであったが、その表情からは屈託のない明るさと、笑いというものをすっかり消してしまっていた。もともと喜怒哀楽の表情には乏しい方であったが、脚を失ってから無感動というほかない顔になっていた。

光太夫たちは町へ出た時など、宿舎で臥している庄蔵について忌憚《きたん》なく意見を述べることがあった。

「不運なことだが、ああなったら、どうしようもないな。少し慣れたら杖をついて歩けるようになるだろうが、それまではたいへんだ」

小市は言った。小市にしても、他の誰にしても、決して口には出さなかったが、これからさき自分たちの行くさきざきに、片方の脚を失った庄蔵を連れて行くことは大へんなことであり、殆ど不可能なことであるという思いを持っていた。

「たとえ、俺たちが他日伊勢へ帰れるような日が来ても、あの体じゃなあ」

九右衛門も言った。

「俺は思うんだが、こんな異国で病む時は、まあ、下手に助かることを考えないで、死んじまうんだな。アムチトカ島に葬られている連中だって、それからニジネカムチャツクで餓死した連中だって、まだ庄よりは倖せだ。庄のあのぼんやりした顔を見ていると、こっちの心が抉《えぐ》られるようだ」

その九右衛門の言葉を、光太夫は遮《さえぎ》った。

「ばかを言うな。俺たちは脚の一本や二本失っても、生命だけは助かって郷里へ帰ることを考えねばならん。こんな異国で死んでいいことがあるかよ。アムチトカ島に置いて来た仲間や、ニジネカムチャツクに置いて来た仲間も、あのままじゃ往生できないぞ。俺たちは兎に角、ここまで生きて来たんだ。あいつ等のためにも郷里へ帰って、肉親の者にかくかくしかじかだと伝えてやらねばならぬ。それが、これまで生きて来た俺たちの務めと言うもんだ」

光太夫は言った。口では強いことを言っていたが、実のところ、イルクーツクへ来てから光太夫自身が前途への見通しというものを全く失っていた。庄蔵が片脚を失ったことも暗い事件には違いなかったが、暗いことはそればかりではなかった。

イルクーツクへ来たのは、ニジネカムチャツクやオホーツクではどうすることもできず、州庁の所在地でもあり、総督府の所在地でもあるイルクーツクでなければ、異国の漂流民である自分たちの措置が取れないということだったので、イルクーツクへさえはいればといった思いで、自分をイルクーツクへ、イルクーツクへと駆り立てて来たのであるが、いざイルクーツクへ来てみると、思惑はいっさい外れていた。

光太夫は何回となく、イルクーツクの役所へ足を運んだが、一切これまで以上にうやむやであった。役所が大きいだけになお始末が悪かった。これまでは、ヤクーツクでも、オホーツクでも、ニジネカムチャツクでも、それぞれの役所の長官や郡官に会い、親しく口をきいて、こちらの事情も打ち明け、その指令に依って自分たちの行動を決めて来たのであるが、イルクーツクでは上司と名のつく者には会うことさえもできなかった。役所に赴く度、出て来る役人は違っていて、誰もが、お前たちのことは聞いている、いずれ都の方から指令があるだろうから、その上で沙汰するといったようなことを事務的に喋った。ニジネカムチャツクでも、オホーツクでも、ヤクーツクでもそうであったように、イルクーツクでも、役所の役人には何の権限も附与されていず、すべてのことがより上の役所の指令に依って動いているようであった。イルクーツクの総督府や州庁でさえ日本漂民の措置がとれないとすると、あとはどうしていいか、かいもく見当はつかなかった。

こうなると、はるばるイルクーツクへまで出向いて来た甲斐《かい》というものはなかった。光太夫たちを送って来たヤクーツクの役人ワシリー・ダニロウィチ・ブシニョーフに事情を訴えてみたが、この方はもともと下っ端の役人のこととて、すべてがちんぷんかんぷんで、自分はこれからヤクーツクへ帰るので、帰ったら上司によく説明する労をとるだろうというような、恐ろしく気の長いことを言った。

「俺たちは忘れられているんじゃないか。どうもそうとしか思えねえ」

小市たちから訊かれる度に、

「いまに沙汰があるだろう。それまでは文句を言わずに待っていることだ。俺たちをわざわざここまで連れて来て、毎日こうしてただ飯を食わしているくらいだから、忘れるというようなことのあろう筈はない」

光太夫は言ったが、心の中には、小市たちと同じように忘れられているのではないかといった不安な思いがあった。

光太夫たちがイルクーツクへはいって一カ月程経ったある日、宿舎にかたことの日本語を使う二人のロシア人が現われた。一人は漂流日本人久太郎の子トラペズニコフ、もう一人は同じく漂流日本人三之助の子ターリノフであると、それぞれが自己紹介をした。

この時ほど、光太夫は驚いたことはなかった。二人とも日本人の顔はしていなかった。髪の色も、眼の色も、全くロシア人のそれであり、幾ら自分たちの父親は日本人であると言われても、おいそれとそれを信ずることはできなかった。併し、彼等の言うことの真偽の程は別にして、この遠い国にたとえ片言《かたこと》でも、日本語を話す人間がいて、それが自分たちの前へ現われたということはまさに驚天動地の大事件であった。

「あんたあらのてて親が、日本人だと言うんかや」

小市は言ったが、その小市の言い方は二人の訪問者には難し過ぎたらしく、二人とも

返事はしないで、気弱そうに顔に笑いを浮かべて見せただけだった。それに気付いて、

「お前さん方の親父さんが――」

と、小市は言い方を改めたが、これも訪問者たちには難しすぎた。磯吉が、

「だめ、だめ」

と小市を制して、ロシア語で彼等が口に出したことを、もう一度質疑応答の形で口から出させた。そして、

「この二人のほかに、日本語を話せるのがもう一人居るそうだ」

と、磯吉は言った。

光太夫は何も喋らないで、二人の訪問者の顔や、動作を見守っていた。呆然としてすぐには口がきけない状態にあるといった方が当っていた。自分たち以外に自分たちと同じように漂流してこの国へ来た日本人があったということは、光太夫には悦んでいいことか、悲しんでいいことか判らない気持であった。自分を勇気づけることであるか、反対に落胆させることであるかも、あとでよく考えてみなければ結論の出ない思いであった。ただ何となく物悲しい気持が、自分の心の全面に立ちこめて来るのを、光太夫は感じていた。

二人の奇妙な人物は、片言の日本語で自分たちが日本人を父として生れた人間であるということだけを伝えて、それで満足して、最初の訪問を打ちきって帰って行ったが、光太夫たちが受けた打撃は大きかった。訪問者たちと相対している時は、思いがけず日

本語を多少でも解する人物が現われたということで、ただわけもなく昂奮していたが、彼等が帰って行くと、ひとしく日本の漂流民たちみなの体内を、言い知れぬ悪寒《おかん》が走った。

奇妙な訪問者と一番多く言葉を交したのは小市であったが、その小市がふいに、

「おい、誰か、塩をまけや」

と言った。すると、小市の次に訪問者と多く話した磯吉が、われにかえって、ちょっと表情を改めると、すぐ立ち上がって行った。そして磯吉はどこからか塩の塊りを持って来て、それを指先きで潰して、訪問者たちの出て行った門口に撒き、残りを自分にも、小市にも、光太夫、九右衛門、新蔵にも振りかけた。

「庄にもかけてやんな」

九右衛門が言ったので、磯吉は隣りの部屋に一人で寝ている庄蔵の寝台にも振りかけに行った。

日本の漂流民たちは、日本人と異国人間に生れた混血児というものを見たのは初めてであった。彼等と相対している間は、何とかして意志を通じさせようということに夢中になっていたが、彼等が居なくなると、不気味な、見るべからざるものを眼にしたあとの不快感が残った。当分拭うことのできそうもない、何とも言えぬ厭な思いであった。

光太夫は二人の訪問者と一言も交さなかったが、彼等が帰ったあと、仲間たちとも口をきかなかった。自分たちのほかにも、漂流してこの国に来た日本人が居たという事実

を突きつけられたことは、そのことにそれまで全然思いを致さなかっただけに、光太夫はそれをどのように受けとっていいか判らぬ気持であった。少くとも、曾て二人の訪問者の父である久太郎と三之助という二人の漂流日本人がこの国に居たことだけは確かであった。が、果して二人だけであろうか。或いはもっと多くの漂流日本人が居たのではないか。この考えは、光太夫の体を細かく震わせた。悪寒が走ったことは同じであったが、悪寒の質が他の連中の場合とは違っていた。若し、そうした漂流日本人が何人も居たとしたら、そうした日本人たちは、一体、どういう運命を辿ったのであろうか。光太夫はそのような連中が日本へやって来たという噂を耳にしたことはなかった。若し帰国しているなら、噂となって流れるか、世間の人の口の端にのぼるぐらいのことはあってよさそうに思われる。併し、そうしたことを耳にしたことは絶えてなかった。

光太夫は得体の知れぬ黒い大きなものが、自分の前に立ちはだかった思いであった。自分たちの持つ運命が、先き廻りをして、自分たちの前に不気味な姿を現わして来たような気がした。

トラペズニコフとタターリノフは、三日ほど間を置いて、またやって来た。小市も九右衛門も磯吉も新蔵も、何となく尻ごみして、この前のように訪問客を取り巻かなかった。こんどは光太夫ひとりが応対した。光太夫は日本語を使ったり、ロシア語を使ったりして、彼等の父親である二人の日本人について知り得るだけ知ろうとした。光太夫は途中から磯吉の応援を求めて、根掘り葉掘り質問を浴せたが、相手の口から知り得たことは極く僅かであった。久太郎も三之助も日本の漁師であったということ。共にカムチャツカに漂流し、イルクーツクへやって来て、この地でそれぞれロシア女と結婚して、一生を終ったということ。そして久太郎や三之助のほかにも数人の日本人が居たということ。またその中にはペテルブルグで何年も過した者も居たということ。そして、みんな生涯国家からの補助を得ていたらしいということ。久太郎も三之助も相前後して他界したが、それは訪問者が二十歳前後の頃で、十何年か前であるということ。

光太夫と磯吉は交互に質問を出したが、そのうちに小市たちもやって来て仲間に加わった。縁起でもない相手ではあったが、彼等がそこに居るとなると、やはり何かを訊かずには居られなかった。併し、タターリノフもトラペズニコフも質問者を満足さすようには答えられなかった。母親でも生きていれば、もう少し詳しいことが判るだろうと思われたが、あいにくタターリノフの母親は他界し、トラペズニコフの母親は再婚してイルクーツクには居なかった。

「あんたたちは、何をして暮していなさる」

光太夫が鉾先《ほこさき》をかえて訊くと、タターリノフは、自分はいまは何もしていないが、五年程前までは日本語を教えていたと言った。

「日本語を誰に教えていなさった？」

光太夫は訊いた。

「日本語を教える学校があった」

「その学校で、誰が日本語を習った？」

「生徒だ」

「その生徒は、大人か、子供か」

「大人も居れば、子供も居た」

「何人ぐらい？」

「十人ぐらいの時もあれば、五人ぐらいの時もあった。自分の小さい時は十五人ぐらいの生徒が居て、父親や他の日本人たち七人が教えていた。そのうちにだんだん教師の数も生徒の数も少くなって、いまは学校は閉鎖同様の状態になっている」

「生徒たちは日本語を何のために習った？」

「通訳になるためだ」

「その学校で日本語を習った者は、みんな通訳になったのか？」

「よくは判らない。なった者もあれば、ならなかった者もあるだろう」

「どうして判らない」

「どうして判らないと言っても、判らないものは判らない」

「その日本語を習った者はイルクーツクに居るか」

「居る者も、居ない者もある」

「イルクーツクに居る者は何をしている？」

「雑貨屋をやっている者もあれば、毛皮商人の手代になっている者もある」

「通訳になった者は居るか」

「一人居る。併し、通訳ということになっているが、殆ど日本語を喋れないので、いまは何もしないでぶらぶらしている」

「通訳になっても、一体誰の通訳をするんだ。通訳したくても、かんじんの相手の日本人が居ないではないか」

「お前たちが居る」

「そりゃ、俺たちは居るが、俺たちのほかには、誰もいないだろう」

「いま居ないが、また誰かやって来るかも知れない」

「あんたたちは、いま、何をしている？」

こんどは小市が訊いた。

「何もしていない」

「何もしていなかったら食べて行けないではないか」

「国家の補助がある」

「たくさんあるのか」

「極く僅かだ」

「極く僅かでは、食べて行けないだろう」

「それだから、時々毛皮の仲買店へ行って働いている」

小市はこれでタターリノフとの問答は打ちきって、トラペズニコフの方へ顔を向けた。

ていた。まだタターリノフの方はてきぱきし
併し、この方も答えることがはっきりしなかった。まだタターリノフの方はてきぱきしているところがあったが、トラペズニコフの方は、答えるのにひどく手間どった。手間どるのはよかったが、手間どった果てによく判らないというように両手を拡げて見せたりした。

二人の訪問者は、そのうちに、自分たちはまた訪ねて来るだろうというようなことを言って、何となく逃げるように帰って行った。訊問を受け、汗みどろになってそれに答え、漸く釈放されて帰って行くといったものが、二人の背にはあった。

「ロシア人の顔はしているが、喋ってみると、生粋《きっすい》のロシア人でないことが判る。混血児というものは仕様のないものだな。何となくはっきりしない」

磯吉が言うと、

「俺は、あの二人が、妙におどおどしているのが気に食わねえんだ。悪いことをしたわけじゃあるめえ。こっちの面を見て、堂々と話せばいいじゃないか」

小市も言った。

「自分の父親のことでも、ろくすっぽ知っていないんだから、少し頭がどうかしているんだよ。大体、何のために訪ねて来たか、判らないじゃないか」

新蔵も言った。すると九右衛門が、

「俺は、そうは思わねえな。俺はこんどつくづく思ったんだが、あいつら、何か可哀そうな気がした。あいつら、何しに来たか判らないと言うが、俺たちは、あいつらに何も

喋らせないじゃないか。一言でも、あいつらに、あいつらの喋りたいことを喋らせたかよ。来ると、いきなり、とっつかまえて、まるで訊問だ」

この九右衛門の言葉に、光太夫ははっとして、確かに九右衛門の言う通りだと思った。

九右衛門は続けて言った。

「あいつらだって、おめえ、人間の子だ。自分の父親の国の人間が来たというんで、日本という国がどんなところか訊きたくてやって来たんだと思うんだ。話したいことも訊きたいこともちっとはあるに違いない。それなのに、優しい言葉ひとつかけて貰えず、まるで白州《しらす》へ引き出されたみたいじゃねえか。俺、あいつらの顔を横から見ていて、今日という今日はたまんなく可哀そうな気がした。お前の父親の国はこういう国だ。うまい魚がふんだんにあり毎日のように刺身を食う。今頃はどこの家でも、寒餅を搗く。汁粉というううまいものもあれば、すしというううまいもののもある。とろろなど飯へかけて食ってみろ、こたえられねえ」

「食いものの話はするな。しないことになってる」

小市が注意すると、

「食いものの話をしてるわけじゃねえ。あいつらに、こういう話も聞かせてやったらどうかと言ったまでのことだ」

九右衛門は言った。

タターリノフとトラペズニコフは、その後日本の漂流民たちの宿舎には顔を出さなかった。九右衛門が指摘したように、折角訪ねて来ても何も楽しいことはないので、訪ねて来る気持を失くしたのかも知れなかった。光太夫は、三度目に彼等が姿を現わしたら、今までとは多少違った応対の仕方をしようと思っていた。彼等をいたわり迎えた上で、彼等にもこちらの立場に立って貰って、自分たちがどうしたらいいかの相談にのって貰おうと思ったのである。それからまた彼等が話したことで腑に落ちないことも沢山あった。それも訊き質《ただ》さなければならなかった。併し、タターリノフもトラペズニコフもいっこうに姿を見せなかった。彼等がどこに住んでいるか、調べようという気になればすぐにも調べることができたが、光太夫はそれを一日延しにしていた。一日延しにしている光太夫の気持の中には、彼等に会うことを怖れている気持もあるということだった。彼等が口から出した日本語学校とか、通訳とか、補助金とかいう言葉は、何とも言えず不気味なものであり、その正体を知ることは何となく怖かった。なるべくなら怖いものには触れないでおこうといった気持が、光太夫にそのような態度をとらせているに違いなかった。

役所から何の沙汰もないままに、三月にはいり、日一日寒気は薄らいで行った。光太夫は三日にあげず、無駄だとは知りながらも役所に足を運んでいた。

三月二十七日に、ウラジーミル教会の聖職者ヨアン・グロモフが七十三歳で他界した。その日、教会の鐘々は春が来ようとしているイルクーツクの町に鳴り渡り、市民は喪にでも服したように首を垂れて歩いた。買物籠を下げた老婆から、陽だまりに集まっている労務者までが、一様に悲しそうなものを顔に走らせていた。

四月にはいると、陽光は急にきらきらした輝きを帯びて来た。十二日の朝に、それまで氷結していたアンガラ川の氷が溶け、いっせいに氷の塊りが動き出した。何百という大太鼓が時を同じくして打ち鳴らされたような凄まじい音であった。その音で、日本の漂流民たちは、何事かと思って家の中から飛び出した。そしてアンガラ川の岸へ向って走る市民たちに混じって、小市も、九右衛門も駈けた。磯吉も、新蔵も駈けた。光太夫は皆と一緒に駈け出しかけたが、ひとり部屋に残されている庄蔵のことを思い出して再び家へ引き返した。庄蔵は寝台の上に仰向けに横たわり、いつもそうしているように、両手を毛布から出して頭を抱えていた。

「アンガラ川の氷が溶け始めているらしい」

光太夫は言った。すると、庄蔵は、

「そうか、氷の溶ける音か」

と、無表情のままで言った。

「見に行くか」

光太夫は訊いた。若し見たいといったら連れ出すつもりだった。連れ出すと言っても、片脚を失っているので背負って行ってやる以外仕方なかったが、光太夫はそうしてやるつもりだった。

庄蔵は首を横に振った。が、光太夫は何とかして連れ出せないものかと思った。日本の漂流民たちは誰も庄蔵の脚を失った姿を見ていなかった。見ようともしなかったが、庄蔵の方も見せなかった。それはいつかは見なければならぬものであったし、見せなければならぬものであった。併し、庄蔵が自分の脚にこだわり、それを見せようとしない限り、他の仲間たちも庄蔵の脚にこだわり、いつも気を遣わねばならなかった。

光太夫は若し庄蔵がアンガラ川の氷の溶けるのを見たいと言うなら、それは庄蔵が自分の不具の姿を仲間たちに見せるのに、またとないいい機会だと思った。

「見に行くか」

光太夫がまた訊くと、庄蔵の方は依然として首を横に振った。そこへ磯吉が飛び込んで来た。磯吉はいったんアンガラ川の岸まで行き、氷が流れ出したのを見て、本当に庄蔵に見せてやりたくて駈け込んで来たものらしかった。そうした気魄の烈しさがその口調にはこめられてあった。

「さあ、肩につかまれ。アンガラ川の岸まで連れて行ってやる。あれを見ないでおく法はないぞ。今まで橇がその上を走っていた氷が、いっせいに動き出したんだ。あの音は氷が流れて行く音だ。聞えているだろう。あれは、氷の流れて行く音だ」

磯吉は呶鳴るように言った。相変らず地軸を動かして、大太鼓でも打ち鳴らすような音が聞えている。

「さあ、肩につかまれ」

磯吉が背を出すと、庄蔵は磯吉の背に手をかけた。磯吉は軽々と庄蔵の体を背負った。光太夫が背に毛布をかけてやった。

アンガラ川の岸は人で埋まっていた。きのうまで川幅いっぱいに張り詰めていた分厚い氷の板は、何千何万かの氷塊に割れ、それが、神から出動命令でも降ったかのように、いっせいに動き出したのである。川の中ほどは既に流れの速さを見せて、氷塊の群れは互いに体をぶつけ合いながら、押し合いへし合い下手へ下手へと流れている。そして氷塊と氷塊の間には青黒い川の肌が見え、時折、そこに水しぶきが上がっている。岸に近いところは流れているというより、緩慢な移動を見せているに過ぎないが、これはこれで何とも言えぬ重量感を持った何ものかの物凄い移動であった。そして、遠くでは何百という大太鼓でもいっせいに打ち鳴らされているように聞えた轟音は、岸辺に来ると、大砲を撃ち出すいんいんたる音に変っている。大砲はひっきりなしに撃ち出されている。岸辺に群がっている人々は、老幼男女の別なく、ただ黙ってアンガラ川の異変を見守っていた。何人かの老人が地面にひざまずいて祈っている。

「今年は百七日目に川が青い姿を見せた」

光太夫は傍で中年の女が独語しているのを聞いた。アンガラ川は百七日間氷結していたが、漸く今日溶け始めたという感慨を、女は胸に抱きしめているのであった。いつか庄蔵は磯吉の背から九右衛門の背に移っていた。光太夫は川風の寒いことに気付いて、

「あんまり長く居ると、庄が風邪をひくぞ」

と、注意した。帰りは小市が替って庄蔵を背負った。庄蔵は言うなりになって誰の背にでも身を托していた。仲間が交替で庄蔵を背負うことは、何よりも庄蔵自身のためにいいことであった。自分の不具の体を否応なしに、仲間それぞれの手で確かめられているわけで、確かめられてしまった以上は、もはや自分の体の不様さを恥じても匿しても始まらなかった。

アンガラ川の氷塊の流れる轟音は、それから何日間か夜昼の別なく聞えていたが、それは次第に低いものになって行き、いつか全く聞えなくなった頃から、本格的に春がやって来た。アンガラの青い流れに取り巻かれてみると、イルクーツクの町はすっかり変ったものになった。高台を背負い、樹木に埋められた美しい町であった。アンガラの川向うにも樹木に覆われた大きい丘があった。アンガラの川岸には西方エニセイスクから品物を運んで来る船や、バイカル湖を越えた更に向うから支那の商品を運んで来る船が、ぎっしり繋がれている。川向うに人を運ぶ渡し船も、市場附近の河岸に立って青い流れへ眼を遣る度に、どこかにその小さい姿を見せていた。渡し船は二カ所にあった。一つはウシャコフ地区、一つは港よりずっと上流にあった。渡し船とは言っても船ではなく筏であった。

町に春の暖かい風が吹き始めると、町中を縫っている曲りくねった狭い路地からは、いっせいに馬糞を交えた塵が天に舞い上がった。その塵の中を、人々は冬の間閉じこめられていた分を取り戻そうとするかのように、やたらに出歩いた。旅行者の姿も多くなり、毎日のように町には市がたった。日本の漂民たちも、町を出歩いた。女の白い素足の一つ一つが、男たちの眼に焼きつくような強い印象を与えた。

「おらあ、女の白い脚を見ていると、気が変になって来る」

新蔵は言って、

「おめえは庄と替るべきだったんだ。おめえの方が脚を失くしていたらなあ」

と、小市に窘《たしな》められた。

庄蔵も毎日門口に椅子を持ち出して、往来の人たちを眺めていた。庄蔵はアンガラの氷が溶けるのを見に行った日から、脚に対するこだわりは失くしていた。片脚で跳ぶような歩き方をして、みなと一緒に食事をとるために食堂へもやって来ていた。庄蔵は門口の椅子に腰掛けたままで、時々、小鼻を動かして、

「変な匂いがするな」

と言った。それはチェリョムハという桜に似た小さな花の匂いであった。日本の沈丁花を思わせる、妙に嗅ぐ者の心を浮き浮きさせる刺戟的な匂いであった。

四月二十三日（一七八九年）夜半に地震があった。かなり大きい振動で、イルクーツクの市民たちはいっせいに戸外に飛び出した。日本の漂流民たちも家から街路へ出たが、足の不自由な庄蔵が最後に路上に立った時は、大地の揺れはすでに収まっていた。

「こんな異国にも、ひとなみに地震などあるんかや」

小市は言った。地震で外へ飛び出したお蔭で、一同は揃って夜空を仰いだ。異国の星が降るように空を埋めていた。星を仰ぐと、望郷の念が一同の胸を緊めつけて来た。伊勢で見ると、あの星はどの方向に見えるとか、あんな星は見えないとか、そんなことを口々に話し合っていたが、光太夫はみんな揃って顔を夜空に向けている中で、庄蔵だけがひとり反対に地面に顔を向けていることを知った。

「みんな、がやがやくだらんことを言っていないで、家へはいれや」

光太夫は言って、一同を家の中に追い立てた。庄蔵の居るところでは星の話も禁物だと、光太夫は思った。

この地震があってから数日後に、光太夫は役所へ行った帰りに、町でカムチャツカの役人で、ニジネカムチャツクからオホーツクまで一緒だったテモヘ・オシポウィチ・ホッケイチと遭った。光太夫は曾て自分たちの護送官であった人物に、何とも言えぬ懐しさを覚えたが、ホッケイチの方も同様であるらしかった。

「お前さん方は、こんなところに来ているのか」

ホッケイチは驚いて言った。光太夫たちはホッケイチとは船がオホーツクへ着くと同時に別れていたが、ホッケイチは、日本の漂流民たちが今もオホーツクに滞在しているか、あるいは便船を得て既に日本へ帰っているか、そのいずれかであろうと思っていたということであった。

「なんの、なんの、それどころか」

と、光太夫は言った。そして、オホーツクからヤクーツク、ヤクーツクからこのイルクーツクへと順々に送られて来、イルクーツクへ来てからは、食を給せられているだけのことで、帰国のことについては音沙汰ない許りか、いっこうに要領を得ない状態にあるということを語った。

「それは気の毒だ。自分もこんどイルクーツクの役所に勤めることになり、最近赴任して来た許りであるが、これからは何とか力になってやることができるかと思う。何なりと不自由なことがあったら、自分のところまで申し出て貰いたい」

ホッケイチは言った。

光太夫は宿へ帰ると、ホッケイチとの再会を仲間一同に知らせた。すると、どっと歓声が起った。それほどホッケイチという四十がらみの人物は、日本の漂流民の誰からも慕われていた。無口で誠実な人柄だった。

「大尉に遭えば、必ず何とかしてくれると思うな。この国の人間は口先きではうまいことを言うが、誰ひとりとして、俺たちによかれと思うことをしてくれた者はあるまいが。そこへ行くと、大尉は親身になって俺たちのことを考えてくれる。そのくらいだから、いつまで経ってもシベリアから足が洗えないんだ。カムチャツカに何年か赴任したあとは、みんな大抵はどこかもうちっとましなところへ廻されている。それなのにまた都から遠く離れたこんな寒いところへ持って来られた。やれ、やれ、気の毒なこっちゃ」

九右衛門は言った。

それから二、三日すると、ホッケイチは光太夫たちの宿舎を訪ねて来てくれた。そして、役所で調べたところ、すでに日本漂流民の帰国の願状は都に提出されている。何分にも前例のないことなので、最後の沙汰があるまでには多少の時日を要することと思われるが、そのうちに必ず吉報があるだろう。それまで落胆しないで待つようにということであった。光太夫たちは久しぶりで愁眉を開く思いだった。

ホッケイチはそれからも時々訪ねて来てくれた。そして、彼の紹介で、光太夫たちはイルクーツク市に在住している富豪の邸宅に招かれることが多くなった。イルクーツクにはロシア国内でも指折りの何人かの富豪が居た。シェリホフ、シビリヤコフ、ムィリニコフ、バスニン等であった。いずれも毛皮取引を業として、キャフタを通じての中国貿易に依って巨利を収め、酒造や金貸しなどにも手を拡げて身代を作った連中であった。彼等の邸宅のある通りには、その名がつけられてあった。バスニン邸のある通りはバスニンスカヤ通り、ムィリニコフ邸のある通りはムィリニコワヤ通りと呼ばれていた。

日本の漂流民たちが招ばれて行く家は、こうした富豪たちの一族の家であった。どこも豪壮な邸宅を構えていた。一同は夕食を御馳走になっては、訊かれるままに、漂流以来今日までの辛苦を語った。ムィリニコフ家の分家だという邸宅へ赴いた時は、聴き手の全部が女で、そこここから啜り泣きの声が聞えて来た。バスニン邸では家族の者数名だけであったが、気難しそうな老婆が話を聞きながら何回も杖で床を叩いた。その度に話手は話すのを中止したが、やがて老婆は憤《おこ》っているのではなくて、日本の漂流民への同情の余り、そのような動作を取っているのであることが判った。

「わたしは家族の者と半年も別れていたら、死んでしまった方がましだと思うのに、不幸な異国の漁師たちは、国を出てからもう足かけ七年になると言う。思えば痛わしいことじゃ」

老婆はここで杖をゆっくりと持ち上げて、調子をとって、とんと床を叩く。その言葉の通り同情しているに違いなかったが、日本の漂流民たちには、どうしてもその老婆の顔は怒っているとしか見えなかった。またその一座には実際に憤っている人物も居た。この方は一生独身で通した五十がらみの無口の人物で、時折、大きな鼻を指でつまんでは、口からとも鼻からともなく妙な音をたてた。日本の漂流民に対する政府の措置がなっていないということに対する怒りを、彼はそのようにして表現しているのであった。

日本の漂流民たちは初めはこうした招宴を悦んでいたが、そのうちに余り悦ばなくなった。御馳走になることも、いろいろな人物と知り合いになることも、退屈を紛らわされることも、それぞれいいことには違いなかったが、同じ漂流物語を何回もやらなければならないのには辟易《へきえき》した。聴き手は新しかったが、喋る方はいつも同じだった。どこからか招きの声がかかると、みんな尻込みした。宿で寝転んでいる方が有難かった。

そんな時、光太夫は自分と一緒に行く者を指名した。光太夫自身はいかなる場合でも必ず出掛けて行った。相手がイルクーツクで上流階級に属している人物である以上、知り合いになれるならなっておくべきだと思っていた。いかなることで、彼等の助けを必要とする場合が来ないものでもなかった。

こうして暦は五月から六月へと移って行った。六月二十日に、前任者ヤコビの後任として、新シベリア総督イワン・アルフェリエウィチ・ピーリが着任した。町には新総督を歓迎するために新たに門がつくられ、当日はその門の附近は群衆で埋まり、何発か続けさまに祝砲がうたれた。日本の漂流民たちも新総督を迎える町の騒ぎを見に行った。光太夫は若しかしたら、この新総督が自分たちの措置に対する権限を帯びて来ているのではないかと思った。が、その後もいっこうに役所からは何の沙汰もなかった。

八月一日、イルクーツク主教ミハイルが六十九歳で亡くなった。ウラジーミル教会の聖職者ヨアン・グロモフが死去した三月の時以上に、町は悲しみの色で閉ざされた。町全体が喪に服している感じで、子供たちまでが大人たちを真似て頭を垂れて歩いた。日本の漂流民の中では、廃人になった庄蔵だけが、教会の鐘の音が聞える度に、立ち上がって頭を垂れた。光太夫たちはいつから庄蔵がこのようなことをするようになったか知らなかった。みなが賑やかに談笑している時でも、鐘の音が聞えて来ると、庄蔵は不自由な脚で立って、片手で柱につかまりながら黙禱した。そんな時は、みなが談笑するのを中止して、それぞれ考え深い顔をして黙っていた。庄の奴も、とうとうこんなことになってしまったが、脚が一本になってしまっては、これも仕方あるまいといった思いがあった。

八月の中頃、光太夫は役所から出頭を命じられた。いよいよ都から沙汰があったのだと、光太夫は意気込んで出掛けて行ったが、沙汰は沙汰でも、思いがけない沙汰であった。いつか顔見知りになっている役人の一人が、

「都より官牒が来たが、それには日本の漂流民たちは帰国の儀を思いとどまり、この国に仕官するよう申し渡されたいと認《したた》められてある。気の毒だが、都からの命令であり、自分たちにはいかようにも取り計らうこともできぬ。こうなったら、考えを変えて、お上の思召《おぼしめ》しに添う以外仕方あるまい」

と言った。光太夫は何となく心に懸っていたものが、いよいよ現実の問題となって形をとって現われて来たことを知った。光太夫は役人と押問答をしても始まらぬと思ったので、

「新たに願状を差し出すとしたら、それに対する官牒はいつ到来するであろうか」

と、訊いてみた。

「こんどの場合は、願状を出してから半年はかかっている。それから考えると、いま願状を出しても、それに対する沙汰は、早くて来年の二月か三月になるだろう」

役人は答えた。光太夫はひどく暗い気持で宿舎に帰った。自分たちの前にこの国に来た日本の漂流民たちが持ったと同じ運命が、いま自分たちをも襲おうとしていると思った。

光太夫の話を聞いて、小市も九右衛門も顔色を変えた。磯吉と新蔵は、同じような衝

撃を受けたが、若いだけに、二人とも、自分たちは初めからこういうことになるんじゃないかと思っていた。自分たちはもう伊勢へは帰れねえに決まってる。いくらじたばたしても、どうなるもんでもない。まあ、諦める以外仕方あるまい。と、そんなことを言った。庄蔵は黙っていた。が、仲間を見舞っている運命を知って、その面には寧ろ吻《ほっ》としたものが走っていた。

磯吉と新蔵は帰国が覚つかないと知ると、その日から新しい生活を始めた。アンガラ川での魚釣りに身を入れ出した。どうせこの国で一生を過さなければならないということになると、さしずめできることは魚釣りしかなかった。伊勢でも漁師をやっていたのだから、この国に於ても漁獲を業とするのが一番てっとり早いと考えたのである。

二人は朝早く宿舎を出て行き、前夜仕掛けた場所を見廻った。獲ものはシチューカという魚だった。頭部が鰐《わに》に似た怪異な相貌をしている魚で、大きいのは一匹で三貫目に達するのもあった。この魚の化物を何匹も獲って来た。この魚はアンガラ川の彎曲部や、支流の流れ込む深い淵に居るということで、磯吉たちは夕方になると、太い針と細引き様の太い釣糸を持って出掛けて行った。餌は鰯ぐらいの大きさの小魚だった。朝仕掛けを見に行く時には、二人はそれぞれに鉄の棒を用意して行った。シチューカを手繰り寄せた時、それで相手の頭を殴りつけるということだった。

「国が変れば、魚も変るし、魚の獲り方も変るもんだ」

小市は慨歎して言った。併し、その魚の化物も食卓にのせるとうまかった。煮ても、焼いても、結構うまく食べることができた。

小市と九右衛門は宿舎で寝ていることが多くなった。帰国がおぼつかないと知ってから誰の眼にも二人は急に老い込んで見えた。庄蔵は教会に通い出していた。初めは仲間に気兼ねして、誰にも気付かれぬように宿舎を脱け出していたが、そのうちに匿しきれなくなって、その行動は半ば公然としたものになった。手製の松葉杖をついて、庄蔵が宿舎の前の坂道を教会の方へ降りて行くのを、仲間たちは毎日のように見た。誰もそれについて何も言わなかった。感心もしなかったが、と言って非難もしなかった。時に庄蔵の教会通いの姿を見送りながら、

「庄もだんだん、ああして日本人でなくなって行く」

と、九右衛門が言うことがあった。九右衛門の口から出る言葉は、いつも同じだった。庄蔵が日一日、日本人でなくなって行くのを、九右衛門は秋になって木の葉が落ちて行くのを見るような、そんな思いで眺めていたのである。

光太夫ひとりは毎日出歩いていた。毎日のようにこの町で知り合った人々の家を訪ね、自分たちの窮状を訴え、自分たちの帰国が実現するためには、いかなる方法を採ったらいいかということを訊いて廻っていた。誰も日本の漂流民たちに同情はしてくれたが、具体的にこのような方法をとったらいいと教えてくれる者はなかった。実際に誰もそうしたことに対する知識は持っていなかったのである。

八月の下旬にはいると、急に夏の陽射しが弱まり、南へ移動して行く渡り鳥の姿が見

られた。渡り鳥はいずれも申し合せたように、アンガラ川の川筋に沿って南下して行った。光太夫は渡り鳥の群れを見ると、胸を掻きむしられるような郷愁の情を覚えた。異国で迎える七回目の秋であったが、これまでにこの秋ほど烈しい望郷の念に駆られたことはなかった。南へ渡って行く渡り鳥が心底から羨しかった。併し、光太夫はそうした気持を決して口や素振りには表わさなかった。

もうあと、二、三日で八月も終るという頃、トラペズニコフとタターリノフが、久しぶりで宿舎を訪ねて来た。二人は小半刻雑談をして帰って行ったが、そのあとで、庄蔵が二人の訪問の用件を光太夫に伝えた。

「あの二人は、俺たちに日本語学校の教師になってくれる気持があるかどうかを訊きに来たんだ。若し俺たちにそういう気持があれば、現在閉鎖しているザモルスカヤ通りの日本語学校を開校することができるんだと言っていた」

そういう庄蔵の顔を、光太夫は穴のあくほど見守っていたが、

「庄、お前はあの二人に度々会っているんか」

と訊いた。

「そう度々会っているわけではないが」

庄蔵は幾らか困惑した表情をして、言いにくそうに答えた。

「会っても悪いことはねえ。あの二人の体の中には、俺たちと同じ日本人の血が流れているんだからな」

光太夫は取り成すように言ったが、そのほかの言葉は何も口から出さなかった。トラペズニコフとタターリノフの二人が提案して来たことについては、いいとも、悪いとも、いかなる意思表示もしなかった。

光太夫は都から送られて来た官牒に、日本漂流民をこの国に留めて仕官させるようにと記されてあったことを役人の口から聞いていたが、その仕官という言葉が何を意味しているかを、いまはっきりと知った思いであった。この国は、自分たち日本漂流民を日本語教師として、曾て設けてあった日本語学校を再び開設しようとしているのである。自分たちの前の日本の漂流民たちは、みなこの地に留まって、日本語学校の教師になっていた。が、その日本の漂流民たちが物故し、日本語学校は閉鎖の已《や》むなきに至り、今日に及んでいるのである。いまは僅かに、トラペズニコフ、タターリノフの日本人二世が二人居るだけで、それも日本語学校教師としての力は覚つかない。そうした状態のところへ、新たに自分たち六人の日本漂流民が流れ込んで来たというわけである。日本語学校を開設しようと思えば、できないことはないのである。

それならば、なぜこの国は日本語学校を曾ても開き、そしてまたいまも開こうとしているのであるか。それは、一体どういうことであるか。光太夫が郷里伊勢のことでなく、もっと大きく日本の国全体というものを一つの単位として脳裡に思い浮かべたのは、この時が最初であった。否が応でも、そういう思い浮かべ方をしないではいられなかった。

光太夫は、自分が三年余の歳月を過したアレウト列島の広い漁場を眼に浮かべた。またカムチャツカの港々の有様を眼に浮かべた。そこに住んでいる土着民、その土着民を追って、そこへ進出しているロシア人たち、毛皮を満載しているロシアの艦船、ドック、倉庫、兵舎、税関、教会。

光太夫はこの時ほど日本という国が小さく、しかも無欲に無防備に見えたことはなかった。蝦夷の北方に拡がっている大海域でいかなることが行われているか、自分たち六人の漂流民以外、日本人は誰も知ってはいないのである。光太夫はどんなことがあっても、日本へ帰らなければならないと思った。それが郷愁の念と入り混じって、光太夫の胸を強く緊めつけて来た。帰りたかったし、帰らねばならなかったし、帰るべきであると思った。

光太夫は五人の仲間を集めると、改まった口調で言った。

「みんな、よく聞いてくれ。俺たちはどんな苦労をしても、伊勢へ帰らなければならぬ。この国で果てるなどという料簡はこれっぽちも持ってはいけねえ。庄も帰るんだ。脚を一本失くしたからと言って、弱い気持を起してはならない。伊勢で生れた俺たちだ。伊勢以外のところで死ねるかよ。アムチトカ島やニジネカムチャツクに眠っている仲間たちに対しても、生きて郷里へ帰らねば申し訳は立つまい」

みんな黙っていた。帰れるものなら誰も帰りたかったが、今の場合、帰国の方便があろうとは思われなかったのである。

九月中頃、イルクーツクに於ては、年に一回の定期市が何日かに亘《わた》って盛大に開かれた。一丁半四方の取引所の内部の賑わいは言うまでもないが、この定期市の呼びものは取引所に隣接している地域一帯を埋める夥しい数の露店や見世もの小屋であった。この定期市をめざして商品を満載してやって来る川船は、九月初めから早くもアンガラ川の岸に姿を見せていた。

この定期市にはさまざまな異国の商品が集まった。ヨーロッパの商品は遠くウェリキー・ウスチュグ、カザン、トボリスク、トムスク、エニセイスクを経て、ブラーツクの早瀬を溯って運ばれて来て、露店露店に並べられた。中国の茶や絹を並べている店もあれば、西域のブハラ、サマルカンドの商品、或いはインド、ペルシャの商品を並べている店もあった。

日本の漂民たちも、定期市の開かれている間は、毎日のように市場の雑踏の中に吸い込まれて行った。どこを歩いても異様な昂奮が渦巻いており、その賑やかさ、騒がしさは、江戸や伊勢の祭礼の比ではなかった。光太夫たちはここで実にたくさんの珍しいものを見た。何人種とも判らぬ鬚面の大男は、路傍で大熊を鎖に繋ぎ、客が集まって来ると、それと格闘して見せた。そして着物は裂かれ、体中血だらけになった姿で、観客から銭を集めていた。またある小屋では、明らかに人種の異る二人の屈強な大男が、摑み合い、殴り合いをして金をとっていた。時には観客の中からとび出して行って、彼らに闘いを挑む者もあった。支那の奇術を見せている小屋も軒を並べていた。ある小屋では刀を飲み下して見せており、ある小屋では蛇を使って見せていた。

露店に並んでいる商品や見世ものが雑多で珍しい許りでなく、それを見物している観客も亦、雑多で珍しかった。黒い僧衣を纏《まと》った尼僧もいれば、制服の兵士もおり、農婦もいた。身分高き者もいれば、浮浪児もいた。支那人も、インド人も、ヤクートも、ブリヤートも、モンゴルも居た。

日本の漂民たちは、アレウト列島やカムチャツカ方面の毛皮や、民芸品や、魚獲道具などの並んでいる店の前では必ず足を停めた。九右衛門も小市も、匂いでも嗅ぐように、自分たちが見知っている品物に顔を近付けて行った。旧知にでも再会したような懐しい気持だったのである。また日本の漂流民たちは、ブリヤートの女が布地を買う時、物指を叩きながら客を呼んでいる商人に長さをごまかされているのも見たし、反対にその店で商品をスカートの下に入れている掏摸《すり》の女も見た。

この定期市が開かれている間に次第に夜は冷え込んで来、アンガラ川の岸や中の島の緑は急に色褪《あ》せて黄褐色に変って行った。そしてまもなく初雪が降った。九月二十日であった。慌《あわただ》しい冬の到来に、光太夫たちは度胆をぬかれたが、初雪はやがて来る冬の前触れをほんの僅か見せただけのことで、あとはまた快晴の日が続いた。

九月の終りに、光太夫たちはテモヘ・オシポウィチ・ホッケイチに連れられて、キリル・ラックスマン*の家を訪ねた。光太夫はラックスマンがいかなる人物か全く知っていなかった。今までホッケイチの紹介でたくさんの富豪やその一族の家を訪ねていたが、ラックスマンもそうした種類の人物であろうぐらいに考えていた。だから、最初にホッケイチからラックスマンを訪ねる話を持ち出された時、光太夫は自分一人がそれに応じようと思ったのであった。他の連中は、富豪たちの応接間で窮屈な思いをしながら、漂流物語をすることにすっかり倦きていた。相なるべくは、そうした役割から放免されることを望んでいた。ところがホッケイチは、

「こんどは全員で行く方がいい。必ずお前さんたちの力になってくれる人物なので、みんなで揃って自分たちの窮状を訴える方がいい」

と言った。

光太夫が訊くと、

「一体、ラックスマンとはどういう人であるか」

「ラックスマンを紹介することはたいへん難しい。兎に角、帝室付きの鉱物調査官として数年前からイルクーツクに来ている人物だ。ここへ来る前は一時ネルチンスクの警察署長だったこともあり、またネルチンスク鉱山の技師であった時代もあるらしい。その前はペテルブルグで科学アカデミーの化学と経済学の教授をしていて有名だった。ロシアばかりでなく、ストックホルムの科学アカデミーの会員にもなっているが、これは、モンゴルの宗教とチベット語の論文が高く買われたためだと聞いている。しかし、いまラックスマンが夢中になって研究しているのは、自分の見るところでは地質学と植物学だ」

それから、ちょっと言葉をきって、

「そう、そう、それからまた、ラックスマンはこの町で硝子工場も経営している」

と、ホッケイチは言った。何を言われても、光太夫にはよく理解できなかった。兎に角この町に帝室付き鉱山調査官として赴任して来ており、その本職の傍ら、硝子工場をも経営している人物である。そう納得する以外仕方なかった。いろいろなことを研究している学者でもあるらしかったが、その方のことは光太夫には理解の外であった。併し、一番の問題は、彼がどうして日本の漂流民たちの力になる人物であるかということであった。そのことを訊くと、

「自分が正しいと信じ、ひと肌ぬごうと決心したら、どんなことでもやり遂げる人物である。それに彼は現在イルクーツクに居るいかなる役人よりも、都の高位高官たちを知っている」

ホッケイチは言った。

光太夫はそういうラックスマンなる人物に対してたいした期待は持たなかったが、折角ホッケイチが勧めてくれたことでもあり、その言葉通り小市、九右衛門、庄蔵、新蔵、磯吉の五人の仲間たちをも一緒に連れて行くことにしたのであった。

ラックスマンの住居は日本の漂民たちの宿舎からそれほど遠くなかった。同じウシャコフ地区の山の手の方にあった。これまで日本の漂流民たちが訪れた家とは、全く趣を異にしていた。極く普通の丸太積みの家であった。さして貧しいとも思われなかったが、

決して裕福にも見えなかった。光太夫たちは入口の部屋と次の部屋を通り抜けて、奥の居間へ案内されたが、通り抜けた二部屋は古道具屋とも屑屋ともつかぬ乱雑振りを呈していた。ちょっと通り抜けただけでは、その部屋に何が詰め込められてあるか見てとることは難しかった。壁に沿って造られている棚には書物や反古《ほご》の束もあれば、岩石のかけらのようなものもあり、砂を詰め込んだ箱も並んでいれば、人間のものとも動物のものとも判らぬ骨も置かれてあった。部屋の中央の大きな卓の上には、植物の標本がぎっしり積み重ねられてあった。

一行が招じ入れられた部屋も、多少そこには居間らしい雰囲気が漂っているというだけのことで、四囲の壁面はすべて書物で埋められてあった。部屋の隅のペーチカを取り巻くようにして、大小の椅子が十幾つ散らばっていて、そこここに小卓が配されてあった。従って居間はかなりの広さであったが、物がいっぱい詰まっているので、少しも広くは感じられなかった。

その居間の奥にも部屋があり、そこがラックスマンの書斎だということだったが、その部屋の方は覗けなかった。居間からは中庭の一部が見えたが、この中庭もまた変っていた。ガラス張りの温室が幾つか造られてあり、どの温室も一本あるいは二本の煙突を持っていた。また陶器をやく窯のようなものも庭の隅に設けられてあり、その横には風車様のものが造られてあった。花壇もあったが、花の株は見られなかった。そして庭にもまた石のかけらを詰め込んだ箱が幾つも積み上げられてあった。

日本の漂流民たちは、居間にばら撒かれてある椅子に腰を降ろして、この家の主人の現われるのを待っていた。誰も口をきかなかった。口をきく暇がないほど見る物がいっぱいあった。書棚の設けられてない壁面に眼を当てただけでも、得体の知れぬ掛図がいっぱい吊り下げられてあった。その中の一つを指して、

「あれは海の地図だ」

磯吉は新蔵に教えてやった。

「どこの海だ」

「それは判らん」

「一体、何にするんだ」

「航海に必要だ」

「ほんとうか、じゃ、どうして作ったんだ」

「測って作ったんだろう」

「どうして測ったんだ」

「どうして測ったか知らないが、兎に角測ったんだ」

そんなことを喋っている時ラックスマンは部屋へはいって来た。髯面の、ずんぐりした五十年配の人物だった。役人にも、学者にも見えなかった。作業衣のような服を着て、幾らか猫背で、肩幅は広く、その広い肩をふるような独特な歩き方をして部屋へはいって来ると、ゆっくりと異国の訪問者の顔を見廻した。眼は冷たくて、気難しそうだった。

「間違いなく、あんたたちは、日本の漁師か」

ラックスマンは言った。そうだと光太夫が答えると、

「聞くところによると、故国《くに》へ帰りたがっていると言うことだが、そりゃ、帰りたいだろう、故国だものな。無理はない」

そんなことを言って、

「一応、いつ、どこで難破し、どこへ流れついて、その後、どんなことをして、今日に到ったか、かいつまんで話してみなさい。力になって上げられるようだったら、力になって上げよう。何も、そう心配したものではない。帰るということになれば、じきに帰れる。そう遠いところではない」

それから卓の上の鈴を振った。すると、明らかに夫人と思われる小柄な女性が現われた。顔も若く、声も若々しかった。まだ三十歳をそれほど多くは出ていないと思われた。

夫人は自分のあとに七、八歳の女の子を従えていた。

「客人に夕食を振舞いなさい」

威厳をもって、ラックスマンは命じた。

「承知いたしました」

夫人は従順に答えた。光太夫は、夫人に女の子の名前と年齢とを訊ねた。

「マリヤと申します。一七八一年にモスクワで生れました。八歳になります」

「お嬢さん、おひとりですか」

「どういたしまして、この上に、マルチン、アファナシー、イオシフ、カシャン、コンスタンチンという五人の男の子がおります。五人とも、一七七〇年から七八年の間に、ペテルブルグで生れました」

夫人は笑いながら言った。上の子が一七七〇年の生れとすると、既に十八、九歳になっている勘定である。そうなるとどんなに少く見積っても、夫人は四十歳にはなっている筈だったが、そうは見えなかった。

するとラックスマンが、

「そのほかにまだ二人ある。尤《もっと》も、この方は先妻の子だが」

と、にこりともしないで言った。夫人はその夫の言葉を受けとって、

「上はグスタフ・ラックスマン、下はアダム・ラックスマンと申します。二人はとし子ですが、アダムの方は、一昨年からカムチャッカのギジギンスク*に警察署長として赴任しております。二人ともお父さん似で、自然科学方面に趣味を持っております」

と言った。先妻の息子二人を立てた言い方だった。

これだけのやりとりで、光太夫はラックスマン一家に好感を覚えた。ラックスマンも、夫人もいいひとたちに違いないと思った。光太夫は漂流から今日までの一部始終をできるだけ詳しく物語った。ラックスマンは時々、判らないことがあると訊ねた。その度に誰かが答えた。誰が答えるにしても、いつも富豪の邸宅に招かれた時とは違って、考え考え間違いないように答えなければならなかった。そのように答えなければならぬよう

なものを、ラックスマンの質問は持っていた。時には浜辺の砂の色や巌の色を訊ねたり、鳥の種類を根掘り葉掘り訊ねたりした。

質問は驚くほどいろんな事に及んだ。うっかり新蔵はニジネカムチャツクで聞いた子供の唄のことを話したために、自分でその唄を歌って聞かせねばならなかった。磯吉は磯吉で、幾つかの土民の言葉を思い出しては披露しなければならなかった。小市はアムチトカ島の土民の酒の作り方を説明し、九右衛門は同じ島民の墓穴の掘り方を手真似で語らねばならなかった。

この最初の訪問ではラックスマンは日本のことは何も訊ねなかった。何か日本のことが話に出ると、

「それは、日を改めて、ゆっくり聞くことにする」

と言った。

そろそろ戸外が暗くなりかけた時、さっき夫人に依って名前を紹介された子供たちの手に依って、次々に料理が運ばれて来た。日本の漂流民たちにとっては、イルクーツクに来てから初めての楽しい晩餐であった。他の富豪たちに招かれた時のような窮屈さはなく、遠慮なく酒も飲めれば料理も平らげることができた。このラックスマン家の最初の晩餐に於てみなが舌鼓を打ったのは、バイカル湖で獲れるオウムリという鱒に似た魚で、それを燻製にしたものと油で揚げたものと二種類が食卓に出た。鮮魚の少い季節としては豪勢な馳走と言うべきで、一番口数の少い庄蔵が、

「うまいなあ。伊勢の魚を食っているようだ」

と言った。食後、ラックスマンは書斎から、ヨーロッパで出版されたという日本の地図を持ち出して来て、光太夫の前に拡げ、

「かなりいい加減なものだと思うが、間違ったところが判ったら、直して貰いたい」

と言った。間違いを訂正しろと言われても、すぐにはどうすることもできなかった。大坂と伊勢が離れすぎていたり、それに較べて、伊勢と江戸がくっつきすぎたりしていることは、ひと目で判ったが、

「預っていいものなら、暫く、預らせて戴きたい。みなでよく調べてみよう」

光太夫は言った。光太夫は異国で作られた日本の地図というものをよく見ておきたくもあったし、またそれの誤りを訂正するということの意味をも考えてみたくもあった。考えてみなくてはならぬものがあるような気がした。

日本の漂流民たちは一人残らずラックスマン家を訪ねたことに満足を感じた。ラックスマンその人は気難しくもあり、わがままでもあるようだったが、言うことにも、することにも飾りというものはなかった。それが光太夫にも仲間たちにも、何とも言えぬいい印象を与えた。また夫人も親切で、異国の訪問者たちを家族の一員でもあるようにあたたかく遇した。

一同がラックスマン家を辞す時、ラックスマンは、

「あんた方の帰国歎願書は、わしとホッケイチの二人が代って認めて進ぜよう。こうし

たものを出すには、出す道すじというものがある。まあ、わしたちに任せておくことじゃ。任せておきなさい」

と言った。光太夫としては、イルクーツクへ来てから初めて聞く頼もしい言葉であった。

「それから、わしの家へはいつ来てくれてもいい。毎日のように来てくれてもいい。飯ぐらいは毎日でも進ぜよう。その替り、忙しい時は手伝って貰いたい。やって貰うことは幾らでもある」

ラックスマンは言った。

それから二、三日してから、光太夫はラックスマン邸に出向いて、ラックスマンとホッケイチが認めてくれた帰国歎願書を貰い、それを役所に提出した。

八月下旬に南へ移り始めた渡り鳥も、九月下旬の雁と鶴をもって、その移動を終った。雁も鶴も共にアンガラ川の川筋に沿うようにして南下して行った。イルクーツクの市民たちは雁や鶴の渡るのを見ると、さあ、いよいよこれで本格的な冬がやって来るぞといったように、本腰で冬の支度にとりかかった。確かに冬はそこまで来ていた。晴天は続いていたが、それはいつ冬の牙に引き裂かれてしまうか判らなかった。異常に晴れ渡った空の深い青さの中には何かそんな脆《もろ》さが感じられた。

九月二十二日はエカチェリーナ二世の即位記念日に当っていたが、イルクーツクの町では特別の行事もなく、強いて変ったことを拾えば、この日普通学校が開校したぐらいのことであった。

こうした冬を前にした時季のある日、日本の漂流民たちはラックスマン夫人に誘われて、近くのタイガ（シベリアの樹林）の中へ、ヤゴダ（木の実）と茸を採りに出掛けた。片脚のない庄蔵も一緒について行った。タイガの中は筵《むしろ》を敷きつめたように、高さ十センチほどの灌木が生い茂り、それにブルースニクとか、モロチニクとか呼ばれる紫色の実がなっていた。茸もそこら一面にやたらに生えていた。カムチャツカでも土民たちはタイガの中にヤゴダや茸を採りに出掛けたが、それらはすぐ食膳にのせるだけで、長く貯蔵する習慣はなかった。ラックスマン夫人はヤゴダではジャムをつくり、茸の方は漬物にして、冬期の食用にあてるということだった。

タイガの中にはさまざまな鳥が居た。日本の漂流民たちが知っているものでは、キツツキやヤマドリが居た。またカムチャツカ方面ではついぞ見掛けたことのない頭上に長い毛を生やした鳥も居た。ラックスマン夫人に訊いてみると、ロシア語でリャーブチクということであった。

十月九日に町の造船所でバイカル湖を航行するための最初の船が建造された。この日の方が即位記念日より町は賑わった。市民たちはバイカル湖上を自由に航行するという大型船を見るために、アンガラ川の岸の道に列を作って造船所を目指した。この日光太夫たちも造船所へ船を見に行ったが、大きいということを除けばさほど感心することはなく、材料があり、時間さえたっぷり与えられれば、自分たちでも、この程度の船は造れるのではないかと言い合った。アムチトカ島からニジネカムチャックへ渡った時の船を手がけた経験が、日本の漂流民たちにそんな奢った思いを懐かせたのである。併し、誰もその当時のことは口に出さなかった。アムチトカ島時代のことは、別にそう取り決めてあるわけではなかったが、いっさい口にしないことになっていた。

造船所からの帰途、光太夫たちはラックスマンが経営している郊外の硝子工場へ廻った。町の人も普通〝ラックスマンの硝子工場〟と、ラックスマンの名を冠して、その工場を呼んでいたが、実際にはラックスマンが、土地の有力な事業家として有名なバラノフと組んで、共同で経営しているものであった。日本の漂流民たちにとっては硝子を造るところを見るのは初めてのことだった。硝子のことは日本ではびいどろと言っていたが、ロシア語ではステクロと言った。そのステクロ工場の熱気の立ちこめている中に一歩足を踏み入れると、光太夫たちは思わずそこに立ち竦《すく》んだ。間違って地獄の中にでも迷い込んだのではないかと思われるような異様な光景であった。幾つかの大窯や小窯がそこここに設けられてあり、いずれも焚口からは焔が赤い舌をのぞかせていた。そして窯と窯との間には半裸の男たちが立っていて、手に手に長い鉄の管棒を持ち、一端を口にくわえ、他端に赤く熔化した硝子を巻きつけ、頰をふくらませて、それを吹いていた。熔化した硝子は大きく吹きひろがり、それに新しく焼けただれた硝子がくっつけられたとみると、やがて器用に一本の硝子の管ができ上がった。その硝子の管は窯に入れられ、次に取り出される時は、一枚の硝子板になっている。

「今日は硝子の板しか作らんそうだが、あすは徳利や茶碗を作るそうだ」

磯吉が職人から聞いたことを一同に伝えた。

「なんと、なあ、——まあ、たまげたことじゃ」

小市は言った。小市はめったにこういう言い方はしなかったが、この時ばかりは本当に驚いた風であった。驚いたのは小市ばかりではなかった。九右衛門も、

「びいどろちゅうものは、こうして作るんか」

と、男たちの傍に近付いて行ったが、すぐ熱気にあおられて逃げ戻って来ると、

「みんな、うっかり近寄るなよ、やけどをするぞ」

と言った。作業員は全部で五十人ほどであった。

この最初の硝子工場の見学は短い時間で打ち切られたが、光太夫はそれから屢々そこへ出向いて行った。一人で出掛ける時もあれば、誰かを誘って行くこともあった。またラックスマンのお供をして行くこともあった。光太夫はラックスマンと一緒の時はいろいろ質問したが、ラックスマンがうるさそうにしたことに気付いてからは、判らないことがあっても、めったに訊かなかった。ラックスマンに説明して貰わなくても大体のことは理解できた。白い石を細かい粉にし、山塩、小麦の粉、その他に二品ばかりを加えたものが原料になっている。熔化した硝子が固まった時、それを切るには、山塩を水にといて、切ろうとするところへ筆で塗っている。それからびいどろ鏡を造る時は、上質

の石を原料として練り上げ、板にふいてから磨《と》ぎ上げ、水銀に薬を合せて、それを裏からすり付けている。茶碗類はそれぞれ土で型を作り、鉄の管で型の内に吹き入れ、かたちができた時取り出して、尻に管をつけ、口をきり、縁りをへ《へ》らで直している。

併し、光太夫はこの工場でラックスマンが何を試みているかというようなことは知るべくもなかった。ラックスマンはガラス製造に当って、炭酸カリウムの代用としてグラウバー塩を使用するという長年抱いていた構想を、この工場で験《ため》していたのである。そしてこの方法に関する論文は、この時から七年後の一七九六年に発表されている。

雪が舞い出すと、日本の漂流民たちは、他に行くところもなかったので、自然にラックスマンの家へ顔を出すことが多くなった。ラックスマン家の人たちは少しも厭な顔をしないで、日本の漂流民たちをいつも家族の一員のように迎えてくれた。最初の訪問の時、ラックスマンは毎日のように来てもいい、食事ぐらいは進ぜよう、その替り仕事をして貰わねばならぬと言ったが、確かに顔を出せば、何かしら仕事は待っていた。時には植物の種を撰り分ける仕事を仰せつかったり、鉱石を摺《す》り潰《つぶ》す仕事を手伝わされたり、植物や鉱物の標本作りの仕事を課せられたりした。

光太夫にとっては、ラックスマンは生をうけてから初めて出遇った不思議な人物であった。その頭の中に詰まっているものは、全く見当のつかぬ奇妙なものばかりであり、しかもその一つ一つが妙に手応えのあるものであった。ラックスマンの学問的研究は頗る多岐に亘っていた。気候の観測もやれば、地質の調査もし、夥しい数の植物や鉱物の標本も蒐《あつ》めていた。ラックスマンは機嫌のいい時、光太夫たちにバイカル湖周辺とアンガラ川岸にいかなる鉱物が埋蔵されているか、またそれに関連してバイカル湖と湖岸山脈はいかにして出来上がったかというようなことを話してくれることがあった。光太夫たちは地図を前にして、黙って聞いている以外仕方なかった。すべては見当のつかぬほどの大昔のことであり、相手の口から出ることが真実であるか否かの判定はできなかったが、聞いていると、誰もがそのようなことかも知れないという気になった。

またある時、ラックスマンは、自分が発見して、世界の学界で承認されているものだというものを見せてくれたことがあった。透角閃石という石とバイカル石という石であった。

「あなたが初めて見付けたものは、みなこの部屋に並べられてあるか」

光太夫が訊くと、

「ばかを言ってはいかん。わしが初めて見付けたもので、持って来られぬものは沢山ある。アンガラ川の岸では塩泉を見付けている。誰も信じないが、本当に見付けたのだ。併し、わしは塩泉があるに違いないと思っていたのだ。来年の春になって雪が溶けたら連れて行って見せてやろう。チェレムホーボの石炭層も、バラガンスク附近の石膏も、ベーラヤ川岸の鉄鉱も、みなわしが発見したものだ」

こういう場合のラックスマンの言い方には一種傲然たるものがあった。広い肩幅を左右に揺すぶるようにして歩く猫背の姿は、日本の田舎の木樵《きこり》にでもあるようなタイプであったが、きらりと光る眼だけが、いかなる日本人も持たぬものであった。光太夫はそうした眼に惹《ひ》かれるものを覚えた。それは時に傲然とし、時に孤独な光を持った。

光太夫はラックスマン家に出入りするようになってから、ラックスマンの感化を受けたわけでもなかったが、毎夜のように認《したた》める日記の書き方が少しずつ変ったものになって行った。

——一七八九年十一月現在のイルクーツクの戸数三千五百八、人口九千五百二十二、商店街二つ、一つには二百二十四、他の一つには二百四十三の小店舗あり。そのほかにパン店六十七、肉売場三十六、国営商店六、国営商店はいずれも食糧、塩、酒、火薬などをひさぐ。工場はラックスマンの硝子工場のほかに、鍛冶屋、皮革工場、製粉場、製材所、煉瓦工場等あり、ラックスマンの硝子工場以外はいずれも小規模のものなり。教会と修道院は十。イルクーツクから他地方にのびている街道は四つ、モスクワ街道、ザモルスキー街道、クルゴモルスキー街道、ヤクーツク街道、これなり。

こうした記述の内容は、光太夫自身が雪の落ちている町を歩き廻って調べたものであった。光太夫は教会に通っている庄蔵に僧侶や尼僧の数を調べるように頼んだが、庄蔵はその調査を果すことはできなかった。調査を怠っているわけではなかったが、調べる方法が判らないらしかった。

雪は毎日のように落ちていた。併し、雪質はさらさらしており、陽かげの箇所以外はそう厚く積ることはなかった。寒気はきびしかったが、それにしても、昼間なら町を歩くこともできたし、市場や商店街も吹雪でない限りは店を開けていた。併し、日暮時からはぱったりと人足は絶えて、夜になると、イルクーツクの町は死んだようになった。毎夜のように、日本の漂流民たちは宿舎のペーチカを取り巻いて過した。ラックスマンとホッケイチが提出してくれた帰国願いに対していかなる反応があるか、毎夜誰かに依って一度はそのことが話題に取り上げられた。この話になると、九右衛門は日に依って楽観的になったり、悲観的になったりした。口から出す言葉も日に依ってかなり違っていた。来年の夏は伊勢の土を踏んでいるに違いないと言うかと思うと、もう俺たちはイルクーツクの土になって、馬糞と一緒に空へ舞い上がるんだと絶望的なことを言うこともあった。そんな九右衛門には誰も取り合わなかった。そんな時、反対なことでも言おうものなら、九右衛門の眼の色が変るからであった。と言って、誰も相手にならないと、それはそれでまた九右衛門を刺戟することになった。だから、小市がいつも差し障りのないことを口から出して、相手になる役を引き受けていた。

光太夫は夜の時間を日記を認めることに使っていたが、時折、矢立ての筆を置いて、みなの屯《たむろ》している居間を見廻った。そして部屋へはいって行くと、大抵まっさきに隅の方に寝転んでいる庄蔵の方へ視線を投げた。光太夫は庄蔵がすでに帰国の意志を失くしていることを知っており、それだけに何となく気になるものがあった。時に新蔵の姿の見えないことがあった。新蔵の姿が見えないと、光太夫は監督上一応いつもそのことを咎《とが》めた。磯吉と庄蔵は何となく新蔵を取り成すような言葉を口から出し、小市は小市で、

「若いからしようがないわな」

と言った。九右衛門はその日次第で、

「後家というもんはこらえ性がないもんで、新のようなものでも引張り込むんで困る」

と、そんな言い方をしたり、また、

「新のばかもんが、あいつは、女をこしらえ、俺たちを裏切って、この国に居くさる気だな」

といきりたつこともあった。光太夫も新蔵が近所のニーナという未亡人の家へ出入りすることをうすうす知っていた。小市の言うように、若い者のそうした行為をとめることはできそうもなかったが、ただ凍傷にでもかかられると困ると思った。光太夫は庄蔵と同じように新蔵をも棄てなければならぬのではないかと思っていた。庄蔵の感化か、あるいはニーナという女の感化か知らないが、新蔵も亦こっそりと教会へ通い始めていることに気付いていたからである。

十一月二十四日の正午に地震があり、続いて翌日の朝八時にまた地震があった。二回目の地震の方が大きく、どこの家でも就寝中を襲われた形で、寝衣に外套を羽織った姿の男女が街路に溢れた。庄蔵は磯吉に背負われて戸外に出た。光太夫も、小市も、九右衛門も一緒に飛び出したが、新蔵の姿は見えなかった。こんなことがあってから、新蔵は何となく仲間から少し遠くに身を置くようになって行った。

この年、一七八九年の聖降誕祭前夜には、日本の漂流民たちは揃ってラックスマン家の晩餐に招かれた。光太夫以外の者は、異国の宗教の祭りの祝宴につらなるのは初めてであった。ラックスマン家の居間には長方形の卓が設けられ、一同はそれを取り巻くように席をとった。ラックスマン夫妻、マルチン、アファナシー、イオシフ、カシャン、コンスタンチンの五人の息子たち、それに娘マリヤ。卓の上には蠟燭があかあかと並び、大皿に盛られた料理が幾つか配され、火酒の壜も出されてあった。

初めから二つの空席があった。それが埋められたのは、祝宴が始まって大分経ってからであった。初めにはいって来たのはラックスマンの先妻の子で、一七八七年以来カムチャツカ半島のつけ根に位置するギジギンスクの警察署長をしているアダム・ラックスマンであった。彼は二、三日前からイルクーツクに来ており、妻の実家の方に泊っていたが、今初めて父親の家に姿を見せたのであった。警察署長をしているとは言っても、まだ二十三、四歳の青年であった。

光太夫は息子のラックスマンが父親のラックスマンと長い抱擁を交し、次に義母を同様にかき抱くのを見た。そしてまた彼が五人の弟たちと一人の妹のところへ行って、一人一人いささかも手を抜くことなしに、丁寧に頰を当て、上半身を抱き、相手の肩を優しく叩くのを見た。三年ぶりの邂逅《かいこう》であった。光太夫はふいに熱いものが胸にこみ上げて来るのを覚えた。伊勢に住んでいる何人かの肉親や親しい者の顔が眼に浮かんで来た。老母の顔もあれば、妻の顔もあった。光太夫は暫く熱い思いに身を任せていた。体は細かく震え、いまにも涙は眼に溢れそうであった。が、次の瞬間、光太夫は頭を軽く振るようにして、いま自分を襲おうとしているものを向うへ衝き放し、辛うじてそれから自分を守った。光太夫は漂流する神昌丸の中では親しい者たちのことを片時の休みもなく思い続けたものであったが、アムチトカ島へ漂着した時から、それを境として、いっさい故国の人たちの顔を瞼に描くことを自分に禁じていた。ふいに思いがそこへ行くと、怖いものに触れでもしたように、そこから飛びのくようにした。これはなかなか企て及ばぬ難しい作業であったが、併し、光太夫はそれを己れに課し、それに努めることに依って、今日まで曲りなりにも平静心を失うことなしに生きて来られたのであった。母も棄て、妻も棄てていた。郷里のことは思うまいぞ、思うまいぞ、これがここ七年間の光太夫の生き方であった。

「これに一番上のグスタフ・ラックスマンが居ますと、わが家は全員揃うことになります」

平生とは違って、ウラル産の青い石の頸飾りを胸に垂らして、何歳か若く見える小柄な夫人は言った。グスタフ・ラックスマンは、アダムと同様に先妻の生んだ息子で、ペテルブルグで役所勤めをしており、こんど二十五歳になるということであった。その人物が居ると、ラックスマン家は十人の大家族であった。

アダム・ラックスマンは暫く母や弟妹たちと談笑してから、父親に対《むか》って、自分が任地で観察したカムチャツカの自然や民族に関する話をした。話をするというより、自分が命じられて調べたことを報告するといった喋り方であった。父親は火酒を嘗めながら、一つ一つ頷いて聞いていた。

暫くして馬車の鈴の音が戸外に聞えたと思うと、もう一つの空席を埋める人物が部屋へはいって来た。見るからに立派な風采をした四十五、六歳の人物であった。ラックスマンの口からシェリホフという名が出たことで、光太夫たちはすぐ訪問者がイルクーツク市民ならその名を知らぬ者のない豪商シェリホフであることを知った。シェリホフはラックスマン父子と握手を交し、夫人の肩を軽く叩いて接吻の真似をすると、すぐ椅子について、自分で火酒を自分の盃に注いだ。ラックスマンの紹介で光太夫は卓越しに握手の手を差し伸べた。恐ろしく頑丈な手で、固い握り方であった。シェリホフは言った。

「あなた方がアムチトカ島に漂着した丁度同じ頃、私はもうちょっと北の海域で、妻と一緒に海獺《らっこ》や海豹《あざらし》を追いかけていた。あの蒼黒い北の海で初対面の挨拶を交すべきであったのに、どういうものかイルクーツクのラックスマン家の居間で聖降誕祭前夜の鐘の音を聞きながら、こうして顔を合せることになった」

言葉は流暢《りゅうちょう》であったが、暖かさというものはなかった。平板で冷たかった。イルクーツクには、シビリヤコフ、ムィリニコフ、バスニンといった有名な富豪たちがいたが、その中でもシェリホフの名が一番高かった。邸宅も町の中心部の広い地域を占め、夫人もまた美貌をもって知られていた。

光太夫はシェリホフの出現に依って、ラックスマン家の和やかな祝宴の雰囲気が全く異ったものになったのを感じた。それを敏感に感じたのか、アダムを除く六人の子供たちはそれぞれ他の部屋へ引き上げて行った。夫人も亦子供たちを追いかけて宴席から姿を消した。そんなことをみじんも感じないのはラックスマン一人らしかった。彼は火酒で赤くなった顔をシェリホフの方へ向けては、

「グラスを空《か》らにせよ！」

と、命ずるように言った。シェリホフがそのようにすると、その度にラックスマンは、それでよし、というように頷き、

「わしはこれからの余生をシベリア北部海岸とその向うの島嶼《とうしょ》の鉱物調査に捧げようと思っている。シェリホフよ、力を貸せ」

そんなことを言った。酔っているのか、何回も同じことを言った。

シェリホフはラックスマンの方はいい加減にあしらっておいては、日本の漂流民たちに声をかけた。

「あなた方の故国の島々では何が獲《と》れる？」

「魚も、木も、米も、獣も獲れる」

誰かが答えると、

「獣の種類を言ってみなさい」

「猪、熊、狐、狼」

「狐はどんな種類か、一年にどのくらいの数量が獲れる？」

こういう質問になると、誰も答えられなかった。答えられないと知ると、シェリホフは決して執拗には追求しなかった。魚の種類についても訊かれ、鯨についても訊かれた。誰も満足には答えられなかった。平生ラックスマンが放つ質問とは、シェリホフの場合は、少しだけ質問の内容が異っていた。

一時間ほどでシェリホフは腰を上げたが、帰る時、

「いずれ、あなた方を私の邸に招待したい。帰国のことに関しては私もひと肌脱がせて貰おう。私とラックスマンが、その道の者に交渉すれば、あなた方の帰国の希望はそれほど難しくなく適《かな》えられるだろう」

と言った。光太夫たちにとっては余り気持のいい相手ではなかったが、併し、帰国の運動をしてくれる人物としては、恐らくラックスマンよりも一層頼みになる人物ではないかと思われた。

光太夫は悦んで招きに応ずるという返事をし、シェリホフを門口の馬車のところまで送って行った。

四章

年が改まって、日本の漂流民たちは宿舎で一七九〇年の元日を迎えた。日本に於て年号が変らないものとすれば天明も十年になる筈であった。

一月十四日にアンガラ川は氷結した。アンガラ川の氷結は、解氷と同じように、イルクーツクの市民にとっては生活に関係を持つ重大な事件であった。細かい雪が舞っている中を、光太夫たちは市民たちの群れに混じってアンガラ川の岸に流れの結氷するのを見に行った。この日八時にいったん結氷したが、十時に解氷し、光太夫たちが見に行った時は、折角凍った川の表面が粉々に砕けて、薄いびいどろの板でも流れてゆくように氷片が下手へ下手へと移動している時だった。本格的に結氷したのはこの日の夜の十二時であった。翌朝再びアンガラ川の岸に立ってみると、きのうまで川波を立てて動いていた青黒い流れは、ついに完全に白い氷に覆われていた。

結氷したアンガラ川を見に行った翌日、ラックスマン家から連絡があって、すぐ一人か二人家に来てくれということだったので、何事かと思って、光太夫は磯吉と新蔵の若い二人を連れて出掛けて行った。

光太夫はこの時ほど昂奮したラックスマンを見たことはなかった。ラックスマンは防寒衣と長靴に身を固め、これからヤクーツク街道に沿った小さい聚落へ出掛けて行くから、誰か自分について来るようにと言った。

「一体、そんなところへ何しに行くのか」

光太夫が訊くと、

「何しに行くとは何だ。こんな冬の真最中に、獲物がなければ出ては行かんわい」

と、ラックスマンは呶鳴った。

「獲物とは何だ？」

「何か判らぬが、とにかく普通の物ではないことだけは確かだ」

普通のものではないと言われても、光太夫たちにはそれが一体どのようなものであるか、見当はつかなかった。何でもイルクーツクから三十露里離れたヤクーツク街道沿いの一聚落で、井戸の中から奇妙な動物の頭蓋骨が発見されたということであった。磯吉と新蔵は夫人に手伝って貰って、二人とも夫人が出してくれた防寒服を纏い、長靴を履き、ラックスマンと一緒に雪の中に出て行った。光太夫はあとに残った。

夕方、辺りが暗くなりかけた時、三人は帰って来た。磯吉と新蔵が交替にかついで来たバッグにはいっているものは、なるほど得体の知れぬ動物の頭蓋であった。二、三日してから、光太夫がラックスマン家を訪ねると、ラックスマンは問題の頭蓋骨を前にして言った。

「太古この地方に住んでいた犀の骨であることが判った。たいへんなことである」

実際にこの犀の骨の発見は大変な事件であったのである。ラックスマンはペテルブルグの有名な動物学者パラスに報告し、パラスがラックスマンの名を冠して学界に発表したのはこれから約一年あとのことであった。


二月三日に、光太夫は役所に出頭を命じられた。昨秋ラックスマンが出してくれた帰国願いに対する官からの沙汰があったに違いないと思って、光太夫は衣服を改めて出掛けた。いつも出て来る役人とは違った人物が出て来て、

「このほど都から官牒が届いた。それには帰国の儀は思いとどまり、この地で仕官せよ。仕官するなら足軽に取り立て、カピタンまで昇進する道を開いてやる。もし仕官するのを好まないなら商人になったらどうか。商人になるというのなら、資本も与え、租税も免除し、住居の心配もしてやろう。こういう至れりつくせりの御沙汰である。有難くお受けするよう」

と言った。光太夫は顔から血の気が引いて行くのを覚えた。やはりそうだったかと思った。必ずしも予期しないことではなかった。心のどこかにこうした時の心準備をしていた筈であったが、それはあまり役には立たなかった。光太夫は昂奮を鎮めるために、多少の時間を置いてから口を開いた。

「御沙汰は有難く伺いましたが、一同、仕官することも商人になることも希望いたして

おりません。帰国することさえ御許可下さるなら、それが高官や富貴の身にお取り立て下さることより、何層倍かの御恩恵であります。どうぞもう一度よしなにお取り計らい戴きたい」

すると、相手は、光太夫が断ったことに対して、別段感情を動かさない面持で、

「それならば、もう一度帰国願書を提出してみるがよかろう」

と言った。頗る事務的な言い方だった。何度でも帰国願いを出すがよかろう、幾らでも取り次いでやるといった、頼みになるとも、ならぬとも言えぬ態度であった。イルクーツクへ来てから光太夫が接した役人の誰もが、多かれ少かれこうしたところを持っていた。

光太夫は役所から宿舎までの道を寒さも忘れて歩いた。粉雪が舞っている日であった。ラックスマンとホッケイチが願書を提出してくれたということで、あるいは案外簡単にこちらの希望が諾《き》き届けられるかも知れないと、それを期待していたのであったが、その期待はみごとに裏切られたのであった。

光太夫は宿舎へ帰っても仲間たちには官牒のことは話さなかった。暫く伏せておく方が無難に思われた。光太夫はすぐラックスマンとホッケイチに今後のことを謀った。その結果、こんども亦、ホッケイチとラックスマンに依って、帰国歎願書の文案が練られた。三月七日に、光太夫はその歎願書を役所に提出した。そして、同じ日に光太夫はシエリホフをその豪壮な邸宅に訪ねて、側面から自分たちの帰国の実現に力を藉《か》して貰う

ように頼んだ。光太夫としては、打てるだけの手を打ったわけで、もうあとは何もすることは残されていなかったが、光太夫は自分のやったことを信用し、それに期待しているわけではなかった。すべてが何の力も持たないであろうという気持を払拭することはできなかった。イルクーツクは一年中で一月の中旬が一番寒いということだったが、この年は二月になるともっと寒い日が続いた。その寒い二月の毎日を、光太夫は暗い気持で送った。

三月十日に、光太夫は役所にいつも月の初めに支給されることになっている金を受け取りに出掛けて行った。金を渡してくれるのはゴロデンチというひとのいい背の低い役人であったが、この日ゴロデンチは光太夫の顔を見ると、両手を左右に開くようにして、悲しげに眉を曇らせて見せてから、

「お気の毒だが、お前さん方に渡す金は先月で打ち切られてしまった」

と、低い声で言った。今までは毎月のように日本の漂流民の全員に一人当り三百文の金が支給されていたのであるが、それが打ち切られてしまったというのである。光太夫たちは三百文のうち二百文を一カ月の食費と部屋代として宿舎の主人に渡し、残りの百文を小遣いにしていたので、その金が来ないとなると、さしずめその日から生活に困ることになるわけであった。

光太夫は役所を出ると、足許の定まらぬふらふらした歩き方で歩いた。官牒のことは小市たちに伏せてあったが、こういう問題が起きて来たからには、もうこれ以上匿して

おくわけには行かなかった。

この日も雪は舞っていた。三月の声を聞いてから寒さはずっと薄らぎ、同じ雪をかぶった町ではあったが、何となく春の近づいている気配が感じられていた。この日はイルクーツクの市民にとっては特別の日であった。去年の十二月九日にペテルブルグの冬宮付教会においてベニアミンがイルクーツクの主教として任命されたが、その新主教ベニアミンが町に着く日であった。光太夫が役所を出る頃から、教会という教会の鐘はいっせいに鳴り始めていた。鐘の鳴りひびいている雪の町を、光太夫は酩酊《めいてい》でもしているように蹌踉《そうろう》とした足どりで歩いた。

町はいつもより明るかった。雪の細片が舞っている辻々は、新主教の姿をひと眼見ようとする人たちで賑わっており、主教の馬車の通過して行く街路の両側の所々には、すでにそれを待つ人々が屯《たむろ》していた。しかし、光太夫にとっては、この日はイルクーツクにはいってから最も暗い日であった。仕官するか、商人になるか、そのいずれかを勧めて来た官牒に対して、光太夫はそれを断り、重ねて帰国願いを提出したのであったが、こんどの一切の支給を停止して来た措置は、そうした日本漂流民たちへの一種の報復行為であることは明らかであった。光太夫はもう再び自分たちは故国の土を踏むことはできないだろうと思った。快くこの国に留まるなら昇進の道も開き、何かと便宜をはかってやるが、あくまで帰国に執するにおいては、自分たちで勝手に衣食の道を講ずるがよかろう、こういうことであった。支給さえ打ち切るくらいであるから、帰国の便宜を取り計らって貰うことなど夢にも考えられぬことであろう。

光太夫は宿舎へは戻らず、その足でラックスマン家を訪れ、いちぶ始終をラックスマンに伝えた。ラックスマンはちょっと考えるようにしていたが、

「こんどの帰国願いを提出したのはつい二、三日前のことである。それに対する返事が来るのは、今までの例からみて、七、八月の頃になるだろう。兎に角、それを待ってみる以外仕方あるまい。ただ問題は、それまで食べつなぐことだが、これはまあ、何とでもなる。いざとなれば、みんなわしの家へ来て食べればいい。それにしても宿舎に払う分と、多少の小遣いは要るだろうが、それはわしが集めてやる。この町の金持共は、学問の研究に金を出すことはしぶるが、慈善事業なら簡単に財布の口を開ける。みんな死んで極楽へ行きたいからだ。異国の漂流民が食うに困っていると聞けば、みんな賽銭《さいせん》のつもりで金を恵んでくれるだろう」

そんなことを言った。ラックスマンの言うように、生活費の方は金持の慈悲に縋《すが》っても得られるかも知れなかったし、それが厭なら魚を獲っても、大工の真似事をしても、多少の金にはありつけそうに思えた。金の方はまあ何とかなるとして、依然として問題なのは、ラックスマンが文案を考えて提出してくれた帰国願いの成行きであった。もう一度、それに対する沙汰があるに違いないという考えをラックスマンは持っていたが、光太夫はそれに望みをかける気持にはなれなかった。帰国願いを提出したのは全部で三回、こんどの措置は二度目の願書に対して行われたものであって、一切の支給を停止す

るというような強い態度がとられていることから考えても、三度目の帰国願いが簡単に受理されようとは考えられなかった。恐らく、もはやそれに対する沙汰は降《くだ》されないのではないか、と言って、この際、ほかにどうするという当てもなかった。たとえ、無駄とは判っていても、ラックスマンの言うように、三度目の帰国願いの反応を待ってみる以外仕方なかった。

光太夫がラックスマン夫人の労《いたわ》りの言葉を受けて、その家を出たのは日暮時であった。雪の町にはすでに灯がともっていた。光太夫はその足でホッケイチの家へ立ち寄ってみたが、ホッケイチは留守だった。光太夫はそこから更にシエリホフの邸宅に廻った。シエリホフもまた留守だった。光太夫はすっかり昏《く》れてしまった雪の町を歩いた。光太夫の気持はラックスマンの家を出たときよりも、一層暗く重くなっていた。

宿舎へ帰って、夕食をすませてから、光太夫は一同をペーチカの周囲に集めて、今まで自分一人の胸に畳んでおいた二月三日の官牒のこと、それに対してラックスマンと相談して、二、三日前に三回目の帰国願いを提出したこと、そして更に今日支給停止の沙汰があったことなどを順を追って話した。

「みなに、その都度謀るべきであったが、話しても芸のないことだったので、ここひと月ほどのことは、わしひとりの胸にしまっておかせて貰った。併し、こうなっては、もう匿しておくわけにも行かねえ。これまでいろいろと手をつくして来たが、まあ、今日の沙汰で、一応帰国の望みは断ち切られたと考えなければならぬ。みんな、もう一度何とかして郷里の土を踏みたいという一心で、アムチトカ島からカムチャツカ、カムチャツカからオホーツク、ヤクーツク、イルクーツクと、いろんな辛いことにも耐えて今日まで生きて来たが、こうなってみると、どうも俺たちが故国へ帰るという日はやって来そうもない。この世には、いくら望んでも、どうにもならねえことがあるようだ」

光太夫は言った。みな黙って聞いていた。死刑の宣告でも受けたように、それぞれが思い思いの方向へ眼を向けて一言も口から出さなかった。真先きに口を開いたのは小市だった。

「しようがねえな。この国で帰すめえと思っているものを、いくら帰ろうとじたばたしたところで、所詮無理な話と言うもんだ。考えて見れば、どだい帰ろうということが、虫のいいことだと思うんだ。そうじゃねえか、この国にしてみれば、何も頼んで来て貰った客じゃねえ。頼みもしねえのに、ふらふらとアムチトカ島の岸へ打ち揚げられて来た異国の漁師共だ。それが帰りたいと言うからといって、わざわざ大船を仕立てて、人をつけて、金を使って、送り帰してくれる気になるかや。俺は初めから帰ることなんざ、夢の中の夢だと思っていた。それが、今日、はっきりしたというだけの話だ」

「はっきりしたから、──それじゃ、どうすると言うんだ」

九右衛門が言った。烈しい口調だった。

「どうするかは、これからの問題だ。これから、みなで、それを相談するというわけじゃないか」

小市が言うと、

「相談したって、どうなるものでもあるめえ。何を相談するんだ」

「何をと言ったって、相談しないわけには行くまい。俺たちもこれから生きて行かにゃならんからな」

「ほう、この国で生きて行く⁉ 一生、この国で暮して、この国で死ぬ。ろくすっぽ言葉も通じないこの国で。――俺は厭だ。まっぴらだな」

九右衛門は形相を変えると、立ち上がって、荒々しく部屋を出て行った。磯吉があとを追おうとすると、

「ほっとけ。外へ行って頭を冷やして来たがいい」

小市は言った。すると、庄蔵が断ち切られた短い脚の方を抱えるようにして、

「俺は脚が一本失くなったから言うんじゃないが、俺はこの国で生きてもいいと思うんだ。どこで生きても、一生は一生だ。この国にはこの国のいいところがある。俺たちは伊勢で生れたんで、伊勢で一生を送るに越したことはないが、どういうものか、そうならないで、こんな何尺も地面が凍るほどの寒い国へ来るようなことになってしまった。神様の思召《おぼしめ》しでそうなったんだ。神さまには神さまの考えがあってのことだ。伊勢へ帰れなくなったって、何も力を落すには当るまい」

と言った。庄蔵は生来口数の少い方だったが、脚を失ってからは一層無口になり、仲

間が賑やかに話し合っている時でも、殆ど喋ることはなかったので、いまのように自分の意見を口から出すということは珍しいことだった。

小市がそれを受けて、

「そういう考え方もある。そういう考え方が出来れば結構だが、庄は別にして、なかなかみんなそうは悟ってはしまえめえ。だが、こういう事態になったんだから、悟ろうと悟るまいと、この国で生きて行かなければならねえことだけははっきりしている。さしずめ問題は金が来なくなったことだ。俺たちも食うために働かねばならん」

と言った。

新蔵が言った。

「食うのは何でもねえ」

「日本語学校の教師になれば食える。この国が、俺たちを故国《くに》へ帰したがらぬのは、ここに留まって日本語を教えて貰いたいからだ。それに決まっている、なあ⁉」

新蔵は庄蔵の相鎚を求めて、

「故国へ帰れないとなれば、そうするよりほか仕方あるめえ。難しい仕事じゃない。眼をつぶっていてもできる。みんなその気になれば、今日からだって立派に食って行ける」

と言った。庄蔵も新蔵と同じ意見には違いなかったが、庄蔵の方は黙っていた。新蔵の言い方には、トラペズニコフ、タターリノフ二人の二世たちの意見を代弁しているようなところが感じられた。庄蔵と新蔵の二人が二世たちと交際していることは、二人の教会通いと共に、仲間の間では公然の秘密になっていた。九右衛門に言わせると、庄蔵は不具の身になったために、新蔵はニーナという女ができたために、二人とも故国へ帰る気持を失って、教会通いしたり、二世たちと交際したりするようになっているというのであった。

「磯吉はどういう考えだ」

光太夫が訊いた。すると、

「おらあ、別にどうという考えもない。故国へ帰れねえということになれば、この国で生きて行く以外仕方ない。日本語学校の教師になればすぐにもいい生活はできるだろう。そうやって一生食って行くのもいいが、できるなら、おらあ、ラックスマンの仕事の手伝いのようなことをして、一生を送りたいな」

磯吉は言った。磯吉はラックスマン家に一番繁く出入りしていたが、それはラックスマンから、仕事を命じられたいためであった。ラックスマンから仰せつかる仕事は、標本造りも、鉱石潰しも、地図を描くことも、どれも磯吉には堪《たま》らなく興味あることらしかった。

九右衛門が肩に雪を乗せて戻って来た。外へ出てはみたものの、寒いので、すぐまた舞い戻って来たという恰好だった。

「すると、庄と新は日本語学校に勤め、磯吉はラックスマンに雇って貰う。俺も、まあ日本語学校に勤めさせて貰うことになるだろう。そのくらいのロシア語はできる」

　小市は言って、

「困るのはロシア語の喋れない九右衛門だな。九右衛門はどうする？　墓掘り人夫でもやって貰うか。あれなら言葉が喋れなくてもできるだろう」

　九右衛門はいったん坐ったが、すぐ立ち上がると、小市の方を睨んで、

「何とでもぬかせ。俺は歩いてでも伊勢へ帰る」

　実際に伊勢にでも歩いて行きかねない見幕で、再び部屋を出て行こうとした。

「まあ、九右衛門、待てよ」

　光太夫は九右衛門を制して、一同に、

「俺は九右衛門と同じように、どうしても故国へ帰りたいんだ。故国へ帰る望みはもう断たれてしまったかも知れないが、やはり、今年いっぱい待ってみようと思う。無駄かも知れないが、二、三日前に出した帰国願いに対する沙汰を待ってみることにする。日本語学校の教師になるにしろ、何になるにしろ、そうしたことはその上のことにしても遅くはあるまい。今年中は職に就かないで、あまり感心したことではないが、ひとの恵みに縋《すが》って生きることにしよう。金はラックスマンに頼んで俺が調達する」

と言った。新蔵が言ったように日本語学校の教師にさえなれば、この国で自活して行くことは容易なのである。そうとすれば、そんなことは毫末《いささか》も急ぐ必要はなかった。とことんまで帰国のことに奔走して、八方手を尽すべきなのだ。そして万策つきて、どう

してもこの国に留まらなければならぬ時になって、日本語学校の教師になればいいではないか。光太夫は新蔵の言葉によって、もう一度立ち直る気持を持つことができたのであった。ラックスマンの言うように、二、三日前に提出した帰国願いに対する沙汰を、何としても待ってみるべきだと思った。

この年は例年より早く春が来た。アンガラ川の氷が解けるのは毎年四月の中頃と決まっていたが、この年は三月二十日であった。氷結したのが一月十四日であるから、結氷期間は僅か六十五日、前年の百七日に較べるとかなりの開きがあった。

アンガラ川の解氷から二、三日して、トラペズニコフ、タターリノフの二人の二世たちが久しぶりで宿舎を訪れて来た。訪問の用件は、日本の漂流民たちが仕官して日本語学校教師になる気持はないかという打診であった。打診というより公然たる交渉といった感じの訪問だった。若《も》し、その気があるなら、長く閉鎖していた日本語学校を開校してもいいという考えをイルクーツク政庁は持っている、そういう話であった。こんどは、光太夫は相手の申し出をむげには退けなかった。

「この国に留まらなければならなくなったらさしずめ日本語の教師になるくらいのことしか、自分たちは口に糊する術を知らない。そうなったら、是非お世話願いたい。ただ目下政府宛てに三回目の帰国願いを提出しており、それに対する沙汰のあるのを待っているところである。無駄かも知れないが、帰国願いを提出してある以上、それがいかような形であるにせよ、一応の結着をみるまでは、志を変えて仕官するのもいかがかと思われる。それにもう一つ、日本語を教えるにしても、ロシア語の方は片言の域を出ていず、このままで教師の職についても日本語教育の実を挙げることはできない。多少でも本格的にロシア語を学んでおく必要があると思う。幸い今年いっぱいはいま言ったように沙汰待ちの期間であるので、それをロシア語習得に当てたらいかがなものであろうか」

光太夫は言った。二人の二世たちは光太夫のいうことを尤《もっと》もなこととして、日本の漂流民たちに日本語教師になって貰う前に、自分たちでよかったら、悦んでロシア語教授の役を引き受けようと言った。

そうしたことがあってから、トラペズニコフとタターリノフの二人は、毎日のように宿舎へ顔を出した。光太夫は小市にも九右衛門にもロシア語を二人の二世に学ぶことを命じた。新蔵、庄蔵、磯吉の若い者たちは日常会話に事欠かないぐらいのロシア語はいつか身につけていたので、毎日のようにレッスンを受ける必要はなかった。毎日レッスンを受けるのは、光太夫、小市、九右衛門の三人だったが、小市、九右衛門は一カ月ほどで音をあげてしまい、毎日の筈が、二日おきになったり三日おきになったりした。光太夫ひとりは熱心だった。実際に将来日本語学校の教師になりかねなかったし、教師にならないとしても、結局この国で後半生を過すようなことになるとすれば、読み書きは自在にしておかなければならなかった。

光太夫はロシア語の勉学に異常な熱意を示し出した。仲間たちが白樺で将棋の駒を作ったりして遊んでいる間も、光太夫は夜遅くまでロシア語の勉学を真剣に続けた。そして一日も早くロシア語で書かれた書物を読みたいと思った。この何年かに沢山の仲間が一人死に二人死ぬといった具合に死んで行ったが、いつ自分にも同じ運命が見舞って来るかも知れなかった。若し自分もこの地で死ぬ運命であるなら、自分の死ぬ場所がどんな国で、どんな人間が住んでいるかを知って死にたい気持だった。併し、反面、ひとたびその覚悟ができてしまうと、光太夫の帰国に対する願いはますます固いものになって行った。自分たちが見聞きしたものを、あまさず故国の人たちに伝えたいと思った。そして夜床へはいると、いつも、ここで挫《くじ》けてはならぬ、ここが正念場だと、そんなことを光太夫は自分に言いきかせた。

光太夫はトラペズニコフとターリノフの二人と親しく交ってみて、やはり性情に純粋のロシア人とは異ったもののあるのに気付いた。二人とも小柄であるのは無理からぬこととして、性格に他のロシア人の持たぬ神経質な面があって、それが煩しかった。日本の漂流民たちは二人を全く同等、公平に取り扱わなければならなかった。どんなとるに足らぬ些少なものでも、一人に与え一人に与えないと、必ず悶着《もんちゃく》が起った。二人とも吝嗇《りんしょく》であり、嫉妬心が強かった。それから自尊心も強く、それを傷つけられると顔色を変えた。

四月十日にイルクーツクの町は天日も曇るほどの強風に見舞われた。多くの民家の屋根は飛び、垣根が倒れた。女子修道院ではこのために屋上の十字架が崩れ落ちた。この颪の日、日本の漂流民たちはラックスマン家に颪見舞に行き、屋根を修理したり、庭木の倒れたのを起したりした。

それから何日か、毎日のように、光太夫たちは自分たちに生活費を出してくれることになっている富豪たちの邸宅を廻り、強風が荒して行った後始末をした。こうしたことにかけては、日本の漂流民たちは独特の才能と技術を持っていて、どこの家でも歓迎され感謝された。屋根でも築地《ついじ》でも手ぎわよく修理し、石も積めば、階段を漆喰《しっくい》で固めることもうまかった。

強風の後片付けが終ってから、光太夫は三日ほどラックスマン家に通って、日本の地図を作製する仕事の手伝いをさせられた。初めてラックスマン家を訪ねた時、光太夫は一葉の日本地図を示され、間違っている箇処を訂正するように言われたことがあったが、その時の地図とこんどの地図では較べものにならぬほど、こんどの地図の方が詳細でもあり、精密でもあった。

伊勢の国の附近を見ると河内、和泉、大和、伊賀、紀伊などの国名がかなり確《しっか》りした日本文字ではいっている。四国を見ると、讃岐、伊予、土佐、阿波の四つの名がちゃんと書きこまれてある。光太夫が命じられたことは、そうした国名を読んで、その日本文字の下にロシア文字で発音通り記入することであった。それから伊勢から江戸までの海岸線に並んでいる主な都邑《とゆう》の名を、その所在地点にロシア文字で書き込むことも命じられた。尤もこれはすでに他国語で書き込まれてあって、海岸線に並んで見慣れない横文字がぎっしりと詰まっている。

「一体、この地図は誰が作ったのか」

「これは百年ほど前におまえの国に二年間滞在していたドイツ人が描いたもので、死後出版された旅行記の中に収められてあるものだ。もちろん、これはその写しだが」

ラックスマンは言って、

「この地図の国の形や、島の形は正しいかどうか」

と訊いた。

「判らない」

光太夫はそう答える以外仕方なかった。そうしたことの正しいかどうかを判定する知識は、あいにく光太夫は持ち合せていなかった。

「ただここに書かれてある日本の字は正しく間違いなく書かれてある。そして国名の配置も概《おおむ》ね正確であろうと思う」

光太夫は言った。そして、

「これは、その日本に居たという人間が、その生国の文字で書いたものか」

と、地図の到るところに並んでいる横文字について訊くと、

「違う。これはオランダ語だ。オランダ語は国で聞いたことがあるだろう」

「そんなものは一度も聞いたことがない」

するど、何も知らん奴だなという表情をして、

「お前の国には、昔からオランダ人はたくさん行っている。この地図を描いたドイツ人も、日本にあるオランダの商館に勤めていた医師だ。お前の国には桂川甫周、中川淳庵というオランダ語のできる学者が居る。オランダの学者の本に名が出ている」

ラックスマンの口からふいに日本人の名が飛び出したので光太夫は驚いた。二人とも知らない名前だった。

「余はお前の国へ旅行したいと思っている。お前の国の山岳地帯と海岸地帯の植物の分布を知りたいのだ。またお前の国を走っている鉱脈についても、火山帯についても、大きい関心と興味を持っている。余がお前の国へ行ってみたいという気持は、恐らくお前がお前の国へ帰りたいという気持と同等なものであるか、あるいはそれ以上だ」

他の人物が言ったら腹を立てたに違いなかったが、相手がラックスマンなので、光太夫も聞き流しておくより仕方なかった。

光太夫は三日に亘って、ラックスマンの地図作りに協力した。光太夫は都邑のほかに知っている山や川も入れた。河川の流れの方向の判らないものは、河口のみを示して、そこに河川名を入れた。琵琶湖はいっていなかったので、琵琶湖も入れ、富士山も新たに書き入れた。

「川も山も大体のことしか判らない。正確なこととなると、私の任ではない」

光太夫が言うと、

「必ずしも正確なことは期待しているわけではない。お前が書き入れたこの地図を、他の日本地図に比較して、お前が犯した誤りを訂正して行く方法をとるだろう」

ラックスマンは言った。

この地図作製の手伝いをしたお蔭で、光太夫はまた新たに帰国に関して明るい思いを持つことができた。これだけこの国にも日本のことが判っているのであれば、自分たちが母国へ送り帰されるということも、そう突飛なことではないとしなければならなかった。少くとも暗夜の大海へ笹船を浮かべるようなことではないに違いない。この地図作りは漂流民光太夫にとってもいいことであったが、ラックスマンにとっても亦いいことであった。ラックスマンは光太夫に手伝わせて描き上げた一葉の地図を、四月二十日付のペテルブルグ科学アカデミーに宛てた報告書に添附して、それまでロシアになかった詳細な日本地図作製の栄誉を自分のものにすることができたのであった。

六月十七、十八、十九の三日間、イルクーツクは豪雨に見舞われて、アンガラ川は氾《はん》濫《らん》し河岸の一部は崩れた。

この豪雨の直後、ラックスマンはヤクーツクからビリュイ川流域方面への調査旅行に旅立った。目的は主として鉱物の調査であった。日本の漂流民たちは単身馬車を駆って出掛けるラックスマンを、その家の前で見送った。

「ひと月かひと月半で帰って来る。恐らく余が帰って来るまでに、お前たちの帰国願いに対する沙汰もイルクーツクの役所に届くことだろう。こんどは委曲をつくして認めてあるので、特別なことがない限り、帰国の願いは諾《き》き届けられるに違いないと思う。余は固くそう信じている」

ラックスマンは言って、馬に鞭《むち》を入れた。夫人が門口から飛び出して来て、馬車を追いかけ、いったん走り出した馬車を停めた。

「いつ帰宅するか、それを一応はっきりしておいて下さい。いい加減なことを言ってごまかさないで、できるだけ正確なことを言っておいて下さらないと」

夫人は言った。

「ひと月半ぐらいかな」

ラックスマンは鞭を振り上げたままで言った。

「ひと月半でしたら七月の終りか、八月の初めですね」

夫人が念を押すと、

「もう少し先になる」

「では、八月の中頃？　八月の下旬？」

「それでは帰れまい」

「九月？」

「多分、そうなるだろう。十月までには必ず帰る」

それと一緒に鞭が鳴った。多勢の子供たちが歓声を上げて馬車を追いかけた。

このラックスマンの旅行は結局四カ月に亘り、彼が帰って来たのは十月の中旬を廻った頃であった。ラックスマンの留守の間、光太夫は帰国願いに対する官牒の到来を待ったが、ついに役所からは何の沙汰もなかった。そしてこの間に、庄蔵がロシア正教に帰依して名をフョードル・シトニコフと改めるという事件が起きた。事件はあっという間に起った。

十月の中頃のことである。庄蔵は凍傷で失った脚の切断面に痛みを覚え、すぐ医者の診断を受けたが、医者は凍傷手術のあとさして多い例ではないが、時たまこのようなことが起ると説明して、

「生命《いのち》とりになることはないが、治癒するまでには病院生活を相当長く続けなければならぬだろう」

と言った。光太夫はすぐ庄蔵を入院させた。その日はみなで交替で庄蔵に付き添った。脚を切断するときでさえ苦痛を訴えなかったくらいだから、こんども庄蔵は一言半句も痛いとは言わなかった。併し、誰かに脚に触っていて貰いたがった。触って貰っていることで、痛みが紛れるもののようであった。

翌朝、磯吉が見舞いに行った時は、痛みは薄らいだらしく、庄蔵はさっぱりした顔をしていた。

「ゆうべはひと晩苦しんだが、今朝はもう何でもない。苦しい最中、いつも神の御名を呼んだが、呼ぶと、すぐ神は枕許に姿を現わして、俺の額に手を置いて下さった。俺はこれから長い間、神の許でないと生きて行けぬような気がする。俺は一生病身で過さな

けれ
ばならぬかも知れぬ。病身で過すにしても、神の許にいれば心平らかに過すことができる。それに病気が癒ったとしても、俺は故国へ帰れる身ではない。みんなが帰る時でも俺は帰れない。こんな体を引きずって故国へ帰る気は毛頭持っていない。ひとりで異郷で果てるにしても、神の許に居れば、少しも淋しくも悲しくもない」

　そして、庄蔵は磯吉の手を握り、

「俺は今日、正式にロシア正教に帰依する。すでに昨日入院する前にその手続きをとって来ている。みなの衆に言ってくれ、俺は今日から、日本人でも伊勢の人間でもなくなる。誰にも相談しないで、自分の一存でこんなことをしたことを、どうか許してくれるように言ってくれ」

　と言った。磯吉はすぐ宿舎に帰り、一同に庄蔵のことを告げた。光太夫は瞬間はっとして表情を変えたが、

「庄はそれがいいだろう。そうすることが一番いいことだ」

　と言った。実際にそう思った。すると、小市が、

「庄の奴は、教会に通うことに夢中だった。いつか帰依することは判っていたが、あいつは俺たちが帰国するのを待って、そのあとでしようと思っていたんだ。それをふいに思いたってやったのは、急に入院することになって金のことを心配したんだと思うな。入院費のことでみなに心配かけめえとしたんだ。ロシア正教に帰依して名前も改めれば、もう日本人ではねえ。ロシア人だ。金も貰える」

と、言った。

「いや、違う。やっぱりこんど病気が再発したことで、気持が挫けたんだ。神さまに縋りたい気持になったんだ。苦しいことや悩みごとに遇えば、神さまにしか頼れねえからな」

新蔵が言うと、

「本人に訊かなければ判らぬことだが、やっぱり金じゃねえかな。あいつは、医者に一カ月どのくらいかかるか訊いていた」

九右衛門は言った。

光太夫は仲間の許を離れて宿舎を出た。病院へ行く途中、光太夫は涙が頰を伝わるのを通行人に見られないように注意して歩いた。ふいにロシア正教に帰依し、異国に帰化することに踏みきった庄蔵の気持が哀れでならなかった。脚を一本失ってしまっている上に、また長患いしなければならなくなり、そのことで神に縋る気持にもなったであろうし、また金のことに気を配るところもあったであろうと思った。

庄蔵がロシア正教に帰依して、名をフョードル・シトニコフと改めたことは、前々からいつかはこのことあるを予想されてはいたが、日本の漂流民たちにとっては、――何と言っても残り少くなっていた櫛の歯がまたひとつこぼれたようなうそ寒い思いの事件であった。ロシア正教に帰依して改名するということは、とりもなおさずロシアに帰化することに他ならなかった。庄蔵が帰化したとなると、いまはニーナという肥ったひとのいい後家との関係が半ば公然となって来ている新蔵の場合も、そういうことがないとは言われなかった。若し新蔵までがそのようなことになると、あとに残るのは光太夫、小市、九右衛門、磯吉の四人ということになる。新蔵が留守の時など、

「新の奴もあぶねえもんだ」

九右衛門はよくこういう言い方をした。

「そうさの」

小市の返事はいつも決まっていた。小市はそれだけしか言わなかった。そういう小市の応じ方が九右衛門には気に入らないらしく、庄蔵は不具の身になったので致し方ないとして、新蔵にもしそのようなことがあれば、これだけは許すことができない、な、そうだろう、そうじゃねえかと、九右衛門はくどくどと言い立てた。そしてその挙句の果てには、いつも、

「そうさの、そうさのって、おぬし、一体どう思ってるんじゃ。新の奴に何とか言ってやったらどうじゃ」

と、小市に食ってかかった。

「言えと言うんなら、おらあ、いつでも言うぞ。ただ、言って、もし新の奴が、そんなら、おらあ、自分の考えてるようにさせて貰うわと開き直ったら、どうするんじゃ。返す言葉があるかや。俺は思うんだが、新の奴には触れないでおくに限る。触れないでおけば、あいつだって伊勢の漁師のはしくれだ。帰れるものなら、自分が生れた郷里へ帰

りたくなかろう筈はない。うっかり変なことを言ってみろ、あいつは開き直って来るぞ」

小市に言われると、九右衛門も黙るほかはなかった。充分そういうことになりかねなかった。残り少い仲間からもう一人の落伍者を出すことは、誰にしても避けたいことだった。避けたくあればこそ、九右衛門もがみがみ言いたくなるというものだった。

そういう小市や九右衛門の心の内を、新蔵の方はちゃんと見抜いているらしく、二人からニーナのことで厭味でも言われると、

「おらあ、みんなの邪魔になるんなら、邪魔にならぬように、身の振り方を考えてもいいんだぞ」

そんなことを言ったり、

「シトニコフんとこへ行って、相談にのって貰うか。あいつだけは俺のことを親身になって考えてくれる」

などと言ったりした。こんな場合に限って新蔵は庄蔵のことをロシア名で呼んだ。

光太夫は必死になって帰国への望みにしがみついている九右衛門や小市も哀れに思えたし、とうとうこの国で果てることになった庄蔵も哀れに思えた。新蔵のことはたいして気にかけていなかった。ニーナとの噂が立ち、教会通いや二世たちとの往来が目立ち始めた頃は、結局は庄蔵と一緒に新蔵をも棄てなければならなくなるだろうと考えていたが、いまはそう思っていなかった。新蔵には結構処世の才があって、仲間のうちでひ

とりだけ女も持ち、二世たちとも交際し、この国に居残るようになれば居残ってもいいという態勢を調えた上で、一方帰国のことは帰国のことで忘れていないところがあった。帰国できるようになれば、すぐその方に乗り替えるだけの、才略もあり、若さから来る柔軟さも持っていた。

光太夫は隔日か三日おきぐらいに、遠くにアンガラ川の彎曲部を望める丘の中腹の病院に庄蔵を見舞ったが、ある時、それとなく新蔵のことを訊いてみた。

「新の奴も、お前さんに倣ってロシア正教に帰依するつもりじゃないのかな」

光太夫が言うと、

「なんの」

と、庄蔵は大きく首を振った。

「脚が二本満足にくっついていて、なんで異国の土になる決心がつきましょうに。新蔵は、自分では気付いていないが、時折、口に出して、おふくろさんを呼んでいる。ひとりごとを言ってる。注意してみなせ。よく、おっかとか、おっかさんとか、口の中で言っている。おふくろさんに較べればもともとニーナなんて、とるに足らんもんでしょうが」

光太夫は聞いていて胸打たれるものを感じた。新蔵のためではなかった。新蔵にそのようなひとりごとを言う癖のあることも初耳であったし、それはそれで充分新蔵という人間を改めて考え直させるものを持ってはいたが、それよりそうした新蔵のことを語る庄蔵の語り口の中に、庄蔵自身の気持がはいっていることが感じられたからである。どこかに母親に対する己が思慕を、新蔵を借りて語っているようなところがあった。

それでなくてさえ、入院してロシア名を持ってからの庄蔵はしんとした静かな顔になっていた。庄の奴、名を変えたら顔までロシア人になってしまったわ、そう小市が言ったことがあるが、ロシア人とは言わないまでも、確かに日本人の顔ではなくなっていた。薄い頬髯をのばし、静かに枕の上にのせている面窶《おもやつ》れした顔は、教会に掲げてあるイコン*の殉教者の顔に似ていた。

磯吉はせっせと毎日ラックスマンの家に通っていた。ラックスマンの仕事の手伝いをしたり、下僕のように下働きまでしていた。磯吉だけはひとり異っていた。帰国のことはいっさい口にしなかった。充分いまの生活で満足しているように見えた。

光太夫は、ラックスマンが四カ月に亘った長い調査旅行から帰って来た頃から、帰国のことは考えないことにしていた。ラックスマンの手で三度目の帰国願いが提出されてから既に八カ月近い日時が経過していた。何とか沙汰があるものなら、もうとうにあって然るべきであった。小市や九右衛門の間にそれに関する話が持ち出されることがあったが、

「まあ、年内いっぱい待ってみることじゃ。もともと年内いっぱい待つことにしてあるんだから、それまで待つべし」

光太夫は言った。自分の言葉の持つ空疎さはやりきれなかったが、光太夫はそれに耐

えた。若し年内待って何の沙汰もなかったら、その時になって、仲間たち全部の身の振り方を考えればいいと思った。光太夫は日々濃くなって行く絶望的な思いを、自分の仕事に没入することで向うに押し遣った。朝から晩まで、光太夫は机に対《むか》った。ラックスマンの書棚から抜いて来た書物を、辞書を引きながら読み、判らないところがあるとラックスマンのところに訊きに行った。光太夫はこの国の大きい都市の名やその位置を知った。川も知った。山も知った。シベリアの大きさも知った。またロシアという国の歴史についても、現在行われている政治の形についても知った。ロシアという国の更に向うにある国々についても知った。またそれらの国々がそれぞれ異った人種によって構成され、それぞれ異った言葉を使っていることも知った。光太夫はもう決して故国の土を踏むことができないという暗い思いがのしかかって来ると、書物の頁を開いたり、矢立ての筆を取り上げたりした。そうした光太夫の姿は小市や九右衛門にはただごとではなく見えるらしく、二人はそのことは口には出さなかったが、時々不気味な眼眸を机に対っている光太夫の背に当てた。

十月二十六日に、一六九〇年に制定されたイルクーツク市の紋章が、この日正式に政府に依って許可された。この祝いで町は賑わった。雪が落ちている町を仮装した人々の列が行進したり、雑多な色のモールで飾られた馬車が何台も何台も続いたりした。この祝祭から十日ほど経って、ズナメンスコイ修道院内の教会の改築が成って、そのためにまた町は賑わった。こんどは鐘の鳴る町を、人々は雪にまみれながらズナメンスコイ修道院に向った。イルクーツクの市民全部が修道院のなかに吸い込まれてしまうのではないかと思われるほどであった。

この二回の祝祭の日には、両日とも、日本の漂流民たちは揃って病院に庄蔵を見舞った。庄蔵は市の紋章の祝いの日は町に出たがらなかったが、教会の改築祝いの日は、ひと目でいいから新装成った教会の建物を眼にしたいと言った。

十二月にはいった許りのある日、光太夫は呼ばれてラックスマン家へ赴いた。居間の窓際の椅子に腰かけて、ラックスマンは光太夫を待っていた。

「わしは年が改まると間もなく、官命を帯びて都に行く。ここ何年かの間にシベリア各地で採集した植物や鉱物の標本類を上納するためである。わしはこんどの旅にお前を同道したいと思う。お前たちの帰国のことも、このままではいつ埒があくともわからない。三月提出した帰国願いに対する沙汰がいまだないということは、帰国願いが都には届かないで、途中で握りつぶされているためだと思う。この上はお前自ら上京して、直接皇帝陛下に歎願する方法しかあるまい。陛下にお目にかかるのは容易なことではないが、わしが万事取り計らってやる」

ラックスマンは言った。ラックスマンは十月、調査旅行から帰ってからも、光太夫たちの帰国のことについては一言も口に出したことはなく、その点日本の漂流民たちには何となく頼りなく思われていたが、やはりラックスマンはそのことを忘れていたわけではなかったのである。光太夫に異存のあろう筈はなかった。突然、闇夜にひとすじの光が射して来た思いであった。

光太夫は宿舎に帰ると、すぐ小市たちにそのことを話した。

「都に上るのはお前さんひとりか」

小市は訊いた。

「都へ上るのにはたいへんな費用がかかる。それはみんなラックスマンの世話にならなければならぬ。全員揃って上京したいが、そんなわがままは口に出せないわな」

光太夫が言うと、

「何もみんな揃って行きたいわけではない。ただ、俺はお前さんが都へ上ったまま、いつまで経っても帰って来なくなるんじゃないか、そんな気持がふとしたんだ。よもや、そんなばかなことはあるまいとは思うが」

小市は言った。すると、九右衛門が、

「なんの、そんなことがあろうに。俺はこの国の役人の言うことはもういっさい当てにしないが、ラックスマンの言うことだけは信用する。めったに余分な口はきかないが、あのひとだけはちゃんとしたひとだ。ラックスマンが同道せよと言ったら同道することじゃ。行って来るこっちゃ」

こういう場合にはいつもひとごねする九右衛門であったが、この時はひどく話が判った。光太夫は喋っている九右衛門の顔を見守っていたが、

「お前、何を泣いてる」

と言った。九右衛門の頰が涙で濡れているのを見たからである。

「嬉しくて、つい涙が出た。俺は、お前さんが都へ行って、直接帰国のことを歎願すれば、案外容易に道は開けそうな気がする。俺たちは国へ帰して貰えそうな気がする。あの伊勢の浜の砂をこの足で踏めそうな気がする。そうしたら、まず家へ帰って、茶を飲んで、餅を食うんだ。腹がさけるほど餅を食うんだ」

九右衛門の言葉は嗚咽《おえつ》に変って行った。手ばなしで肩を大きく震わせて泣いた。そして暫く泣き続けていたが、泣きやむと、

「俺は安心した。すっかり安心した。安心した序でに、済まんことだが、俺はやすませて貰うことにする。この間から体がすっかり疲れている」

九右衛門は立ち上がると、自分の寝室になっている隣室へはいって行った。その九右衛門の背を見送ってから、小市は首を二、三回ゆっくり横に振ってみせて、

「ただじゃないぞ。俺、きのう、あいつが裸かになったところを見て胆をつぶした。まるでかんぜよりじゃがな」

と、低い声で言った。その日から九右衛門は寝ついた。光太夫はすぐ医師の来診を求めたが、医師ははっきりしたことは言わず専心ものを食べさせることだと言った。併し、九右衛門は床に就いた日を境にして、まるで断食でもする気ではないかと思われるほど、いっさいの食物を拒否した。まるで食慾というものはないらしかった。誰の眼にも九右

衛門の容態はただごとではなく思われた。

「食うこっちゃ、食うこっちゃ」

九右衛門の枕許では、みな同じことを言った。新蔵はニーナのところから栄養のありそうな食物を持って来、磯吉は磯吉でラックスマン家からチーズや夫人の手作りのスープなどを運んで来た。九右衛門は仲間の親切を無にしないために、仲間の居るところではそれを口に運ぶ真似をしたが、実際は胃の中に収めていなかった。少しでも物を食べると、嘔気が病人を苦しめた。

十日程の間に九右衛門の顔は全く別の人間の顔になった。頬はげっそり痩せ、口から出す声も、聞えるか聞えないかの精気のない重病人のそれになった。

十二月二十五日に、光太夫はラックスマンの家へ行って都へ上る旅の準備の打合せをした。ペテルブルグまでは五千八百二十一露里、昼夜兼行で道を急いでも三十五日から四十日かかるということで、しかも時は厳寒期に当っており、旅拵えは周到の上に周到でなければならなかった。また宮中に伺候するようなことになった場合に備えて、服装や所持品にも気を遣わなければならなかった。

いつものようにラックスマン夫人の手作りの料理を御馳走になり、光太夫がラックスマン家を辞そうとしたのは、十時を少し廻った時刻であった。玄関の扉を押して外へ出た瞬間、光太夫は何気なく空を仰いで、いきなりそこに棒立ちになった。その夜は珍しく雪は落ちていなかったが、その雪の落ちていない空に異変が起っていた。黄緑色の巨大な光の固まりが、長く尾を曳いた形で暗い中に浮き出ていた。光太夫はこれほど驚いたことはなかった。再び玄関に跳び込むと、大声を出してラックスマンを呼んだ。ラックスマンも夫人もすぐ出て来た。

「極光だ」

ラックスマンは空を仰ぎながら言った。

「別に妖《あや》しい光ではない。出ずるべくして出でた天体の光である。ただ、こういう光の出る年はひどく寒いことになっている」

併し、そう言われても、光太夫は胸騒ぎをしずめることはできなかった。妖しい光ではないと言われても、生れてから今日までの間にこのようなものを眼にしたこともなければ、このようなものについて語られるのを耳にしたこともなかった。光太夫は不吉な思いを持った。その不吉な思いはすぐ病んでいる九右衛門に結びついた。九右衛門の身に変事がなければいいがと思った。

年改まると一七九一年、年号が変らない限りに於ては、故国においては天明も十一年をかぞえる筈であった。この年は明日も判らぬ重病人を抱えて、日本の漂流民たちは正月の祝いどころではなかった。アムチトカ島に漂着して以来、どんなことがあっても正月が来ると、光太夫たちは故国の風習に従って、たとえ真似ごとではあっても雑煮だけは祝って来たが、今年初めてそれを略した。四六時中、交替で九右衛門に付き添って看病した。

都へ向けての出発は十五日に決まった。光太夫は旅の準備をしながらも気が気ではなかった。瀕死の病人を棄て置いて都へ旅立つことは甚だ気に添わぬことではあったが、と言って、旅の出発を延ばすことをラックスマンに謀るわけにも行かなかった。

そういう状態のところへ三カ日があけるかあけないに、新蔵が突然高熱を発して倒れた。この方もいっこうに熱が下がらず、半ば意識を失って譫言《うわごと》を言う日が続いた。

光太夫、小市、磯吉の三人は、枕を並べて寝ている二人の病人の看護に明け暮れた。光太夫は夜空に仰いだ妖《あや》しい光を時々思い出したが、そのことは口から出さなかった。

十三日丑の刻に九右衛門は歿した。いつ息を引きとったか判らぬような亡くなり方で、最後の数日は何の苦しみもないらしく、看護人が水の滴で喉《のど》をうるおしてやると、微かに眼を開いて感謝の意を現わしていた。

十四日、九右衛門の体は小さい木製の箱に入れられ、光太夫、小市、磯吉の三人の仲間と、タターリノフ、トラペズニコフの二人の二世と、それからラックスマン、イルクーツクにおいて知り合ったロシア人の男女数人に付き添われ、市の端れにある丘陵の上のエルサレム墓地に向った。雪片の舞っている日ではあったが、時々薄陽が射し、雪の凍りついた白い路上に葬列者の影を落した。市民たちは見慣れない異国人がつき随っている葬列を好奇の眼で眺め、信心深い老人たちだけが葬列の方に十字をきって頭を下げた。

葬列はこの国の様式によったものであったが、殆ど日本の場合と変らなかった。何枚かのタオルを繋ぎ合せて作った紐で棺を吊り、その紐の両端を葬儀屋の二人の若者が肩にかけて担《かつ》いだ。棺の前には若い僧侶が二人、棺のあとには葬式を司る僧侶、それから光太夫、ラックスマン、小市、磯吉、それに続いて二人の二世、故人と親しかったロシア人の男女たちが随った。

葬列はプレジ・デクチャウナヤ通りから、それと直角に交るザモルスカヤ通りにはいり、この町で最も美しい寺院とされているクレスト・ウォズドビジェンスカヤ寺院の前に出て、その横手のだらだら坂を高台へと登って行った。

高台の墓地は、その高台を埋めている大きい森の入口にあった。墓地にはいる門の前にはエルサレム寺院があり、墓地はこの寺院に附属しているのでエルサレム墓地と呼ばれていた。この寺院の前はイルクーックの町全体を俯瞰《ふかん》できる恰好な見晴し場所として知られており、春や秋の墓参の季節は墓参者で賑わった。墓地はこのエルサレム墓地のほかにもう一カ所河岸のスパスカヤ寺院の境内にもあったが、この方は知名人の墓が多く、一般の市民はこのエルサレム墓地に葬られていた。

「いい墓地じゃないか」

小市は言ったが、確かにイルクーックではこれ以上の場所はあるまいと思われるところにある墓地であり、せめてもそれがここに眠る九右衛門への慰めであった。だが、ここに九右衛門を葬るのに問題がなかったわけではない。九右衛門がロシア正教に帰依していないことで多少の悶着はあったが、この葬列には参加していなかった庄蔵が自分の属している教会の神父に事情を訴えて、その神父の口ききで九右衛門はエルサレム墓地に入れて貰うことになったのであった。

土葬であった。焚火をして土を温めた上で掘られた深い墓穴の中に、九右衛門の小さくなった体を納めた柩は、上部に薄く雪を載せたまま静かに落されて行った。

葬儀が終って、そろそろ一同が墓地から引き上げようとする時、トラペズニコフとタターリノフの二人が、自分たちの父親を初めとする曾てこの町で果てた七人の日本人の墓地もここにあると言った。それではということで、光太夫たちは他の会葬者と別れて、二人の二世のあとについて行った。

光太夫は何となく日本人たちが一カ所に固まって葬られているように思っていたが、そうではなく、墓は方々に散らばってあった。それぞれがロシア人になって、ロシア婦人と結婚して子供も持っていたので、考えてみればこれは当然なことであった。墓石に刻まれている名前もロシア名で、そこに眠っている者が日本人であるということは、その墓石からは判らなかった。

――これじゃ、もう全くロシア人の墓だな。

光太夫はそうした感慨を持った。そして、それぞれロシア人として葬られ、しかもそれになりきって眠っている曾ての日本人たちの墓の前で、それにふさわしく十字をきり、黙禱して頭を下げた。小市も、磯吉もまた同じようにした。それから光太夫たちは二人の二世にもう一カ所別の墓処に案内された。たくさん並んでいる墓石の中に、目立って古く小さい苔むした墓石があった。二人の二世たちも誰の墓か知っていなかった。ただ子供の時からこれが日本人の墓であると聞かされて来たということであった。

小市は長いこと墓石の面を覗き込んでいたが、

「なるほどな、日本の字が書いてある」

と言った。光太夫も磯吉もそれを覗き込んだ。そしてあれこれ言い合った末に、光太夫はその文字を〝享保十年〟と読んだ。確かにそう刻まれてあるに違いなかった。確かにそれは日本人の墓であった。享保十年（一七二五年）というと六十六年ほど前である。その頃一人の日本人がイルクーツクで他界し、あとに残った日本人の手で墓銘を刻まれ、ここに葬られているのである。

「九右衛門もこれで連れができた」

小市が言った。そういう小市を見ると、小市はこの墓石の前では膝を折って身を屈め、日本式に合掌して頭を下げていた。

それから一同はもう一度九右衛門の墓処に戻り、その上で墓地を引き上げた。三人の日本漂民と二人の二世は、これまでにないことだったが、互いに何となく血族者が寄り添っているような気持で、生前の九右衛門のことなど話し合いながら、風が落ちて気温の降った町を宿舎へと帰って行った。

五　章

九右衛門の葬儀の翌日、光太夫は新蔵の介抱を小市、磯吉の二人に頼んで、ラックスマンに随って都ペテルブルグに向けて出発した。ラックスマンは三人の従者を随えていたので、光太夫を入れて一行は五人であった。ヤクーツクからイルクーツクへ来た時の旅も同じ厳寒期であったが、こんどの旅はそれに倍する距離であった。橇はイルクーツクを離れたその日から、固く凍てついている雪の道を昼夜の別なくひた走りに走った。大森林にはいると、永遠にそこから出られないのではないかと思うほど何日も大森林の中の旅が続き、樹木の一木もない大雪原へ出ると、またそこの旅が何日も続いた。終日氷の張り詰めている川筋に沿って走ることもあった。馬を替える駅は到るところにあった。どの駅にも何台も何十台もの橇が停まっていた。さすがはモスクワ街道のことと て、厳寒期においても西から東、東から西への交通は絶えることなく続けられていた。併し、その割に雪原の中でシベリアに向う旅行者の橇とすれ違うことは少かった。

一行がイルクーツクとモスクワの丁度中間地点にあるトボリスクの町にはいったのは、イルクーツクを出てから十三、四日目であった。一行はトボリスクで二日間の休養をとった。トボリスクはイルクーツクと同じくらいの大きさの町であったが、町の表情はイルクーツクより暗く、市民たちの生活も貧しげであった。西シベリアの行政的、軍事的、宗教的中心地だと聞かされていたが、厳寒期のためか町にはそのような活気は見られなかった。町の一方は丘になっていて、その上に大きな石造建築が甍《いらか》を並べ、丘を取り巻くようにトボル川とイルティシュ川が流れている。丘全体が一つの要塞になっていた。要塞の中にはトボリスク総督府の庁舎、総督の官舎、武器庫などがあり、北側と東側には幾つかの稜堡が見られた。

要塞内の建物はすべて石造であったが、要塞の丘の下一帯に拡がっている市街地には、丈低い木造の民家が地を這うようにして並んでおり、民家の多くは雲母を張った窓を持っていた。低い家並みの中からは教会の鐘楼だけが高く突き出ており、その鐘楼は頂きに金色の丸屋根と十字架を持っていた。教会は全部で十五ほどあった。町の中心部を外れると農家が多くなり、農家はいずれも牛小屋とか厩舎とか納屋とかの建物を持ち、前庭を広い菜園にしていた。家の内部を覗くと、どの家も粗末な椅子と机と寝台だけの質素な生活振りが窺えた。

この町では、朝夕牧夫が家畜の群れを追い立てて通る光景が見られた。牧夫や家畜たちの吐く息の白いのが光太夫には珍しい見物であった。大体、この町は家畜を放し飼いにすることが多く、春先きなど町中到るところで、仔豚や鵞鳥《がちょう》などが水溜りのある広場に群れているのが見られるということであった。何代か前の知事は町の美観を保持するために、家畜の放し飼いを禁じ、放し飼いの豚は見付け次第射殺し、それを病院の病人食に当てるという触れを出し、実際にそのようにしたが、結局はその場限りのことで終ってしまったということであった。夜は暗かった。燈油の値段が高いので、市民たちがランプを早くから消してしまうためであった。

知事はア・ウェ・アリャビエフという人物であった。学問や芸術が好きで、この町に初めて劇場を建て、印刷所を作ったことを何よりの自慢にしていた。毎夜知事の邸宅には、この町の数少い知識人が招かれて一つのサロンを作っていた。光太夫はラックスマンに連れられて、その知事の家の夜の集りに顔を出した。そこで二人の人物に注意を惹《ひ》かれた。

一人は優れた作曲家として知られている知事の息子であり、一人はこの国の有名な思想家で、シベリアへの追放途上にあるラジシチェフという中年の貴族であった。どちらもこれまでに見たことのない型の人物であった。作曲家の方は口を開くと人の悪口だけが飛び出した。その席で話題にのるいかなる人物をも手厳しくやっつけた。併し、それを聞いていて不快ではなかった。ラジシチェフの方はこの日初めてこのサロンに顔を出したらしく、知事アリャビエフは自分が流刑者をいかに優遇しているかということを示すために、ラジシチェフの経歴を一座の者たちに詳しく話して聞かせた。

ラジシチェフは一七四九年にモスクワの貴族の家に生れ、七歳までサラトフ県にある父の領地で過し、後にモスクワで学び、十五歳の時ペテルブルグに移って、一時その地の幼年学校に籍を置いた。一七六六年にドイツのライプチヒ大学に留学し、法律、神学、哲学、文学、言語学を学んだ。そして一七七一年帰国して元老院に勤務し、社会主義思想の先駆者と見做されるフランスの歴史家であり、哲学者であるマブリーの翻訳などをしたが、七三年に軍法会議の法務官に転じた。そして七三年から七五年にかけて勃発したプガチョフを首領とする農民戦争の推移を見ていて、農奴制の矛盾を考えるようになった。一七七七年に商務省の勤務に移り、八〇年にペテルブルグ税関の副長となった。この頃ラジシチェフは他人との交際を断ち、専ら読書三昧にふけり、彼の運命を決定する大著『ペテルブルグからモスクワへの旅』の執筆に取りかかった。そしてそれを脱稿すると、ペテルブルグの警視総監エヌ・ルィレーエフの許に提出、検閲を受けて出版の許可を得た。併し出版を引き受けてくれるところがなかったので、自費出版を計画し、活字を買い込み、自宅の一室を工場とし、友人二人の手助けのもとに六百部を印刷、その中の二十五部をゴスチンヌイ・ドボル通りのゾトフ書店に出し、ほかは知人に配った。一七九〇年五月のことである。この書物はペテルブルグの知識人の間に大きな話題を呼び、やがて女帝エカチェリーナの許に届けられるに到った。エカチェリーナはこれを読んで、怒りの余り、「ラジシチェフはプガチョフよりもなお悪い」と声を震わせて叫んだ。書物が出版されてから丁度一カ月後の六月三十日にラジシチェフは逮捕され、ペトロパウロフスクの要塞に監禁の身となり、八月八日ペテルブルグの刑事法廷で行われた裁判の結果四つ裂きの刑を宣告され、元老院で承認された。併し、女帝はどう思ったのか勅令をもって刑一等を減じ、ラジシチェフをシベリアのイリムスクへ十年の流刑に処することにした。

いまラジシチェフはその流刑地に赴く途中だったのである。勿論貴族の身分や位階は剝奪《はくだつ》され、初めは足枷《あしかせ》まではめられていたが、商務大臣ウォロンツォーフの奔走で現在は足枷だけは免じられていた。光太夫の眼にはラジシチェフは長身、瘦軀、蒼白の面貌を持った気難しそうな人物として映った。彼は一言も喋らず、憂鬱とも傲岸とも受けとられる態度で、サロンの片隅の席に腰を降ろしていた。ラジシチェフは自分のことが語られているのに、何か他人の演説でも聞いているように時折知事アリャビエフの方へ顔を向け、終始無表情で押し通していた。

ラックスマンと光太夫は、翌日ペテルブルグへ向けてトボリスクの町を発って行ったが、ラジシチェフの方は、自分の三人の子供と義妹の到着を待って、この町にその後もしばらく滞在していたのであった。そして流刑地イリムスクへ赴くと、都督の官舎を宿舎として与えられ、そこで彼は自分の著述の仕事に専心する傍ら、現地の住民に陶器の造り方を教えたり、その子供たちを教育したり、また種痘まで行ったということである。ラジシチェフの種痘は一七九六年のジェンナーのそれより早かったとさえ、シベリアでは言い伝えられている。彼は流刑地において、『人間の死と霊魂不滅についての考察』『中国貿易についての書簡』『シベリア世代史』等を書いた。併し、ラジシチェフをロシアの革命的思想の先駆者たらしめているものは流刑のもととなった『ペテルブルグからモスクワへの旅』である。彼はシベリアで義妹と結婚し、エカチェリーナ女帝の死後許されて帰ったが、農奴制支持者たちの迫害は続き、一八〇二年に自殺した。

トボリスクを出発したラックスマン、光太夫の一行は昼夜兼行で橇を走らせた。トボリスクより百五十露里の地点にエカチェリンブルグという町があった。この町は一七二一年にピョートル帝が初めて府城を建てたことが始まりで、町造りはエカチェリーナ一世の治世になってから完成したということだった。ここはウラル山中の都邑《とゆう》で、近くにこの国第一の銅山があるところから、銅貨の鋳造所があり、造られた銅貨は馬の背につけられて都へ運ばれていた。またこの町は、紅、もえぎ、黒などの斑文を持った白質の大理石を産した。紅まだらのものが一番上質とされていた。この町では家屋もこの石で造られ、家具什器類の多くもこの石で造られていた。

エカチェリンブルグを過ぎてからの主な都邑としてはカザンがあった。ここは人家二千四、五百、街路の両側に二十間おきに燈籠が立っていて、夜になると灯がともされた。この地は上質の木綿を産し、石鹸も亦ここの産物であった。この地方の産物は従来ウォルガ川から黒海に運ばれ、トルコとの交易品となっていたが、現在はトルコとの間に戦闘が開かれていたので、概して産業には活気がなかった。町に韃靼《だったん》人の多いのが目立った。

カザンを過ぎると、官人の隠居街として知られているニジノゴロドという町があった。

人家は四千ほどで、官人の邸宅は丘の上にあり、商店街は丘の下に拡がっていて、劇場、賭博場などがあって賑やかであった。この町も亦韃靼人が目立ち、ほかにゲルマニア、オランダなどの異国の商人の姿も見られた。ゲルマニア、オランダの商人たちは、それぞれ自国の宗教の寺々を建てているということだった。

一行はエカチェリンブルグ、カザン、ニジノゴロドの都邑には半日休息しただけで、昼夜兼行で道を急ぎ、モスクワに到着して初めて、そこに一泊した。モスクワは往古からロシア王の都城の地であって、宏麗繁華を極めた大都邑であった。近年ペテルブルグに新たに都城を営んで、国王はそこを都としたので、首都としての賑盛さはペテルブルグに奪われていた。それにしても人口は凡そ十五万、街の周囲は十五露里、百工商賈《しようこ》備わらざるはなく、交易の市場の数は六千余に及ぶということであった。

モスクワからペテルブルグまでは立派な官道ができていて、三十四カ処の駅站《えきたん》があり、駅ごとに二十余頭の馬が、行旅を遅滞なからしむるために備えられてあった。一行はこの街道を橇でひた走りに走り続けた。橇は普通馬八頭によって引かれていたが、道路の悪いところに来ると、馬数は十八、九頭から二十五、六頭ぐらいまでを算えられた。冬は橇であるが、夏には替って馬車が用いられた。橇は昼夜の別なく走り続け、一昼夜よく二百露里を走った。光太夫は慣れないうちは眩暈《めまい》を覚えて耐え難かったが、モスクワを過ぎる頃からこうした旅に慣れた。

ラックスマン、光太夫の一行が、目的地ペテルブルグに到着したのは二月十九日であった。イルクーツクを出たのが一月十五日であるから、六千露里に近い行程を約一カ月の日数で踏破したわけで、いかにこの旅が強行軍であったかが判る。

ペテルブルグにはいると、光太夫はラックスマンと共に官より与えられたワシリエフ地区の宿舎に落着いた。そしてペテルブルグにはいった二日目に、光太夫はラックスマンの取次ぎで、アレクサンドル・アンドレウィチ・ベズボロドコという高名な政府の要人の許に帰国願いを提出した。帰国願いを出すために遠路はるばるやって来たのであるから、そのことだけは先きにやってしまっておこうというラックスマンの考えであった。が、このことは光太夫にとっては倖せであった。と言うのは、帰国願い提出の労をとってくれた日からラックスマンは傷寒*のような病気にかかり、いきなり危篤状態におちいってしまうという全く予想しない事件が起きたからである。

光太夫は昼夜の別なくラックスマンを看病した。ラックスマンは殊のほかの大病で、一時は生命をとりとめることも覚つかなく思われ、光太夫の心労は並み大抵のものではなかった。治療には官医が当り、官医は毎日やって来て病人を診察し、フラスコに入れた煎じ薬と粉薬を飲ませた。煎じ薬を飲ませる時は、大匙《おおさじ》二杯の白湯に煎湯を混ぜ、それを日に三回、幾滴と算えて、ラックスマンの口の中に滴《たら》し落した。看病には光太夫のほかにラックスマンの弟と、ラックスマン夫人の兄に当る人物とが当り、二人共日夜病床につき添って介抱した。宿舎には官差し廻しの軽卒が二人詰めていたので、すべての雑用はその二人に任せた。

ラックスマンの病状が快方に向ったのは一カ月経った三月の終りであり、床を離れて室内を歩けるようになったのは四月の中旬を過ぎてからであった。光太夫はその間宿舎から一歩も外出しなかった。ロシアの首都ペテルブルグがいかなる都会か全く知らなかった。暦が五月にはいった日、ラックスマンは初めて宿舎を出て近くを散歩したが、光太夫もラックスマンに随って大きな石造りの建物の並んでいる街を歩いた。五月と言っても、ここはまだ陽の光が春めいているだけで、戸外の空気は冬の冷たさであった。

「五月にはいったのに、官からは何の沙汰もないな」

ラックスマンは着ぶくれた病後の躰をゆっくりと運びながら言った。

「もう秋まで待つ以外仕方ないと思う」

光太夫が言うと、

「どうして？」

ラックスマンは不審げに訊き返した。

「きのう宿舎の者の話では、国王は皇族をはじめ百官の尽《ことごと》くを引き連れて、ツァールスコエ・セロの離宮へお移りになり、九月まではお帰りにならぬとか、――」

光太夫が言いかけると、

「そうか」

と、ラックスマンは初めてそのことに気付いたように頷いて、

「そうか、病気していて忘れていたが、もう五月にはいったのか」

と、感深そうに言った。毎年エカチェリーナ女帝は五月一日にペテルブルグより二十二露里隔たっている避暑地ツァールスコエ・セロの離宮へ移り、夏の四カ月をその地で過し、九月一日にペテルブルグへ帰るのが恒例になっているということであった。

「それなればお前もここからツァールスコエ・セロに移るがよかろう。わしにも考えていることがある。兎に角、ツァールスコエ・セロに身柄を移しておいて貰いたい。向うの宿舎は適当なところを考えてやろう」

ラックスマンは言った。光太夫はラックスマンの言葉に随ってはるばるペテルブルグまで来たのであるから、万事ラックスマンの言うなりに行動するつもりであったが、ただ、いまの場合、ラックスマンと離れることは何と言っても心細かった。そのことを口に出して言うと、

「わしも完全に躰が癒り次第、ツァールスコエ・セロに行く。もう十日か十五日もしたら、くるまに乗ることもできるだろう。が、お前は、それまで待ってわしと一緒に行くより、一日でも早く行っている方がいい。機会というものはいつやって来るか判らぬ」

そのラックスマンの言葉に光太夫は随うことにした。それにしても、まだ春さえ完全には来たと思われぬのに、毎年の恒例とは言え、皇族百官のすべてが避暑地へ引き移るということが、光太夫には訝《いぶか》しく思われた。それに対して、

「女帝がお移りになると、必ずペテルブルグは暑くなる。女帝は自分がなさることを決して無意味にはなさらぬだろう。女帝はそのようなお方じゃ。そのようなものをお持ち

になってお生れになった方じゃ」

ラックスマンは言った。

翌日から光太夫はひとりで街に出た。ラックスマンが言ったように近くツァールスコエ・セロ行きが実現するとなると、それまでにペテルブルグの街を一応眼に収めておきたいと思ったのである。勿論、ツァールスコエ・セロへ行っても、再びペテルブルグへ帰って来ることは明らかであったが、それにしても、官からの命令でどのようにでも動かなければならぬ身であってみれば、見られる間に見ておくに如《し》くはなかった。

街はロシアの新都城だけあって、美麗を極めていた。ネワという大河がその間を流れて、三つの島を形成しており、街はその三つの島から成っていた。本城のある島をペテルブルグ地区、官庁のある島をアドミラル地区、商店の居並んでいる島をワシリエフ地区と呼んでいた。ワシリエフ島は街衢《がいく》を十二に分ち、橋を以て二島に通じていた。どの地区に限らず、人家はいずれも二、三階で、屋根には甎《ひらかわら》が葺いてあった。官庁も民家もさして差異はなく、街路の真中には幅十間ほどの掘割があって、ネワの水を引いて用水とし、岸は大きい石で畳んであった。石はいずれも八、九尺四方の大きいもので、雨中でもその岸の石畳の上を歩けばぬかるむということはなかった。そしてその岸には二十間ごとに水面に向って石の階段が設けられてあって、そこで水を汲むことができるようになっていた。また岸には鉄の欄干がつけられてあって、欄干の彫透《ほりす》かしの模様は金で縁どられたしゃれたものであった。勿論、掘割にはところどころに石の橋が架けられてあった。

また街路の両側には二十間ごとに、赤銅で六角に造り、硝子をはった高さ三間ほどの燈籠が立っており、暮方になると、そこに蠟燭ともす仕組みになっていた。従って夜でも提燈を提げて歩く必要はなかった。光太夫はカザンの町でも、街路に燈籠の立ち並んでいるのを見たが、ペテルブルグの場合はそれと較べることができないほど立派であった。

ネワ川の大きい流れには島から島へと浮橋が渡されてあったが、アドミラル地区とワシリエフ地区を繋ぐ最も大きい橋は、長さ百二十間ほどあった。橋はいずれも五百石ぐらい積める船を横に何艘も並べ、それぞれを大錂錨《いかり》で留め、それらの船の上に角材を渡し、その上に厚板を敷いたものであった。橋は夜になると人の通行が禁じられ、左右の通路岸に繋いである船二艘ずつが取り除かれて、そこが船の通路となった。入船は右の通路から上り、出船は左の通路から出るように取り決められてあった。船がここを通るには銅銭二十文の税が要った。

王城はネワ川の南岸に建っていた。本殿は三階の煉瓦造り、その傍の別殿は寺院風の大理石建築で、周囲には石の築地《ついじ》を廻し、川に臨んで二百五十門の大砲が取りつけられてあった。王居に対い合うように、対岸のペテルブルグ地区には菩提寺が造られてあったが、この菩提寺の表門には高塔が聳え立っていて、街のどこからもこれを望むことができ、その鐘楼の鐘の音は二里離れたところでも聞えると言うことであった。

光太夫は眼にはいる物すべてがもの珍しかった。外国商人の店が並んでいる地域に足を踏み入れたり、巨大な尼寺の前を通ったりした。尼寺の一隅には国王の遺骸を納めてあるという建物があり、槍を持った武士が昼夜そこを固めていた。光太夫はネワ川に架っている橋の一つを渡る時、そこから大小の船が輻輳している流れを見渡した。異国というものはこういうものかと思った。両側には岸いっぱいに石造建築が並んでおり、遠くに先端を針のように尖らせた高塔が見えている。流れに浮かんでいる大小の船もまた日本の船とは異っていた。多くの帆柱を持ち、その柱の一つ一つに赤い旗をひらめかしているのは軍船であろうかと思われた。筏も亦巨大であった。船の何層倍もある大筏が次々にゆったりと流れ動いている。屋形船も多く眼についたが、いずれも数人から十人ぐらいの水手《かこ》が櫓を握っている。

光太夫のツァールスコエ・セロ行きは五月八日と決まった。

「お前は馬車に乗って、馬車が運んでくれるところへ行けばいい。宿舎もお前を世話してくれる人も、全部帰国願いを提出した政府の高官ベズボロドコが取り計らってくれてある。女帝拝謁のことも強ち《あながち》夢ではない。そうした日のために、お前が持っているお前の国の礼服も持参する方がいいだろう」

ラックスマンは言った。

あすはいよいよツァールスコエ・セロに向うという日の前日、光太夫はこの日も亦街

へ出たが、全く思いがけぬ一つの事件にぶつかった。ネワ川の水を引いた運河の一つに沿った道を歩いている時、

「おーい、おーい」

という呼び声を耳にして、光太夫は背後を振り返ってみた。一人の小柄な男がこちらへ駈けて来つつあった。確かに自分を呼んでいると思われたので、光太夫は足を停めてその人物の来るのを待っていた。その人物が近寄って来た時、光太夫は胆をつぶすほど驚いた。服装こそこの国のものを纏っているが、イルクーツクに残して来た筈の新蔵に違いなかったからである。

「新か」

光太夫が言うと、

「そうだがな、そうだがな」

新蔵は言った。

「お前、どうして、いつ来た？」

「四月の初め、もうひと月ほど前だ」

「話せ、初めから判るように話せ」

「どこから話していいか、おらあ、判らんがな」

それから、新蔵は光太夫の顔を見守っていたが、やがて急に顔を崩すと、

「おらあ、もう、伊勢へは帰れなくなった。もうおっかあの顔も、親戚の誰彼の顔も二

度と見られなくなった。おらあ、もう――」

と言った。新蔵は泣いていた。

「泣かないで話せ、泣いたって判らねえ」

「おらあ、もう」

「だから、どうしたと訊いているんだ。俺がイルクーツクを発つ時、お前は大病で寝ていたじゃないか」

「そうだ、俺は大病で寝ていた。医者がもうよくはならねえ、一生半病人で暮さなけりゃならん、そう言ったんだ。それで俺はどうせ一生癒らないんなら、この国で暮すことになる。この国で暮さなけりゃならんなら、庄のようにロシア正教の洗礼を受けて、後生安堵を願った方がいいと思ったんだ」

新蔵は平手で眼を拭って言った。

「洗礼を受けたのか」

「うん、ニコライ・ペトロウィチ・コロツィギンという名を貰った」

「まずいことをしたもんだな」

「そうよ、そうしたら、お前、おらあ癒っちまった。それで、俺、そのことをお前さんに言おうと思って、あとを追っかけて来たんだ。丁度官へ薬を押送するポルーチクの役人が都へ上ると言うんで、それに伴れて来て貰った」

新蔵はいま、そのポルーチク（中級官吏の身分）の役人と一緒に、アドミラル地区のカスチョルと呼ばれる大きなカトリック寺院の傍の旅館に止宿しているということであった。光太夫は、新蔵の上京の目的が、自分に会って、ロシア正教の洗礼は受けたが、何とかして帰国の手だてはないものかという相談をすることにあったろうと思ったが、併し、光太夫も、このことに関してはいかなる方法を講じていいか見当がつかなかった。

すると、新蔵は表情を改めて、

「お前さんに何とかして貰いたくて、無我夢中でイルクーツクを発って来たが、途中何人かの牧師にも会って話をしてみたところ、洗礼を受けた以上は神の子になったんだから、もう自分の自由というものはないという話だった。たとえ国王がどんな命令を出そうと、それも通らねえということだった。俺もそうだろうと思う。それで、いまの俺はもう諦めている。俺は庄の奴と二人で、イルクーツクで日本語の教師として一生を送る覚悟を決めている。一人じゃねえ。庄蔵も一緒だ。二人一緒なら我慢できないこともあるまい」

新蔵は言った。その日、光太夫は新蔵と一緒に、街の小さい料理店で食事をした。二人ともこの国の料理店へはいることは初めてのことであった。食事をしている最中、店の主人も、内儀《かみ》さんも、コックも、いっせいに街路に跳び出して行った。何事かと思って光太夫と新蔵も街路に出てみた。武装した兵たちの一団が波止場の方へ向っており、道の両側はいつの間にか、それを見送る人たちで埋まっていた。兵たちの一団は一つが通過して行くと、また次の新しい一団が現われ、いつ果てるとも思われぬ兵たちの流れが続いていた。ウラー、ウラー、熱狂している見送りの群衆の中からは同じ叫びが沸き起っている。

「トルコとの合戦に出掛けて行く兵士たちなんだ」

新蔵が言った。光太夫はこの国がもう何年も前から他国と事を構えていることは知っていたが、都に来ていながら、それに関する新しい知識は持っていなかった。ラックスマンの看病騒ぎで、冬から春、春から初夏へと過していた。

「近く、この国にとっては、天下分けめの大きな合戦があるらしい。陸でも、海でも、合戦が行われるということだ。若い者たちはみんな兵士になっちまっている」

新蔵の方が、こうしたことにかけては、よく知っていた。合戦か！　光太夫はまた自分の前途に暗いものが立ちはだかって来るのを感じた。他国との間に、国の運命をかけての戦闘が行われようとしているのであれば、いくら政府の要人に帰国願いを出しても、そんなものは受けつけて貰えないのではないかと思った。その証拠に、ペテルブルグに到着早々帰国願いを出してあるが、それに対して、なんの沙汰も降されていない。すでにもう空しく三カ月の日子は過ぎようとしている。あすのツァールスコエ・セロ行きが急に光太夫には光ないものに思えた。どんなところか知らないが、行っても無駄であるに違いないと思った。併し、行くことに決まっている以上、いまさら行かないわけにはゆかなかった。光太夫はツァールスコエ・セロから帰ってから連絡することを約して、その料理店を出たところで新蔵と別れた。

ロシアとトルコとの抗争は約三十年前から続けられていた。一七六八年から一七七四年に亘って繰り拡げられた露土戦争の結果、クチュク・カイナルジ条約が締結され、クリミア汗《かん》国とクバン汗国は事実上トルコから独立させられ、共にロシアの勢力圏内にはいり、黒海は「トルコの湖」から「ロシアの湖」に変った。また一七七二年には、プロイセン、オーストリア、ロシアの三国に依る第一回ポーランド分割*が行われ、更に一七八三年にはクリミア汗国はついにロシアに併呑《へいどん》されるなど、ロシアの南下政策は着々と実を結びつつあった。こうした外交問題に大きな役割を果しているのは女帝エカチェリーナの寵臣《ちょうしん》ポチョムキン*であり、この人物は対トルコ政策の強力な推進者であった。またポチョムキンに続いて、重要な外交問題に登場しているのは、ア・ア・ベズボロドゴで、光太夫がペテルブルグにはいった時、ラックスマンの手で提出された帰国歎願書の名宛人である。

併し、トルコはトルコで、黒海北岸地方に対する野心を諦めなかった。このトルコの政策を背後から支持しているのは英国であり、英国はこれに依って、ロシアの南下政策に対抗せんとしていた。ロシアの膨脹を悦ばないのは英国ばかりでなく、オーストリアも、フランスも同じであり、自国の利益を廻《めぐ》って、ヨーロッパの諸国は虚々実々のかけ引きを続けていた。

一七八七年八月、トルコからの宣戦布告に依って再び露土戦争は始まった。日本の漂流民たちがアムチトカ島からカムチャツカ半島に移った年のことである。このトルコの宣戦に前後して、英国、プロイセン、オランダの三国の間には同盟が結ばれ、ために近東とバルト海におけるロシアの行動は牽制され、翌一七八八年には英国とプロイセンにけしかけられ、スエーデン軍が北方からロシア領に侵入する事態を招いた。ロシア艦隊はこれをホーフランド沖の海戦で破った。ロシアはオーストリア、デンマークと同盟を結んでいたが、オーストリアは少数の兵力しか戦線に送らず、デンマークの方はスエーデンに対して軍事行動を起し、ゲーテボルグ港は占領したものの、英国、プロイセンの圧力の前に間もなくその兵を撤収しなければならなかった。

ロシア軍は各所でトルコ軍と戦った。黒海における海軍の勝利、オチャコフ要塞の占領、ドナウ川流域、ルイムニク川流域におけるそれぞれの攻勢、一七八八年から一七八九年にかけて、ロシアは有利に戦局を展開していたが、併し、戦争はいつ終るとも見えなかった。

一七九〇年、オーストリアの皇帝ヨゼフ歿し、その弟が帝位を継ぐに及んで、ヨゼフの内外政策は改められ、トルコと和解するという新事態が生れた。ためにロシアは単独でトルコ戦争を遂行しなければならぬ立場に立たされた。ロシアはスエーデンと現状維持を基礎として講和を結ぶことに成功し、主力をトルコの攻撃に向けた。トルコの要塞イズマイルの攻略はロシアの名誉を賭けたものであった。攻撃は一七九〇年九月から始まり、十二月十一日、司令官スウォロフは総攻撃を前にして全軍に布告した。——ロシア軍は二度イズマイルを包囲したが、二度とも撤退を余儀なくされた。今や三度目である。われわれに残されているものは勝利か、栄光ある死か、そのいずれかである。

斯くしてイズマイルは陥落し、戦局は著しくロシアに有利になった、併し、トルコは英国とプロイセンの支援によって戦意を棄てなかった。光太夫がペテルブルグにはいったのは、イズマイル攻略の直後であり、光太夫がツァールスコエ・セロに向おうとしている五月は、両陣営の決定的な会戦が陸軍に依っても、海軍に依っても行われようとして、次々に兵力が戦線に送り込まれている時であったのである。

五月八日の朝、光太夫は馬車でツァールスコエ・セロに向った。ペテルブルグより二十二露里の地点にあるが、八間余の平坦な道がまっすぐに平原の中を走っている。さすがに離宮に通じている道だけあって、その平坦さは砥《と》のようであった。しかも道路の両側には二十間ごとに高さ五尺ほどの大理石製の燈籠が立っている。いろいろな色の大理石を使っていることが異るだけで、燈火を入れる場所の形などはさして日本の燈籠と変っていなかった。柱はまる柱で、土台は角石、三段に組み上げ、上の段は赤石、中段は白石、下段は黒石である。またこの石の燈籠とは別に、一里ごとに里程を刻み込んでいる石碑が立っていた。土台は赤、白、黒の石をとり混ぜて美しく造られ、これも三段に組み上げられて、高さ四尺五、六寸ほどであろうか。

そうした道を光太夫は馬車で運ばれて行った。光太夫はいかなる運命が自分を待っているか、全く予想はつかなかった。伊勢の白子の浜を船出してから八年半の長い年月が経っている。アムチトカ島からカムチャツカ半島へ、そこからオホーツクへ、更にヤクーツク、イルクーツクと放浪の旅を続けて来た。その間に十七人の仲間が五人になってしまっている。作次郎も三五郎も次郎兵衛も死んだ。安五郎も清七も長次郎も死んだ。藤助も与惣松も勘太郎も死んだ。九右衛門も幾八も藤蔵も死んだ。よくこれだけ次々に死んで行くと思われるほどみんな死んでしまった。アムチトカ島で死に、ニジネカムチャツクで死に、イルクーツクで死んだ。生き残りの五人のうち、二人がこの国で果てる運命を持ち、三人だけが故国へ帰ろうとして、今だに齷齪《あくせく》している。そして、いかなる星のもとに生れたのか、いま自分だけがこの国の一番の西の端《はず》れにやって来て、ひとりでこうして馬車に乗って、皇帝の避暑地へ運ばれて行こうとしているのである。光太夫は、皇帝の避暑地に運ばれて、そこでいかなることが起るか何も知っていなかった。知りたくても知ることができなかった。考えてみれば、伊勢の白子の浜を出てから、大きな運命の波に身を任せ、それが運んで行くところへ運ばれて来ただけのことである。一度でも明日という日を予測できたことがあるであろうか。

五時間ほどかかってくるまはツァールスコエ・セロにはいった。落葉樹の疎林が果しなく続いている静かな地帯であった。道はその疎林の中をゆるやかなカーブを作って走っている。林の中には重臣権臣たちの館が点々と散らばって建てられてあるということだったが、光太夫の眼は僅かにそれらしいものを二つ三つ捉えただけであった。やがて疎林を梳かして行手に離宮の石の塀が見えて来る。道はその塀の横手に出て、それに沿って走って行く。

間もなく、くるまは一軒の家の前で停まった。林の中に匿されるようにして建てられている石造の家で、離宮所属の御苑管理主任であるオシポ・イワノウィチ・ブーシュの住居であった。道を挟んですぐ向うには離宮の塀が見えている。恐らく離宮の敷地に最も近く建てられている家であろう。家の横手から裏へかけて、そこだけが疎林が切り払われて広い花園が拡っていた。これが離宮に所属している花園で、これをブーシュが管理しているのである。

ブーシュは五十年配の人物で、官より申し渡されてあるのか、光太夫を異国の漂民扱いにはせず、一室を与えて手厚く遇してくれた。ブーシュは家族の者をひとりひとり紹介したあとで、

「ここの花園は離宮所属のもので、わたしがお守《も》りをしている。時に高貴の方も離宮の裏門からお出になって、ここにお見えになることがある。従って若し園中で駕に逢った場合は、そのまま木蔭に身を匿して貰いたい。近くに匿れる場所がなかったら、頭を下げて立っていてよろしい。太子皇孫に行き逢った場合も同じである」

と、光太夫に滞在中の注意をしてくれた。このブーシュという人物は、あとで知ったことであるが、位階を授けられる機会は何回もあったが、いつも辞して受けず、従って身分は低かったが、俸銀千五百枚、ほかに役料千枚貰っており、使用人、車馬の類まで

みな官より支給されていた。

光太夫はここに滞在している間、間違いでもあってはと思ってなるべく外出を控えるようにしていたが、それでも朝とか夕方とかは家の近くの林の中を歩いた。離宮続きの地帯ではあったが、離宮とは塀に依って仕切られていた。塀は堅固な石造りで、その塀で囲まれている離宮の敷地の広さはちょっと見当のつかぬものであった。

ブーシュの家を出て林の中を歩いて行くと、これまた林の中に匿されるようにして馬丁の家と厩舎と調教場があった。馬丁の家と言っても、調教場を囲むように半円形に造られた大きな一階建ての建物で、それぞれ入口を持った部屋が幾つか収められていることから推すと、かなり多勢の馬丁が住んでいるものと思われた。更にそこを過ぎて行くと、二つの尖塔を持った小さい教会の建物が疎林の間から見えて来た。二つの塔の頂きにはそれぞれ金色の十字架が光っていて玩具のような小さく美しい教会である。併し、光太夫はめったにその教会には近づいて行かなかった。そこは離宮の横手の門に近く、時にエカチェリーナ二世がその教会に姿を見せることがあると聞いていたからである。

光太夫は離宮内がいかに造られてあるか見当はつかなかったが、恐らく贅美《ぜいび》をつくしたものであろうと思われた。宮殿は三層で、二層には広い庭までが造られてあるという。時折、離宮内の林の中から聞き慣れぬ鳥の声が聞えて来た。白鳥、鶴、孔雀などは勿論のこと、あらゆる珍禽異鳥が飼われているということであった。

光太夫は毎日毎日を為すことなく送った。ペテルブルグに居れば街を出歩くことができたが、この離宮の地に居る限り、家の近くの菩提樹の林の中を歩く以外仕方なかった。光太夫がブーシュの家に移った頃から、次第に夜の来るのが遅くなった。夕刻の薄ら明るい時刻がやたらに長くなり、いつまで経っても暮れなかった。白夜であった。国が異るといろいろ珍しいものにぶつかるが、この白夜も日本では想像できぬものであった。

約一月遅れて、ラックスマンはやって来た。もう病後の窶《やつ》れはなく、以前の元気さを取り戻し、猫背の肩を振るようにして歩く歩き方も以前のものであった。ラックスマンは他に宿舎を与えられており、何か忙しい仕事でもあるらしく、ブーシュの家へはめったに顔を出さなかった。それでもたまにやって来ると、「いまに吉報があるだろう」とか、「いい御沙汰のあるのも、そう遠いことではあるまい」とか、そんなことを言った。光太夫にはそういうラックスマンの言葉が、気休めの慰めの言葉としか聞えなかった。

六月十日頃、光太夫はブーシュから、ロシアの陸軍がバパダガに於てトルコ軍と会戦して、大捷《たいしょう》を博したということを聞いた。二万三千のロシア軍が三万のトルコ軍を徹底的に撃破したということで、めったに大声を出さないブーシュも、この時だけは昂奮した口調で語った。宮殿内に百官が集まり、戦捷の祝宴が張られたのは、それから二、三日してからで、ブーシュはその宴席を飾るための花を用意するのに忙しかった。多勢の園丁が、花園の花がみんな失くなってしまうのではないかと思われるほどたくさんの花を切って来た。併し、どこの花を切って来たのか、光太夫の眼にはいる花園はどこも一輪の花をも失っていないように見えた。

ロシア陸軍の大捷は、園丁たちに依っても囁かれていた。そして自国の勝利を口にする者は必ず、女帝エカチェリーナを讃美し、

「世界中のいかなる国も、帝の陸軍と海軍に刃向うことはできない。兵を動かして帝ほど俊敏であり、剛胆であり、不敵である武人はない」

というようなことを言った。光太夫にはロシア軍の強いことは納得できたが、それが女帝エカチェリーナの武人としての性格に帰せられていることが奇異に思われた。女帝エカチェリーナは、そのような人物なのであろうかと思った。大体一国の最高権力者が女人であるということからして、光太夫には理解できぬことであったが、その上に兵を動かす指揮権をも実際に持っているということが不思議なことに思われた。併し、勿論、光太夫はそのような思いは口から先きには出さなかった。理解できようと、できまいと、兎も角、自分と小市と磯吉の三人の帰国の可否は、その女帝の鶴の一声で決まると言われており、それは確かなことらしかった。ただ、ラックスマンの言うようにそのような権力者に自分の如き者が簡単に拝謁できようとは信ぜられなかった。女帝への讃美を耳にする度に、光太夫は絶望的な思いで心は塞がれた。男帝なら拝謁できないこともないかも知れなかったが、女帝ではそんなことは金輪際望めないだろうと思った。

ところが、その望めないと思ったことが、ついに起ったのであった。ある日、ラックスマンはやって来ると、

「来たる二十八日に、女帝に拝謁できることになった。帰国歎願書を提出しておいた高

官ベズボロドコが、女帝に取り次いでくれて、今日、所管官庁の長官ウォロンツォーフを通して有難い御沙汰に接した」

と言った。それから、

「拝謁の日は、わしが一緒について行く。何も心配しなくてもいい。ただお前さんはロシア人ではなく、異国の漂流民であるから、それにふさわしく自分の国の服装を纏うがよかろう」

光太夫は、イルクーツクを発つ時、ラックスマンに注意されて、羽織、袴、小袖の類から佩刀《はいとう》、扇子まで一応取り揃えて持参していた。併し、ラックスマンはすぐ考え直したらしく、

「いや、お前の国の礼服一切は取りまとめて持参する方がいいだろう。当日着るものは、やはりこの国のものにすることにして、それは、前日までにわしが用意してやる」

そう言い直した。光太夫はこの時ほど、ラックスマンが神か仏のように思えたことはなかった。ラックスマンは自分が考え、口に出したことを、その通り実現するように運んでくれたのである。光太夫はすぐには感謝の言葉を口にすることはできなかった。ただ黙って、ラックスマンの言葉の一つ一つに頷いているだけであった。

女帝エカチェリーナ二世は、もとの名をソフィヤ・アウグスト・フリードリヒと言い、ドイツのアンハルト・ツェルプスト公の公女である。生粋のドイツ人でシュテッチンの

生れである。この女性がロマノフ家のロシア帝位に即《つ》き、啓蒙的専制君主として三十余年間ロシアに君臨し、その名を全ヨーロッパにとどろかすに到ったのであるが、それがいかなる事情に依るか、後世史家は例外なく彼女が即位する前約二十年間ロシア皇帝であった女帝エリザベータのことから語り始めている。

エリザベータの治世は一七四一年から一七六一年までの二十年間である。彼女はピョートル大帝の娘で、初め帝位とは無関係であると考えられていたが、それが近衛兵の反乱によって帝位に即く幸運を持った。エカチェリーナ二世はその回想録において、多くのページを彼女のために割いているが、彼女を一口に言って国政は宰相に任せて、舞踏会に明け暮れた女帝と言っていいと決めつけている。エリザベータは自分に子がなかったので、早くから後継者のことに頭を悩まし、ドイツのホルスタイン公に嫁した自分の姉の息子、つまり彼女の十四歳の甥カルル・ウルリッヒをキールから呼び寄せて皇太子にし、ロシア語とロシア正教の教義問答書を教え込んだ。併し、この皇太子は才能甚だ乏しく、肉体的には大人でも、精神的には子供のまま発育をとめてしまっていた。伯母のエリザベータ女帝もこの呪《のろ》われた甥には絶望していたが、女帝の死後、この人物がピョートル三世として、ロシア皇帝の位に即いたのである。彼は帝位に即くや、ロシアおよびロシア的なものへの憎悪を示し、ロシア人を含まないホルスタイン親衛隊を造ったりした。が、このロシア嫌いのロシア皇帝は即位後一年足らずで、自らの妃に帝位を奪われるに到ったのである。このピョートル三世の妃にして、夫ピョートルに替って帝位に即いたのが、エカチェリーナ二世である。彼女は夫がまだ皇太子である時代、女帝エリザベータに依ってドイツから迎えられたが、その結婚生活は初めから不幸であった。夫は知恵おくれの人物でもあったし、またその上に愛人と共に別の宮殿に住んでいて、結婚当初から妃を憎んでいた。

夫が即位してピョートル三世となると、妃は危害が己《おの》が身に及ぶのを怖れ、先手を打って反乱を起した。彼女の計画を応援したのは彼女と愛人関係を持っていた貴族たちであった。その時、ピョートル三世と妃は別々の離宮に居たが、妃は反乱者たちに迎えられると、離宮を出て、近衛連隊を手中に収め、僧立会いのもとに宣誓をし、自分が帝位に即く布告を発した。そして彼女は自ら近衛兵の服に身を包み、剣を手にし、白馬にまたがって、夫ピョートル三世の居る離宮を目指した。無能のピョートル三世は、その間に何も為し得なかった。妃は遠征の途中夫からの使者に会った。ピョートル三世は帝位を降りるから、愛人と共に郷里のホルスタインに帰して貰いたいと頼んだ。それが許されないと知ると、何も要らないから生命だけは救けてくれと要求した。妃はそのいずれをも許さなかった。妃はすでに夫のために、シュリッセルブルグ要塞の一室を用意してあった。併し、哀れなピョートル三世は、その要塞へはいることさえもできなかった。

ピョートル三世は捕えられ、ロプシャに監禁され、そこで死んだという報が間もなくエカチェリーナの許にもたらされて来た。ピョートル三世の死がエカチェリーナの関知しないことであったか、あるいは彼女の意を体した何者かの手に依って行われたかは、永遠の謎になっている。

女帝エカチェリーナ二世は斯くして帝位に即き、一七六二年九月二十二日、モスクワで盛大に戴冠式が行われた。エカチェリーナは皇太子妃の時代に何回も妊娠し、子供を生んでいた。その時期に王位継承者パウェルも生れているが、噂は噂として、その父が誰であるかは判っていない。その当時でも判らなかったのであるから、後世の史家に判ろう筈はなく、彼女は夫殺しにされたり、姦通者にされたり、またそれが否定されたりしている。

併し、即位してからは男漁りは公然としたものになり、何人かの愛人が次々にその名を列《なら》べている。が、エカチェリーナ二世が為したことは美男子を次々に愛人にしたことだけでなく、ロシアの版図をも拡げているし、内政の充実にも精力的に取り組んでいる。即位当時は、その統治も長続きはしまいと見られていたが、女帝は短期間のうちに堂々たる風格を身につけてしまった。二度のトルコ戦争に依って国威を上げ、ポーランド分割に依ってポーランドの大部分をロシア領としている。治世の初めは農奴解放を口にし、大いに教育と学芸を奨励したが、晩年は逆に農奴制批判者を追放したり、進歩的文化人を投獄したりしている。為政者としての彼女を肯定するか否定するかは別問題として、ひとすじ縄では行かぬ人物であることだけは確かである。

光太夫がエカチェリーナに謁しようとした一七九一年は、エカチェリーナ治世の三十年、女帝は六十二歳になっていた。

六　章

六月二十八日が拝謁の日と定められてあったので、前日の二十七日はその準備のために忙しかった。光太夫はラックスマンが携えて来た白灰色のラシャ地で仕立てられた礼服を着てみたり、つばの広い毛織の帽子の抱え方や、これまた拝謁の場所まで携行する杖の持ち方などを教わったりした。この国の最高の権力者である女帝に謁するための礼儀作法を急に身につけることは容易なことではなかった。ラックスマンは終始親切に教えてくれた上、光太夫がその場において気後れすることのないように、自分が傍についていて一切指図してやるからと言った。

「一番大切なことは御下問があった時、鄭重《ていちょう》な言葉ではきはきお答えすることである。漂流中のこともお訊ねあると思うが、ありのままお話し申し上げるがいい。お訊ねにならぬことには触れない方がよかろう」

ラックスマンは言った。

翌二十八日、光太夫は朝早く起き出し、いつでも参朝できるように身支度して、ラックスマンの来るのを待った。日本の着物、小袖、羽織、袴、それに脇差、扇子などは取り揃えて、日本の風呂敷に入れて一つの包みとした。

ラックスマンもまた礼服で身を包んでやって来た。二人は馬車で宮殿の正面からはいった。宮殿は大理石で三層に造られてあった。光太夫は初めて見る宮殿の壮麗さにも御苑の美しさにも眼を見張った。苑内にも菩提樹の木が多かった。

光太夫は馬車から降りると、ラックスマンのあとから大理石を敷きつめてある道を、宮殿の横手の玄関へ向って歩いて行った。この敷石の大理石も、赤、緑、黒の斑点のある白大理石で、一歩一歩足を運ぶのが危く感じられる程滑らかに磨き立てられてあった。玄関には二人の人物が出迎えていた。一人は帰国歎願書に名宛人として認めた女帝の寵臣ベズボロドコ、一人はこんどのことを女帝に取り次いでくれたウォロンツォーフであった。ウォロンツォーフは五十二の異国の商客や漂流民たちのことをひと手に司っている長官であった。

そこから拝謁を賜る部屋のある二階に向った。玄関をはいるとすぐ階段があった。赤い木で造られた階段で、左右両方から上れるように二つあったが、その右手の方の階段を、ベズボロドコ、ウォロンツォーフ、光太夫、ラックスマンの順に一列になって上って行った。この頃から光太夫は夢心地になっていた。階段を上ると、左右に長い廊下が見渡せたが、光太夫は右手の方へ導かれた。寄せ木でいろいろな模様が描かれている恐ろしく長い廊下の床を、光太夫は一歩一歩足を運んで行った。光太夫には長い廊下と見えていたが、正確に言うとそこは廊下ではなかった。たくさん並んでいる部屋部屋の窓に近い入口の扉が尽く開けられると、一本の長い通路となるように造られてあり、そこを光太夫は導かれて行ったのである。

従って光太夫は一つの部屋へはいり、そこを出て次の部屋へはいって行くといった具合に、幾つかの部屋を通過して行った。赤大理石の間、青大理石の間、肖像画で埋めつくされた間、琥珀《こはく》の間。

長い通路の所々に頭を下げている侍臣の姿が眼についたが、それはそこに置かれたまま永久に動くことのない人形のように見えた。広い宮殿内はしんとしていた。やがて通路の両側に侍臣の数が急に増して来たと思うと、間もなくベズボロドコが停まり、ウォロンツォーフが停まり、光太夫が停まった。そこは謁見の部屋への入口であった。あとで聞き知ったことであるが、この部屋は宮殿の中で王冠の間に次ぐ大広間で、絵画と金箔と鏡の間とでも言うべき豪華壮麗な広間であった。が、光太夫はそこがいかなる部屋であるか見てとる余裕というものは全く持ち合せていなかった。天女の舞っている絵の画かれている天井が余り高いために、そこに居並んでいる人間がなべて小さく見えただけである。

女帝の御座所は正面にあった。一段高くなっている場所に玉座が設けられ、そこに腰を降ろしている女帝を囲繞《いにょう》するように、五、六十人の侍女たちが左右に居並んでいた。これは大分あとになって気付いたことだが、その侍女たちの中には、まっ黒い皮膚をし、唇だけを白く光らせている崑崙《こんろん》*の女も二人混じっていた。

正面に御座所を据え、広間の左側と右側には、互いに対い合うように二手に分れて、執政以下の官人たちが居並んでいる。通路にまで居流れている者を併せると、その数はざっと三、四百人かと思われた。光太夫は部屋の入口で足を停めていた。内部へ踏み込んで行くのが躊躇されたからである。

「御前に出るように」

ウォロンツォーフが振り返って囁いた。光太夫は帽子を左の脇に挟み、女帝の方に向って頭を下げようとしたが、

「そのまま、そのまま」

ウォロンツォーフがまた囁いた。光太夫は急いで帽子と杖を床の上に置くと、かなりの距離を御座所に向って進んで行った。そして玉座のまん前まで進むと、かねて教えられてあったように、左の足を折敷いて、右の膝を立て、その姿勢のまま手を重ねて、それを女帝の方に差し出した。すると、女帝は右の手を差し出し、指先きを光太夫の掌の上に置いた。光太夫はそれを三度押し戴くようにしてこの国の拝謁の礼を終ると、何歩か後ずさりして、最後に軽く上体を折って向きを変え、もとの場所へ戻った。光太夫はこれだけのことで全身に汗の吹き出るのを感じていた。

女帝は左右の者に命じて、光太夫が提出した帰国歎願書を差し出させると、それを手に取って、ほんの僅かの間眼を当てていたが、

「この草稿は誰が書きたるや」

そう言って、すぐ、

「ラックスマンにてあらん」

「は」

ラックスマンは畏って、

「漂民の申すことを、そのまま草したものでございます」

と答えた。すると女帝は、

「この書面に相違なきや」

と、書面をラックスマンの方に差し出した。ラックスマンは御前に進み寄ってそれにある距離をおいて眼を当てると、

「まさしく、それに相違ございませぬ」

と言上した。

「可哀そうなこと」

そういう声が女帝の口から洩れた。

「可哀そうなこと、――ベドニャシカ」

女帝の口からは再び同じ声が洩れた。光太夫にとっては一切のことが夢心地の中に行われていた。暫くすると、執政トルッチンニノーフの夫人であるソフィヤ・イワノウナが進み出て来て、

「漂流中の苦難、死亡せし者のことなど、詳しく陛下に申し上げるよう」

と、言った。光太夫は直立した姿勢のままで、アムチトカ島へ漂流してから今日までのことを、ゆっくりした話し方で、いささかの間違いもないように注意して話した。初めのうちは言葉が勝手に自分の口から飛び出して行くようで不安だったが、途中から自分でもそれと判るほど落着いて話すことができた。一通り語り終えた時、

「死者は全部で何人なるや」

という女帝の声が遠くで聞えた。

「十二人でございます」

光太夫が答えると、

「オホ、ジャルコ」

と、低く女帝は口に出して言った。これはこの国の人々が死者を悼《いた》む時に使う言葉で、女帝は不幸にも異国に於て他界した十二人の日本の漂流民に対して哀悼の意を表したのであった。それから、誰にともなく、

「この者の帰国の願いはずいぶん前々からのものと思うが、いかにして耳にはいらざりしや」

と、女帝は言った。誰も答える者はなかった。この日は皇孫アレクサンドル・パウロウィチの誕生日に当り、宮中ではその慶祝の午餐が開かれることになっていたが、午刻を過ぎても女帝は座を立たず、何かと光太夫に下問があった。光太夫は、その一つ一つについて説明したり答えたりした。そして非礼にならぬ程度に、生き残りの日本の漂民

たちがいかに帰国の情に駆られているかを奏上した。

女帝の退出の仕方は唐突であった。帝は光太夫の話し終るのを待って、大きく頷くと、充分健康に注意するようにという言葉を残して、ついと椅子から腰を上げた。未の刻(午後二時)を過ぎた時刻であった。光太夫は退出して行く女帝を拝しながら初めて、女帝が神でも仏でもなく、女体を持った権力者であることに気付いた。

女帝はどう考えても六十二歳の年齢には見えなかった。肩には緋色のガウンを纏い、頭には小さな宝石が無数にちりばめられている王冠を載せていた。まるいなだらかな両肩には、雪のように白い豊かなまき髪が垂れており、胸には勲章の印しのある波状絹布が掛けられてあった。肌はぬけるほど白く、その白い首からは大粒の真珠の頸飾りが下がっていた。女帝は玉座から降りると、まっすぐに上体を反らし広間から出て行った。おつきの女官たちがそのあとに続いた。斯くして拝謁は終った。

ブーシュの邸に帰ると、ラックスマンは今日の拝謁は上々の首尾であったと言った。

「帝は漂流の話に、殊のほかの関心をお示しになられたので、こんどは内々にて拝謁の御沙汰があるかも知れない。恐らくあるに違いないと思う。今日はあのような席なので、帰国の御許可については何も仰せ出されなかったが、近くきっと特別の御沙汰があることと思う」

このラックスマンの言葉を、光太夫は明るい気持で聞いた。この日が、光太夫にとってはこの国の土を踏んでから最も明るい日であった。この国の最高権力者に謁して、直接、異国の漂流民として、帰国の情に駆られている心中をありのまま披瀝《ひれき》したのである。しかも、その拝謁が上々の首尾と聞いては、これ以上嬉しいことはないわけであった。聞かせてやることができるものなら、イルクーツクの小市や磯吉にも今日のことを知らせてやりたかった。

それから十日ほどして、ラックスマンはやって来ると、思いがけないことを知らせた。これまでイルクーツクから提出した光太夫の帰国願いのすべては元老院の官人の許で留めおかれ、女帝の許には取り次がれなかったが、こんどその間の事情が判明し、その官人は女帝の怒りに触れて、七日間の朝参を禁ぜられるに到ったということであった。

「こんなことではないかと思っていたのであるが、――ばかな奴めが！」

ラックスマンは言った。

それからもう一つ意外なニュースを齎《もたら》した。それはジャン・バプティスト・レセップスが昨一七九〇年に『レセップス旅行日録』二巻をパリで刊行、大きい反響を呼び起したが、それがいまこの国でも読まれている。その『日録』の中に光太夫のことが記されてあり、しかも非常に褒められて書かれてあるということであった。

「一七八八年二月十一日のところにお前さんが出て来る。そして百九十行に亘って、お前さんのことを称《たた》える文章が記されている。お前さんのことをよく観察し、文章はフランス人らしく多少気障《きざ》だが、書かれてあることは間違っていない。人間褒められるということは悪いことではない。恐らく女帝も亦それをお読みになるだろう。もう既にお読みになっているかも知れない」

ラックスマンは言った。光太夫はニジネカムチャツクにおける、暗いこと許りで埋まった苦しいひと冬の生活を思い返してみた。レセップスという人物については何も記憶していなかった。ニジネカムチャツクにおいては、自分は仲間とは離れて長官オルレアンコフの家に止宿していたが、長い冬の間、そこでいろいろの人物に会っていた。当時はまだフランス人もロシア人も区別がつかない頃で、誰に顔を合せても一様に異国の人間としてしか見ていなかった。レセップスという人物も、またそのようにして会った一人なのであろう。その頃はまだ言葉も充分には話せなかった。それに第一アムチトカ島から移された許りの時で、自分たちのことで考えなければならぬことはいっぱいあり、話のろくに通じない異国人のことなどに思いを致す余裕はなかったのである。

光太夫にとっては、ニジネカムチャツクにおける思い出の一つ一つが、どれも苦しく、悲しいものばかりであった。天地を幽暗の中に押し包んでしまうあの怖るべき吹雪、ひとかけらの食物もなくなってしまった冬の生活、与惣松が他界し、勘太郎が他界し、藤蔵が他界した。あそこでの生活ではレセップスどころではなかったのである。併し、それにしても、そのような航海家の日誌に自分のことが取り上げられていると聞いては、光太夫とて悪い気持はしなかった。ラックスマンの言うようにそれが女帝の眼にでも触れれば、帰国のことについてもいい結果を齎さないとも限らなかった。

光太夫はレセップスの日記の中でいかに自分が取り扱われているかは詳しくは知らな

かったが、恐らく光太夫自身が想像したより、もっと詳細にフランスの若い旅行者は光太夫を観察していたのである。レセップスの『日録』は次のように光太夫について記している。

ニジネカムチャックにおいて私が最も興味を抱き、したがって黙過し得ないことは、過ぐる夏アレウト列島からロシアの毛皮取引の船で送られてきた九人の日本人と出会ったことである。

そのうちの一日本人が語ったところによると、彼とその仲間は、南千島《クリール》の住民と貿易する目的をもって、自国船で航海していた。彼らは海岸沿いに、陸地からあまり離れないように航行したが、台風のために沖へ流され、全く航路を見失ってしまった。そして彼らは、私は大へん疑問に思うのだが、六カ月間全く陸地を見ることなく漂流した。勿論、食糧の不足はなかったものと思われる。

ついに彼らはアレウト列島に漂着し、そこがどこであるかも知らないまま、上陸を決意した。そこで彼らは若干のロシア人に出会ったが、そのロシア人たちは彼らに、積荷をおろして、船を安全な場所へ移すようにすすめた。併し彼らは不信のためか、あるいは翌日でも間に合うと考えたためか、ロシア人の提案に従わなかった。そのため彼らは重大な打撃を受けた。というのは、その夜のうちに台風のために船は岸に打ち上げられ、辛うじて積荷と船の破片の一部を拾い上げることができるという苦境に立たされた。併しロシア人たちは日本人にその不幸を忘れさせるためにできるだけのことをし、彼らをカムチャツカまで伴なった。私の話し相手の日本人は、最後に、はじめもっと多くの仲間がいたが、漂流時の辛苦と激烈な気候のために多くの人が死んだのだと語った。

私と語り合った人物は、他の八人の同国人に比べて明白に優越感を保っているように見えた。彼だけが商人であり、ほかの者は、彼の輩下で働く船員《マドロス》であると語っていた。部下たちが彼に、親愛の情と特別の敬意を払っていることは確かであった。彼が病気になったり、なにか不快な出来事に遭遇したりした場合、部下たちは大へん心配した。また部下たちは一人ずつ、毎日二回規則的に彼を訪れた。部下たちに対する彼の配慮もこれに劣らないものであった。一日も欠かすことなく彼らを訪れ、なにか困っていることはないかと大いに気を配った。彼の名はコーダイユと言った。

彼の風采には、これと言って目立つことはないけれども、好感を抱かせるものを持っていた。彼の眼はシナ人のそれのようにつり上っておらず、鼻は長かった。顔にはひげがあったが、彼はこれを屢々剃っていた。彼の背丈は五フィートほどで、かなり均整がとれていた。彼はシナ風の頭髪をしていた。つまり頭の中央に辮髪を残し、残りの部分は剃られていた。併し彼は、今では、人々のすすめに従ってフランス風に結髪しはじめていた。彼は大へん寒さに敏感で、彼に与えられた最も暖かい着物も十分とは言えなかった。彼はその着物の下に、自国から持参した着物を着こんでいた。それは一、二枚の長い絹の上っ張りで、我国のガウンに似ていた。その上に毛織物を着ていたが、明らかにこの織物の方が絹よりも高く評価されていることを示していた。こうした着物の着方が気持よいのかも知れないが、私などには理解できなかった。上っ張りの袖は大へん長く、ゆったりしている。そして彼は、きびしい寒気にもかかわらず、袖口と首をおおっていない。彼が外出するときには、部下たちは首に襟巻きをかけてやるが、部屋の中へ入るときには、我慢ができないと言って、すぐにとってしまうのである。同国人に対する彼の優越はいかにも明白であるが、併し彼はその生き生きした精神と温厚な性格によって、これをひけらかすことをしなかった。

彼はオルレアンコフ少佐の家に住んでいた。彼が長官の家であろうとその他の人の家であろうと、気楽に出入りしている様子を見ると、無遠慮、あるいは無作法と思われるほどであった。彼は、すすめられる最良の椅子に遠慮なく腰をかけ、できるだけ自然にふるまい、欲しいものを要求し、手の届くものは自分で取り上げた。彼はほとんどひっきりなしに煙草を吸った。彼の煙管は銀で飾られた短かいものであったが、彼はそれに絶え間なく煙草をつめかえた。彼の場合、この習慣はひどく身についていて、食事のときでもこれを手離させることは困難なほどであった。彼は鋭い洞察力を持ち、話し相手が彼に語りたいことを驚くほど敏速に理解した。彼はたいへん好奇心に富み、また鋭い観察力を持っていた。ある人が私に語ったところによると、彼は自分の見たこと、自分の身辺で起ったすべてについて正確に日記をつけていた。事実、彼が観察することのできる物事や習慣はみな自国のものとはたいへん異っており、一切が注目に価するものなのであろう。そこで彼は、身辺の出来事や語られることを、忘れないようにすべて書きとめているのである。彼の書いている文字は、私にはシナの文字とほとんど変らないように見えたが、シナ人は右から左へ書くのに対し、日本人は上から下へ書くのであった。彼はロシア語を相手に理解させるのに十分なほど話すことができる。併し人が彼と語るには、彼の発音に慣れなければならない。彼はたいへん早口であるため、聞く人は彼の言葉を理解できないか、あるいは誤解する可能性があるからである。彼の返答は生き生きとし、しかも自然であった。彼は自分の思考方法をかくそうとせず、他人についても自分の考えをフランクに話した。彼らはお互いに信頼しており、なにかについて納得しないときでも、不機嫌になることはなかった。彼は自分がなにかを失った場合、それを盗まれたと思い、心配そうな顔つきを見せた。私は彼の節制ぶりに驚いた。それは、この国の人とは、全く対照的と言えるほどのものであった。彼が強いリキュールを飲まないと決心したときは、もはや他の人がどんなにすすめても無駄であった。彼は自分の気が向いたときにはそれをいくらか要求することがあるが、飲みすぎることは決してなかった。私は彼がシナ人と同じように二本箸で食べるのを見たが、その扱い方は大へん上手であった。

私は彼に、彼らの故国の貨幣を見せてほしいと要望したところ、彼は気軽に私たちの好奇心を満足させてくれた。

二回目の拝謁の御沙汰があったのは、最初の拝謁から一カ月程経った七月の下旬であった。光太夫はこの場合も、ラックスマンにつき添われて馬車で宮殿に向った。

拝謁の場所は、この前の大広間ではなく、半分ほどの広さの部屋であり、そこに詰めている官人、侍女の数も少かった。全部で二十人居るか居ないかであった。光太夫も、ラックスマンも椅子を与えられ、その他の者で何人かは同様に椅子を与えられていた。女帝の椅子も玉座といった厳めしいものではなく、ただひときわ目立って美しく豪華なものであるという点だけが、他の者たちの椅子と異っていた。

光太夫は、前の拝謁の時話した同じ漂流談を、もう一度もっと詳しく話した。光太夫の言葉の足りないところは、ラックスマンが傍から補うようにした。女帝は光太夫の話の中で特に関心を持つことがあると、その度に質問した。時には根掘り葉掘り細かく訊ねることもあった。漂流中の話が終ると、日本のことについて下問があった。光太夫としては漂流中のことについて言上する方が容易であった。自分が体験し、見聞したことを、そのまま語ればよかったが、母国のこととなると、自分の知っていないことが多かった。

女帝は何冊かの書物を運ばせて、それを光太夫に見させた。いずれも日本の本であった。どこでどうして入手したものか知らないが、その大部分は絵草紙や浄瑠璃本であった。また日本のことについて記してあるというロシア語の書物もあった。その書物を開けると、日本の地図が挿入されてあったり、大名行列が彩色されて詳細に描かれてある頁があったりした。

この二回目の拝謁で、光太夫は多少の心の余裕を以て、女帝エカチェリーナ二世に接することができた。女帝は両の頰に靨《えくぼ》を持っていた。口をしっかり結んで微笑すると、いつもその靨が深く刻まれて見える。女帝は小肥りに肥っていた。女帝は儀式の時以外は、自分が肥っていることが判らぬように、自分で考案した特殊な服を纏っているということであったが、そうした服であるのか、その日の女帝は胴まわりのゆったりした袖の長い服を身に着けていた。

光太夫には、高貴さと権力を併せ持った女性が、さして普通の人間とは変って見えなかった。ただ一つだけ不思議なことは、女帝の六十二歳という年齢であった。これだけはどうしても信じることができなかった。五十歳と言っても、四十歳と言っても、素直には受けとることはできなかった。と言って、二十歳と言っては確かに不自然になったが、一番適当に言うなら、年齢を考えさせられない女性、それがエカチェリーナ二世であった。

拝謁は二時間にわたって行われた。こんども亦光太夫はさりげなく帰国の日の一日も早く来るのを待ちわびているという意味のことを口から出したが、女帝はそれに対して大きく頷いただけで、やがてその日が来るだろうとも、来ないだろうとも、そうした言葉はいっさい口からは出さなかった。

ブーシュの邸へ帰ると、前と同じように、ラックスマンは今日の拝謁の首尾は期待できる最上のものであったというようなことを言った。光太夫もまた自分でそう思っていた。併し、最上の首尾であるにしても、帰国のことについて女帝からいかなる特殊な言葉を賜わったわけでもなかった。そのような考え方をすると、女帝エカチェリーナ二世は、年齢のほどを感じさせない点ばかりでなく、光太夫には一点理解し難い不気味なものを持った美しい権力者に思われた。

『女帝のロマン』（一九〇八年刊）というエカチェリーナ二世の伝記を書いたカ・ワリシェフスキーはその著書の中で、晩年における女帝の外貌について最も信頼できる記述として、ウィジェ・ルブラン夫人の印象を掲げている。

――まず第一に私は彼女の背がたいへん低いことに驚いた。私は実際に会うまで彼女の背がその栄光と同じほどに大きいものと想像していた。彼女はよく肥っていたが、その顔はまだ美しさを保っていた。高くふくらまされた白髪は顔のためのみごとな枠を形成していた。彼女の高くて広い額には天才のしるしが見られた。彼女の眼は善良で聡明であり、鼻はギリシャ風で、顔色はよく、顔全体が生き生きとしていた。……私は彼女の背が低いと言ったが、儀式の時、頭を高く持ち上げ、眼を鷲のように輝かせている荘重な態度は、世界の女王にふさわしいほどの威厳に満ちていた。

八月にはいってから、光太夫は皇太子の招きを受けて、離宮内の皇太子の館に伺候した。この前女帝に拝謁した折は、二回ともラックスマンに付き添われて行ったが、こんどはひとりの参内であった。そこは皇太子の居間兼食堂といった部屋で、部屋の四囲の壁面は薄緑の色で統一され、白く彫刻や装飾物が浮き出していた。明るい部屋であった。そこでお茶の御馳走になり、漂流中のことをあれこれお話し申し上げて、一時間ほどで退出した。当然その時刻に来ている筈の迎えの車がまだ到着していないと知ると、皇太子は自分の車で帰るように言った。光太夫は恐縮して固く辞退したが、異国の人は例外であるから遠慮するに及ばないという再三の仰せであった。近侍の者も余り執拗にお断りするのは却って礼を欠くことになろうという意見だったので、光太夫は窮屈なことであったが、皇太子の車でブーシュの邸まで送り届けられた。車は四人乗りのイギリス製の小型のもので、全面金で塗られてあり、馬は八頭であった。

突然、皇太子の車を迎えたブーシュ家の人たちの驚きようはたいへんなものであった。全員庭に走り出て、それぞれ皇太子を迎えるために居並んだ。ところが車から出て来たのは光太夫だったので、一同はすぐには言葉も出ない有様だった。いかにしてこのような事態になったかを口々に訊ね、かかることは前代未聞、信じ難いことであると言った。そこにはラックスマンも居合せたが、ラックスマンはいかに異国人の身であろうと、再びこのようなことはすべきではないと言った。その夜、光太夫は寝苦しい一夜を明かした。全面金で塗られた車に乗ったためか、身内は火照《ほて》り怪しく胸は躍った。翌日、そのことをブーシュ家の人たちに話すと、平民の身で王位の輿に乗ったのであるから、そのようなことがあっても不思議はなかろうと言われた。

結局このことはその場限りの笑い話で済んだが、寝苦しい夜の方は、それから暫く経つと、毎晩のように光太夫を訪れることになった。

女帝に二回も拝謁し、皇太子の招きも受けているにも拘らず、帰国についての沙汰はいっこうになかった。周囲の人たちも、光太夫の顔さえ見れば、もうすぐ帰国の許可が降されるであろうとか、もう幾許《いくばく》もなくして、嬉しい報に接するであろうとか、口々にそんなことを言っていたが、やがて次第にそうした言葉は口から出さなくなった。当然あるべきものと思われる官からの沙汰がいっこうにないので、誰も彼もがうっかりしたことは口から出せないという警戒心を働かせ始めたからであった。

こうしたことは、ラックスマンに於ても亦例外ではなかった。八月の初め頃は、何分異国民に関することではあり、単に送り帰すと言っても大船を動かさなければならず、その準備もたいへんで、そうそう簡単に公の官の文書にはならないであろうというようなことを言っていたが、八月の半ばになっても、下旬になっても、いっこうに音沙汰ないことを知ると、その話が出る度に訝《いぶ》かしげなものを顔に走らせるようになった。

「これほど手間どるということは、ちょっと考えられぬことだ。ベズボロドコは一体何をしているのか」

ラックスマンはいつもベズボロドコを引合いに出して言った。以前は総てはベズボロドコのお蔭でここまで漕ぎつけることができたと、女帝の寵臣でこの国第一の権力者を礼讃するに吝《やぶさ》かでなかったが、今は多少その言い方を改めて、時にはベズ奴《め》は、というような失礼な呼び方をした。ラックスマンはラックスマンで、光太夫に劣らず、事が捗々《はかばか》しく進まないことに憔ら憔らしていた。ラックスマンの言い方からすると、総ての原因はベズボロドコひとりにあるようであった。

このベズボロドコという人物に対しては、光太夫も余りいい感情は持っていなかった。最初に女帝に拝謁した日、光太夫はこの人物に王宮の玄関まで出迎えられ、それから二階の拝謁の部屋へと案内されたのであるが、何となく相手の人物に冷たいものを感じていた。その表情も冷たかったし、自分の前を歩いて行くその背の感じも冷たかった。権勢並ぶ者なき人物であるので、異国の漂流民などを一顧だにしないのは当然であるとしても、そうした傲岸さとは別に、生れながらにして身につけているものに冷酷なもののあるのが感じられた。

光太夫はベズボロドコにはもう一回会っていた。それは女帝への拝謁が適《かな》って、光太夫の心が最も明るく弾んでいた七月の中頃のことであった。その日、ベズボロドコ夫妻を初めとする高官たちは、ある貴族の別荘で避暑の宴を張ったが、その時光太夫も、ラックスマン、ブーシュ等と一緒に招かれて同席した。そしてそこからの帰路、一同は余興にペテルブルグ郊外の娼家に立ち寄った。娼家を訪うことを思いついたのは女帝の傍近く仕えているソフィヤ・イワノウナであった。この女性は執政トルッチンニノーフの夫人で、光太夫が女帝に拝謁した際、女帝の質問を女帝に替って光太夫に伝える役を受け持った女性であった。その娼家で改めて酒宴は開かれ、男女代る代る相擁して踊った。

客の一人が提琴をとり、ソフィヤが舞い、娼婦たちが唄った。光太夫は宴席の隅に坐っていたが、娼婦たちの唄う歌謡の調べが胸に応えた。

——ああ　たいくつや　われ
ひとの国
みなみなたのむ
みなみな棄てまいぞ
なさけないぞや　おまえがた
なさけないぞや　おまえがた
見向きもせいで
あちら向く
うらめしや　つらめしや
いまは　泣くばかり

光太夫には、その歌詞がまるで自分の身の上を織り込んでいるように思われた。酒宴の席でいつでも唄われている歌に違いなかったが、それを聞いているうちに光太夫は殆ど耐え難いまでになった。涙が瞼に溢れて来た。一人がそうした光太夫に気付いて、どうしたのかと訊いた。光太夫は匿しても始まらなかったので、

「歌の詞《ことば》が、わが身の上を物語っているように聞えて、不覚にも落涙いたしました」

と、率直に答えた。歌はすぐ他の歌に替えられた。一座の者は光太夫の言葉ではっと胸を衝《つ》かれたらしく、中でもソフィヤは心ないことをしたと言って詫びた。併し、一座の中で、ベズボロドコひとりは違っていた。一言半句もそのことについては口から出さなかった許《ばか》りでなく、光太夫が涙を落したことが可笑《おか》しかったのか、一座の緊張が解けた時、低く声を出して笑った。光太夫はそうしたベズボロドコの様子を眼にして、これといった理由なしに、冷酷なものを相手に感じたのであった。

その娼家の酒宴は暮方になって終り、一同は輿を連ねて帰路についたが、光太夫はその一日不快な思いを消すことができなかった。娼家で聞いた歌詞の物悲しい調べのためではなかった。ベズボロドコの冷たい眼の光が、拭っても拭っても、光太夫の瞼から消えなかったのである。そうしたこともあって、光太夫はベズボロドコという権力者に、あまりいい感じは持っていなかった。

「直接ベズボロドコ伯に会って、事情を訊いて貰うわけには行かないか」

光太夫はラックスマンに言ったことがあった。すると、

「この国はいま他国と戦争をしている。彼は外務大臣である許りでなく、この国の一切の政務をとりしきっている。いま面会を申し込んでも、半歳後でないと会うことはできぬだろう」

ラックスマンは答えた。光太夫の眼にはラックスマンが政府の高官たちと自由に往来

しているように見えていたが、それは光太夫にそう見えるだけの話で、実際は必ずしもそういうものでもないらしかった。いかに高名な学者であると言っても、所詮は学者であるに過ぎず、もの怖《お》じせぬ性格からどこへでも押し掛けて行ってはいたが、自らそこには限度というものがあるに違いなかった。

ラックスマンが眼に見えて憔ら憔らするようになってから、光太夫は眠られぬ夜を持った。帰国の許可がいつ降りるか判らぬとなると、それまでの反動で、夜毎絶望が光太夫を襲った。女帝にも二回も拝謁し、直接自分自身の口で帰国のことを奏上しているのに、それでも今までに何分の沙汰がないとすると、もう永遠に帰国の望みは断たれてしまっているのではないか。それにしても、女帝は光太夫の帰国歎願書に眼を当て、〝ベドニャシカ〟——可哀そうにと、言葉を洩らしているのである。真実日本の漂流民たちの身の上を哀れに思ったからであろう。それ許りでなく、帰国の願いは前々からのことであると思うが、どうして自分の耳にはいらなかったのか、とまで近侍の者に訊ねている。そしてラックスマンの言ったことを真実とすれば、帰国の願書を女帝に取りつがなかった元老院の官人は、その罰として七日間の朝参を禁じられたということではないか。

女帝は自分たちを憐れみ、帰国させてやろうという気持を持っているのだ。いけないのはベズボロドコである。ベズボロドコという人物が、事をさして重大には考えないで、為すべき手続きを怠っているのに違いない。あるいは、政務の多忙さにかまけて、異国の漂流民のことなどすっかり忘れてしまっているかも知れないのだ。忘れても思い出してくればいいが、忘れっぱなしで、再び思い出すことのない場合だってある。あるいは思い出すことがあっても、面倒臭くなって、それを取り上げる気持を失ってしまっているかも知れないのである。

光太夫は、八月の中旬から下旬へかけて、毎晩のように寝苦しい時間を持った。暁方の白い光線が部屋の中に流れ込んで来る頃まで、光太夫は寝台の上で輾転反側《てんてんはんそく》した。そして、最後はベズボロドコ奴、ベズ奴、鬼め、鬼のベズボロドコ奴と、ベズボロドコひとりに恨みは集まって行き、ベズボロドコを呪《のろ》う思いの中で、疲れ果てて眠りに落ちるのが常だった。

九月にはいると、女帝は百官を召し連れて、ペテルブルグに還御になり、ツァールスコエ・セロの離宮はために火が消えたようになった。

女帝がペテルブルグに帰ってからも、光太夫はそのままブーシュの邸に留まっていた。ラックスマンもそのように勧めたし、光太夫もできることなら引続いてブーシュの家に厄介になって居たかった。ペテルブルグに移っても、これ以上の宿舎があろうとは思われなかった。女帝が居ない以上、光太夫にとってはツァールスコエ・セロに留まっていることは何の意味もなかったが、意味がないという言い方をするなら、ペテルブルグに帰ることにも、また何の意味もなかった。夏の離宮であればこそ、女帝に拝謁の機もあったのであるが、首都ペテルブルグにあっては、もはやそうしたことは夢にも望めぬことであった。同じ絶望の思いに苛《さいな》まれる悶々の日々を送るなら、まだしも静かなツァールスコエ・セロの方が有難かった。

ラックスマンは、女帝還御とほぼ時を同じくしてペテルブルクに帰って行った。帰る時、

「もう一度、改めてお前さんたちの帰国の運動を始めてみる。決して力を落してはいけない。わしはペテルブルグで何人かの学者たちに会うので、その方面からも運動してみよう。生物学者にとっても、鉱物学者にとっても、お前さんの国はたいへんな魅力を持っている。学者たちがお前さんの国の土を踏むためにも、お前さんたちの帰国は実現させねばならぬことである。わしは、自分のためにも、お前さんたちにぜひ早急に故国の土を踏んで貰わねばならぬと思っている」

それから、吉報があり次第連絡するから、この秋中をここで過すつもりでいて貰いたい、とラックスマンは言った。

「日本では、自分たちのように、いろいろと容易ならぬ運命に弄ばれて、いっこうに自分の道の開けぬ者たちのことを、親不孝の罰が当ったと言う。自分の場合、まさしくその通りで、日本に居る時さんざん親不孝の罪を重ねたので、いまその酬いが来ているのである。また、日本では前世の酬いというような言い方もする。恐らく自分は前世ろくなことはせず、その酬いで、いまこのような憂きめを見ているのかも知れない」

それから言葉をちょっと切って、

「併《しか》し、思うのに、自分は前世で悪いこと許りしていたわけではない。いいこともしたに違いない。そうでなかったら、今生《こんじょう》に於て、あなたに廻り会うことはできなかったであろう」

光太夫は言った。ついぞ今までに、光太夫は礼らしい礼をラックスマンに言ったことはなかった。これが初めての謝辞であった。失意のどん底に於て、光太夫はこういう言い方で、ラックスマンに感謝の意を表したのであった。

九月半ばを過ぎると、急に秋がやって来、ツァールスコエ・セロの森には落葉の雨が降り始めた。落葉樹という落葉樹は、葉という葉を体から振るい落すのに余念なかった。茶褐色に紅葉して落ちる葉もあれば、青さを持ったままで落ちる葉もあった。

光太夫は毎日のように森の中を歩いた。もう皇族たちと出遇う心配もなかったので、離宮の塀に沿っている道も歩いた。静かないい道であった。この道はサドワヤ通りと呼ばれ、十年ほど前に作られたものだということだった。ブーシュの下で働いている労務者たちは朝になると、やがて来る冬に対する準備のために、花園のあちこちに散って行った。光太夫は遊んでいるよりは、働いている方がまだ気持が紛れると思って、手伝いしたい希望を再三ブーシュの許に申し出たが、ブーシュの許すところとならなかった。

「お前さんは、大切なお上からの預り者である。勝手に私が使うわけには行かぬ」

ブーシュは言った。ブーシュは北欧系の帰化人で、いかにも雪国の生れらしく、冬の準備となると、樹木や花卉《かき》の手入れ、雪よけ、一切をてきぱきとやってのけ、そうした仕事に携わっているブーシュの姿は別人のようにいそいそとして見えた。ブーシュ許りでなく、ブーシュ家の全員が同じだった。冬が近づいてくるということで、誰も彼もが生き生きとして見えた。

光太夫は、今年の冬はここで越さなければなるまいと思った。無為に迎える異国における九度目の冬であった。小市、磯吉、庄蔵の三人はイルクーツクで、新蔵はペテルブルグで、自分はツァールスコエ・セロで迎える冬であった。光太夫は仲間のことは何も考えないことにしていた。長い間故国のことは一切考えないように自分に課していたが、今は故国のこと許りでなく、仲間のことも考えないことにしていた。小市や磯吉がイルクーツクでいかなる毎日を送っているか、そのことが頭に閃いただけでも胸は痛んだ。庄蔵は相変らずアンガラ川の流れが遠くに見える病院の一室の寝台の上に横たわっているに違いなかったし、その姿を思い描いただけでも、また胸は痛んだ。近いところに居るとは言え、新蔵の明け暮れに思いを馳せても、胸を走る痛みは同じことだった。ペテルブルグの冬を、新蔵はいかなる宿舎で、いかにして迎えようとしていることであろうか。

光太夫は森の中を歩く以外は、机に対《むか》って、この国で見聞したことを記録する仕事に自分を縛りつけていた。時には朝から深夜まで机から離れぬこともあった。ブーシュの家に厄介になっているので、自然に、植物に関する記録が多くなった。

――「酸漿《ほおずき》」。苗はおしろい花の如く多く枝またを生じて繁衍《はんえん》す。実は日本のものと同じ。よく熟したるをとりて菓子となし食う。この国の児女は、日本の児女の如くその皮を口に入れて、鳴らして遊ぶことを知らず。

――「煙草」。この国にてもタバコという。シビリ（シベリア）にて多く作る。葉立日本のものより小なり。八月末には年により雪降る故、大抵八月の初めにとりて乾かす。未だ充分みのらざる故、乾きたる色黒し。四貫五百匁にて、価七、八十銭より二百文に到る。

――「くねんぼ」。レモンという。食用なるも、また鉢に植えて珍翫《ちんがん》す。夏の間、梨などと共に、オランダより船にて、夥《おびただ》しく都へ送り致さる。このもの都には方々にて見かけるも、シビリにては絶えて見ることなし。

光太夫は、併し、このような仕事が全く徒労以外の何ものでもないかも知れないという思いに衝き当ることがあった。故国の土を踏もうと思えばこそ、異国の見聞を書き記しているのであるが、この国に果てるなら、一切は無駄な作業と言うべきであった。そうした時光太夫は筆を措《お》いて部屋を出、森の中を歩いた。そして心の衰えを癒すまで森の中を歩き廻り、また部屋に戻って来て筆を執った。

七章

九月ももう何日も残されていないという頃になって、突然ラックスマンから連絡があり、直ちにブーシュの家を引き払ってペテルブルグに来るようにということであった。いい事であるか悪いことであるかは判らなかったが、光太夫はそのようにすることにした。

「悪いことであろう筈はない。きっと永年の悲願が達成する日が近づいたに違いない」

ブーシュは言ったが、光太夫はそうした期待は持っていなかった。ラックスマンのペテルブルグ滞在期間が切れ、イルクーツクへ帰らねばならぬ時が迫ったぐらいのことであろうと思った。結局は望みは適《かな》えられなかったが、それにしても光太夫にとってはいろいろのことがあったツァールスコエ・セロであった。悦びも悲しみもあったツァールスコエ・セロの五カ月近い滞在であった。

その日光太夫はこれが最後だと思って菩提樹の林の中を歩き、二つの尖塔に金の十字架をつけている小さい教会の前に立った。人が居ない筈はなかったが、何となく無住の教会の感じで、四本の柱を持った正面入口の床の上には落葉が散り敷いていた。

光太夫はそこからめったに近寄らなかった王宮の横門の前に出た。門の鉄の透かし扉には〝ＥＩ〟という金の組合せ文字が附けられてあった。〝ＥＩ〟というのはこの離宮の最初の持主であったというエカチェリーナ一世、詰まりピョートル一世の妃であるエカチェリーナ・アレクセウナのことであろうかと思った。

光太夫は離宮を取り巻いている塀に沿って歩いて行った。これまで歩いたことのない方まで足を伸ばした。途中から塀は高くなっていた。ブーシュから離宮の庭園の一部は鬱蒼たる森林になっていて狩猟が行われ、その方面の塀は高く頑丈に造られているという話を聞いたことがあった。狩猟の行われるというのはこの地帯であろうかと、光太夫は思った。なるほど塀の内部には老樹大木が生い繁っている。

その夜、光太夫はブーシュ家で開いてくれた心づくしの送別の宴に臨んだ。その席に於てのブーシュの話では、ブーシュが管理している花園は一七八〇年に初めて作られたもので、いまも年々大きくなりつつあるということであった。また教会は一七四七年にできており、それから四十四年経っているから、この辺りでは一番古い建物で、次に古いのは一七六二年にできた馬丁宿舎である。但し、調教場の方は少し遅れて花園が造られたと同じ一七八〇年に設けられたということであった。

晩餐が終ってから自室へ戻ると、光太夫は机に対って矢立の筆を執った。エカチェリーナに拝謁した王宮の広間のことを、この地を去るに当って記しておこうと思ったのである。

――宮中の結構は方二十間ばかり、赤と緑と斑文ある大理石にて飾る。女王の左右には侍女五、六十人、こちらには執政以下の官人四百余人、両班に分れて居並ぶ。

光太夫は謁見の間の状況をこのようなものとしてしか思い浮かべなかった。併し、実際は光太夫がエカチェリーナ二世に謁したのは、赤と緑と、斑文のある大理石で飾られた部屋ではなかった。五十五ある王宮の部屋の中にはそのような部屋はなかったのである。光太夫は赤い大理石の部屋を通り、緑の大理石の部屋を通り、琥珀《こはく》の部屋を通り、しかも一切は夢心地のうちに行われていたので、それらの部屋部屋の印象が入り混じってしまったのである。それからまた光太夫は官人四百余人が二班に分れて居並んでいたと思い込んでいたが、実際は官人たちは部屋から長い通路へと居流れていたのである。五百人近い官人侍女をすっぽりと納めることのできる広間は、この離宮の中では王冠の間がただ一つあるだけであった。そこは圧倒的に金の印象しか受けることのできぬ金箔と鏡の部屋であった。

翌日光太夫はブーシュ家を辞し、ツァールスコエ・セロの地を離れた。途中の街路樹もまた落葉しきりだった。ペテルブルグにはいって、一時期起居していた宿舎へ赴くと、ラックスマンは平生と少しも変らぬ態度で、

「二十九日にベズボロドコ邸へ行きなさい。そういう呼び出しが来ている」

と言った。いかなる用件の呼び出しであろうかと光太夫が訊くと、

「わしは何も知らぬ。いかなることかお前自身の耳で聞くがよかろう」

ラックスマンは言った。光太夫は相手の顔から何ものかを窺いとろうとしたが、ラックスマンはいかなる表情の変化も示さなかった。いつもと全く同じ顔をしていた。

二十九日の午後、指示された時刻に、光太夫はベズボロドコ邸に出向いた。方六十間ほどの大きな二階建ての構えで、敷地全部を飾りのある鉄柵が取り巻いていた。玄関に現われたのも、大きな部屋に案内したのもみな役人で、館に立ちこめている空気は個人の邸宅のそれとは違っていた。毎晩十人の者が宿直し、他の二十人は未明から夕刻まで家人の如く執役しているということであった。

光太夫は長い間待たされた。苦しい時間であった。半刻《はんとき》ほど経った頃その部屋へはいって来たのは、ベズボロドコではなくて、外国人関係の役所の長であるウォロンツォーフであった。彼は背の低い肥満した体を運んで来ると、立ったままで、

「願いにまかせて、日本漂民は生国日本への帰国を許されることになった。これひとえに、慈愛深い女帝の御心から出たことである」

と言った。光太夫は頭を垂れていた。

「六月二十八日、ツァールスコエ・セロにおいて汝を御引見遊ばされた折、女帝は即刻オホーツクへ護送のことを命じられたのである。既に船の大方の用意も調《ととの》ったので、この度の発表となった」

光太夫は頭を垂れていた。何も考えられなかった。ただウォロンツォーフの抑揚のない言葉に額を打たせていた。

「十月末、帝のお召しがある。宮中に参内する時日については、いずれ後日通達することになろう」

光太夫は依然として頭を垂れていた。光太夫は顔を上げることはできなかった。容易ならぬ事態がいま自分の身の上に来ようとしていることだけが感じられた。生国日本への帰国を許される、そう言ったウォロンツォーフの言葉が、光太夫の五体を痺《しび》れさせ、ひどく物哀しいものを光太夫の五体に注ぎ込んでいた。やがて、光太夫は面を上げると、

「女帝の特別の思召しに依って、帰国が許されると、いまあなたは仰せになった。私の耳の聞き違いでなく、確《しか》と、あなたはそう仰せられたのであるか」

「いかにも」

「日本の漂民光太夫は、確かに日本に送り届けて頂くことになったのであるか」

「いかにも」

「私は四人の仲間を持っている。私を入れ五人の者全部が帰国のお許しを得たのであろうか」

「四人の仲間と言っても、そのうち二人はこの国の者になることを自ら望み、この国の宗教に帰依した。すでにロシアの民である。その二人を除いた他の二人の漂民たちが汝と共に本国への帰還を許されることになっている。従って、帰国する者は汝を含めて三人である。いずれ帰国についての詳しいことは後日沙汰するであろう」

「帰国する時期は？」

「それは、イルクーツク駐在の総督が取り決めることである。すでに総督ピーリには勅令が降されている」

それから、

「都に滞在中はすべてラックスマンの指示に従って行動するよう」

ウォロンツォーフはそれだけ言うと、あとは口調を和らげて、ペテルブルグを離れるまでに多少の時日はあろうから、できるだけ方々見物するがいい、われわれもその便宜をはかるだろうと言った。

光太夫はベズボロドコ邸を出ると、ともすれば躰が宙に舞い上がって行きそうな妙に不安定なものを覚えながら、一歩一歩足を拾いながら、宿舎に向った。と言って、光太夫は別にふらふら歩いているわけではなかった。ただ酔っているような思いに絶えず揺られており、それをどうすることもできなかったのである。一刻も早くこの吉報をラックスマンに伝えたいという気持だったが、運河に沿った石畳の道も、ネワ川の橋もやたらに長く続いていた。

光太夫は宿舎に辿り着くと、ラックスマンの部屋へはいって行った。ラックスマンは机に対っていたが、立ち上がると、

「お前さんにとって、今日は満足な日であろう。わしにとっても、また満足な日である」

そう言って、光太夫に近づいて来るや、いたわるように光太夫の肩を軽く叩いた。光

太夫は罪人が罪を詫びるような恰好でうな垂れて立っていた。そしてラックスマンの手が肩から離れた時、右腕を眼のところへ持って行った。嗚咽《おえつ》が初めて光太夫を襲ったのであった。

ウォロンツォーフは光太夫に、すでに勅令がイルクーツク総督に降されていると言ったが、実際に、光太夫がまだツァールスコエ・セロで悶々の日を送っている頃、九月十三日付で第一六九八五号なる詔令が、イルクーツク総督ピーリに送られていた。〝日本との貿易関係の確立について〟という題名の附された長文のものであった。

『日本の商人が難破してアレウト列島に漂着し、初め現地の事業家に救われ、やがてイルクーツクに伴われ、ある期間国費で扶養されていた経緯は、すでに貴殿の承知しているところである。これら日本人をその故国に送還する機会は、その国と貿易関係を作るきっかけへの期待を抱かせるものと考える。事実、海路の距離から言っても、隣国である点から言っても、ロシアにとっては諸外国の中で、日本が最も貿易の相手として好条件を具《そな》えていることは、ここに改めて言う必要はあるまい。これに関して、光太夫なる日本漂民の長をこの地（ペテルブルグ）に伴い来たった七等文官、教授ラックスマンに日本との貿易関係樹立についての重要性を説明せしめ、それを別文として附した。彼の進言を尊重し、それに依ってわが国が利するところ少からざることを考慮し、彼の計画の実現方について、貴殿の努力を期待するものである。

一、日本まで航海するために、オホーツク港で国費を以て適当な船と経験ある船長、および航海の経験ある乗組員を雇入れること。あるいは貴殿も承知しているように、現在探険に赴いているビリングス大尉の船隊がその時までに帰港すれば、その中の一隻を修理して、乗組員ともに新しい目的のために使用してもよろしい。この場合、船長はロシア人たることが望ましいが、適当な人材がなければ、英国、オランダ以外の外国人の登用も考慮することができる。

二、この船で、国費で扶養されている上記の日本人等三人を送還すること。但しキリスト教に帰依した二人は残すこと、この二名の処置については後述する。

三、これら日本人の故国送還はイルクーック管区で勤務している上記ラックスマン教授の息子の一人に当らせること。彼は天文学と航海術についての知識を持っているので、途中および日本滞在中に、海域、島嶼《とうしょ》、陸地の天文学的、物理学的、地理学的観察を行わしめ、またその他の貿易状況についての知見を得せしめること。

四、この派遣隊の秩序および管理を確保するために、その長に対して明白詳細な指示を与えること。この場合、この問題について豊富な知識を持っている前記ラックスマン教授の意見を参考にすること。

五、今回の日本人送還に当っては、日本国政府に対して、挨拶の書状を送り、漂民たちのロシアに来てから送還されるまでの経緯を述べ、わが国が日本国との間に国交と貿易関係をひらきたい意志のあること、またわが国の港および領内に来る日本人に対しては可能な限り好遇するものであることを説明すること。
六、日本国政府に対する好意を示すために、各種の商品を貴殿の名において、日本に対する土産として持参せしめること。商品購入用として国庫から二千ルーブリ支出のこと。
七、この派遣隊と共に、イルクーツクの優れた商人、あるいはその支配人一人を随行せしめること。そして日本の住民に役立つ品物を持参し、日本商品を購入して帰ること。これは、将来の対日本貿易に対して参考になる経験を積むためである。
八、ラックスマン教授の計画書の中で述べているアムール川経由の新航路開発に関しては、対清国関係が貴殿の承知している状況であることを考慮して、この際採り上げないこととする。またわが国の行動に依って清国を刺戟して、清国との貿易会談に困難な事態を招かないようにすべきである。
九、キリスト教に帰依した日本人二人は、わが国に残して、対日貿易に必要なる日本語を教授させること。このため貴殿は彼等をイルクーツクの国民学校に附属させ、適当な給与を与え、当面日本語習得のために五人乃至六人の生徒を選ぶこと。将来日本との国交がひらけた暁は、彼等は通訳として役立ち、また必要とあれば日本語普及のために大きな役割を果すことになろう。
十、派遣隊の隊長および任命された隊員の給与、特別の出費、途中における日本人の扶養に必要な金額は、明細を附して提出すること。これは適当な機関を通じて支出されるであろう。但し、当座必要な費用は国庫に送られる金額の中から一時借用すべきこと。
十一、送還途上における日本人の扶養費のほかに、彼等が送還されるまでの間も、貴殿の判断に依って扶養し、また送還に当っては、別記せる額の土産を与えること。このうち彼等の長である光太夫に対しては、すでにこの地の皇帝官房からの支給手続きがとられている。
以上、貴殿の誠意ある努力を期待するものである。ここに述べられた事項は、わが皇帝の信頼に応えて、万遺漏なきを期して厳正に実施されんことを』

日本漂民光太夫一行の帰国が、ロシアの極東政策の一環として取り上げられたことは、イルクーツク総督ピーリに送られた第一六九八五号なる詔令に依って明らかであり、こうした機運を作ったのがキリル・ラックスマンであることも、その詔令に依って明らかである。ラグス著『キリル・ラックスマンの生涯』（一八九〇年刊）によると、実際にまたラックスマンはペテルブルグで認めた一七九一年九月七日付のカ・イ・ウィルケなる人物に宛てた書状において、光太夫について次のように触れている。

――女帝陛下は私の計画を取り上げて下さいました。日本の商人光太夫は金メダルと六百ルーブリ、住居、文机《ふづくえ》を与えられ、フリゲート艦〝スラワ・ロシー〟号で日本へ送還されることに決まり、私の息子アダムが彼を送ることになりました。送還船の乗組員も各二百ルーブリを与えられます。来週私はここを出発してイルクーツクに向います。

私への手紙はオイラーの方へ廻して下さい……。

併し、日本漂民光太夫について関心を持ったのは、ひとりロシアだけではなかった。光太夫のことは、フランス人レセップスが著した『レセップス旅行日録』二巻に依って、光太夫がペテルブルグにはいる前に、既にヨーロッパには紹介されていた。英清間の通商関係を調整する使命を帯びて一七九二年に英国政府から清国へ派遣されたマカトニーは、その出発前の四月の初めに光太夫を秘書として獲得したい希望を、駐ロシア大使チャールス・ウィトウォース宛に私信の形で申し送っている。そして六月九日に彼がロンドンにおいて受け取ったウィトウォースからの返事には、自分はすでに昨一七九一年九月に日本漂民についての情報を送っている筈である。それがそちらに届いていないとすれば、恐らく途中で奪われたのであろうと、そんなことが書かれている。こうしたことから見て、日本漂民光太夫は、当人こそ知らなかったが、当時ヨーロッパの一部の政治家からは充分注目するに足る存在として見做《みな》されていたのである。

ウォロンツォーフから帰国を許可する旨を申し渡されてから、光太夫の身辺は急に忙しくなった。ツァールスコエ・セロ滞在中に知り合った高官たちより晩餐に招かれたり、ラックスマンと親しい人たちから祝いとも別れともつかぬ宴席を設けられたりした。時には、何日も毎晩のように酒宴が続くこともあった。それに、見物しなければならぬ場所はふんだんにあった。帝室博物館、図書館、科学博物館など、一般には入場できないところも、特に拝観を許され、大学、病院、養老院なども、それぞれ適当な人の案内で見学した。光太夫は毎夜遅くまで机に対《むか》って、その日見聞したことを仔細に書き記した。最早ツァールスコエ・セロのブーシュの家においてのように、ふいに空虚感に襲われて、筆を措いて席を立つことはなかった。どの一行もやがて故国において人に語らねばならぬ貴重な資料であった。それは故国においてどのような価値を持つものか見当がつかなかったが、恐らく想像もつかぬような大きな役割を果すものではないかと思われた。

光太夫は眠る時間も惜しむような気持で、めったやたらに書き記した。

――病院をオシリピタリ、またボリノイシノドマとも言う。ペテルブルグに八所、ムスクワに十二所。一院の中に上中下三等をわかつ。上等の院には、高官貴人をおらしむ。患房は頗《すこぶ》る清潔、医師はみな官医、日々来りて診察し治療を施す。七日ごとに入浴。施捨を好むものこの院中の病者に食物金銀を施すことを得。その品は貴賤の別なく平等に分配す。貴人はその受けたる品を院中の貧者に分ち与う。病院は都の内のみならず地方にも多く、イルクーツクに留りたる庄蔵もイルクーツクの病院にて、病を養い居るなり。イルクーツクの病院は中国風の建築にて頗る壮麗、七日毎に国司患房を巡視す。

――幼院は棄児を養育するところ。ペテルブルグに一処、ムスクワに一処あり。四方に三層の連房《ながや》を建て巡らし、房ごとに第一第二の字号を記したる札を掛く。院内に学校および百芸の院あり。児を送り入るところは高き窓にて、内部に大きな箱をひき出しの如く仕掛けてあり。児を送り入る者、夜陰に及び小児の誕生日を札に記して首にかけさせ、窓の下にて壁を叩くと、内よりひき出し押し来たり、それに小児を入れて、また壁を叩くと、ひき出しは内に引き入れられ、小児の替りに銭五百文入ってまた押し出され来る。児の親、その銭を受取りて帰る。児さえ養い難き困窮を憐みての措置なり。その親また取戻し養わんと欲すれば、送り入れたる年月日、誕生日を記し、例の箱に入れれば、それと交換にその児が押し出されてくるという。児成長の暁は学校に入れて手に職をつく。業の成りたる児は帰さざると聞く。

光太夫は芝居見物も二回した。ペテルブルグにはロシア芝居の劇場が三つ、ドイツの劇場が二つ、フランス、イギリスの劇場がそれぞれ一つずつあった。光太夫が行った劇場はいずれも三階建てで、正面は貴人の桟敷《さじき》に作られてあった。日本の芝居と異って、幕は上に捲き上げられ、幕の間には提琴三絃などで童児の踊りがあった。光太夫は芝居を観た夜は、狂言のすじも詳しく書き記した。

光太夫はまたムスカラートと呼ばれる年中七日毎に行われる奇妙な催しにも人に伴われて出てみた。場所は浮橋の傍らにある上下百十六の部屋数を持つという三階建ての大きな館で、ムスカラートはそこの二階で催された。催しの行われない日は空屋になっていて、番人が管理しているということであった。この催しは皇子皇孫をはじめ、諸官人から平民まで、いささかの差別もない無礼講で、参集者はいずれも思い思いの扮装《ふんそう》をこらして覆面し、談笑散策、日没時から深夜に及んだ。所々に小部屋があり、そこでは酒や食物を売っていた。光太夫はたくさんの行事や催しものを見たが、この行事についてだけはどのように記していいか見当がつかなかった。そもそもこのムスカラートなる行事が、何のために催されるか理解できなかった。強いて臆測すれば、貴人や官人たちが偽らぬ民の声を聞くためのものかと思われた。

光太夫は街に出ると、商店の一軒一軒にも注意して、それを記述することにした。商店では銀器を売っている店が目立った。いずれも店内に工房を持っていて、そこで造る皿、鉢、器などが店いっぱいに美しく陳列されてあった。燭台、吊燈籠などの見上げるような大きなものも造られていた。漆器類を売る店は殆ど見当らず、たまにあっても、そこに並べられてある品は不細工で貧しかった。大体ロシア人は漆を用うることは苦手らしく、日本の漆を貴び、貴人富豪の家では、日本製の漆器を珠玉の如く珍重していた。

光太夫は、帰国のことが決まった今となってみると、この国で無為に過した十年の歳月が恨めしく思われた。故国の土を踏めるということが判っていれば、また異った日々の過し方があった筈である。今となっては、書き記して持ち帰らねばならぬものはふんだんにあったが、限られた時間では自ら限度があった。百に一つをも望めなかった。

光太夫はツァールスコエ・セロからペテルブルグに移った翌日、前に新蔵から聞いていた彼の住居を訪ねて行ったが、あいにく不在だった。ペテルブルグに来てから知り合いになったらしい二、三人の仲間と、どこか海沿いの田舎へ魚釣りに出掛けているらしく、宿には半月ほど留守にすると言い置いてあった。こうしたことも新蔵らしく思われた。どこへ行ってもすぐ土地の人と親しくなり、結構その生活の中に馴染んで行くところは、小市も庄蔵も磯吉も真似て及ばない点であった。

帰国のことが決まって十日ほど経ってから、光太夫は新蔵の住居をもう一度訪ねて行った。真昼の午下《ひる》がりの時刻であったが、新蔵は薄暗い部屋の寝台の上に横たわっていた。二人は近所のお茶を飲ませる場所へ出掛けて行った。そこで光太夫は多少言い難いことではあったが、自分と小市と磯吉の三人に帰国の許可があったこと、そして新蔵と庄蔵の二人には、この国に於て将来を保証される官職が与えられるらしいことを告げた。どうせいつまでも匿《かく》し了《おお》せることでもなかったので、何もかもありのままに告げることにしたのである。

光太夫の言葉を聞いた時だけ、新蔵はさすがに顔色を変えて苦しそうな表情をしたが、すぐ確《しっか》りした口調で、

「それは何よりもよかった。俺と庄蔵の二人がこの国に留まることになったのは、これも、まあ、致し方のないことである。庄蔵も貧乏百姓の伜だし、俺も貧乏百姓の伜だ。今さら郷里の土を踏んでも、田を耕すか、船に乗って水手《かこ》で一生を終るか、そんなところだろう。まだこの国に残っていた方がまともな暮しができそうな気がする。郷里に帰りたくないと言えば嘘になるが、無理に帰ろうという気持はなくなっている。ただ、この国で一生を過すなら、この都よりイルクーツクの方がいい。イルクーツクの人間の方が親切だし、人情も風俗も日本に似通っている。お前さんがイルクーツクへ帰る時、俺も一緒に連れて行って貰いたい。俺は勝手にイルクーツクを飛び出して来ているので、

帰るとどんな咎めがないとも限らぬ。そのことだけはよしなに取り計らって貰いたい」と言った。光太夫が、そういうことはたやすいことである。それにしても二人が離れているより一緒に居る方がいい。いま自分が止宿している宿舎へ引き移って来る方が何かと便利であろうから、そうしないかと勧めると、

「これからどのくらいここに留まるか知らないが、その間は、まあ、お前さんとは別々に暮していることにしよう。その方がよさそうな気がする。お前さんは日本人《ヤポンスキイ》だし、俺は今はもうこの国の人間だ。お前さんも遠慮があろうし、俺も気がねがある」

新蔵は笑った。確かにその通りだった。帰国する者と帰国できない者との感情の差違はあらゆる面に現われる筈であった。お互いに遠慮も気がねもあるに違いなかった。光太夫はいつイルクーツクへ向けて出発するようになるか判らないので、絶えず連絡を怠らないようにすることを注意して、その日は新蔵と別れた。

新蔵は、それから四日か五日目ごとに光太夫の宿舎に顔を出した。光太夫が案じるほど新蔵は暗い顔はしていなかった。一日も早くイルクーツクの土を踏みたい気持が、日本へは帰れない不運な若者の心を捉えているらしかった。もうこの国で果てなければならぬとなると、イルクーツクに棄て置いて来た女のことが慕わしくもあり、案ぜられる風でもあった。

十月二十日に、光太夫は宮中に召され、ラックスマン付添いのもとに参内《さんだい》した。極く短い拝謁であったが、女帝は手ずから嗅ぎ煙草入れを光太夫に賜わり、「海路つつがな

く帰国するように」というお言葉を下された。光太夫はお礼の言葉を申し上げて、すぐ御前を退出した。

光太夫は女帝に拝謁した日、自分が夢心地で参内した王居の模様を記そうと思ったが、王居がネワ川の南岸に建っていること、築地《ついじ》高塀を巡らした宏壮な建物であること、銃を持った門番の間を通って行ったこと、御殿は三層に造られ、そのどこかを歩いて行く時、ネワ川の青い流れの一部が眼にはいったこと、そうしたこと以外殆ど何も記憶していなかった。王居の内部の壮麗さは思議の及ぶところでなく、ただ夢心地でこの世ならぬ玉殿高楼を導かれて行ったという以外、いかなる書き方もなかった。

続いて十一月八日にラックスマンに伴われて、ウォロンツォーフをその邸に訪ねた。ウォロンツォーフ邸はホンタン川に近い地区にあって、ここも広い前庭と三階建ての大きな館が鉄柵で囲まれてあった。そこの広間で光太夫は、女帝からの御下賜品として、金牌一枚、時規《とけい》一個、金銭百五十を、ウォロンツォーフより交付された。金牌は純金で造ったもので、表には女帝の像、裏にはこの国の中興の賢王として知られているピョートル大帝が馬上で大岩石の上に大蛇を踏んで立つ像が刻まれてあった。これは幅一寸四、五分に織った天藍《そら》色の帯で頸にかけるようになっており、平民の賜わる勲章では最高のもので、この勲章の拝受者は例のイルクーツクの豪商グリゴリー・イワノウィチ・シェリホフ、もう一人は花火造りの古今の妙手だという人物、光太夫以外ではこの二人だけしかこの栄誉を担った者はないということだった。時規はフランス製の眼にも眩ゆい精巧なものであった。

光太夫のほかに、小市、磯吉にも銀牌を賜わった。形は金牌と全く同じで、ただ銀製であることと頸にかける帯が浅黄色であることだけが異っていた。外に金五十枚ずつの包み四個を賜わった。小市、磯吉のほかに、新蔵、庄蔵の分も含まれ、都合四個の金包みを下賜されたわけであった。

ラックスマンが受領書を認めてくれ、それに光太夫は日本字の署名をし、日本の印を捺した。また別に、今日からのロシア滞在中の費用として光太夫銀九百枚、小市、磯吉、庄蔵、新蔵は三百枚ずつ、但しこれは年額で、いずれも日割にして支給されるとのことで、その書付もまたラックスマンから渡された。更にこの他に、帰国の伝馬四匹、キビツカ二梃分の代として銀三百枚、旅中の飯料として二百枚、それやこれや至れり尽くせりの待遇というほかなかった。また、この日、ラックスマンはラックスマンで伝馬六匹、イルクーツク往来の費用として銀五千枚、日本漂民の面倒をみたことの褒賞として指輪一個と銀一万枚を賜わった。

ペテルブルグ出発は同じ月の二十六日と決まった。ラックスマンも光太夫も共に忙しくなった。光太夫は滞在中知り合った人たちから餞別を贈られ、それに対する礼と別れの挨拶のために毎日のように出歩いた。ラックスマンと一緒のこともあればひとりのこともあった。ラックスマンは学者仲間が開いてくれる送別会に追いまくられ、

「お前さんのお蔭で、わしが日本へでも帰るような騒ぎじゃ」

いつも宿舎を出て行く時、そんなことを言った。ペテルブルグにはいつか冬が訪れ、毎日のように白いものがちらちらしていた。ネワ川の水は目立って黝《くろ》くなり、市民は着ぶくれて俯向《うつむ》いて街を歩いていた。光太夫は毎夜その日の見聞を記すほかに、餞別に貰った品を書きつけねばならなかった。

一、トルッチンニノーフより狐皮の頭巾一頂、イギリス製の白布一丈、同夫人より食料。

一、ウォロンツォーフより狐の裘《かわごろも》一件。

一、ベズボロドコより銅版画十二張、砂糖二塊。

一、コオフより乾牛肉四貫五百匁。同令嬢より塩蒸しの野鴨一双。茶三袋。

一、デミドフより硝子製の蓋もの三個、コップ十個。

一、ムーシン・プーシキンより砂糖二塊、銅版画五張。顕微鏡一具。

一、スツルゴ・オシコーフより米四貫五百匁、同夫人より食料、同令嬢より肌着一条。

一、イワン・シモノウィチ・パラスより茶五袋、同夫人より砂糖一塊、同娘より襟まき一条。

こういった調子に書き記して行くと切りがなかった。貰う許りでなく、懇望されて已《や》むなくこちらから贈った物もあった。銅版画と顕微鏡をくれたムーシン・プーシキンは、ラックスマンの親友で、かねてから光太夫が持っている小判を所望していた。光太夫は他の物なら兎も角、日本の小判を他国人に渡すのはいかがと思って固く断っていたが、ラックスマンの口添えもあって、ついに小判一両、歩判一両、南鐐十片、四文銭四、五枚、伊勢の刃もの五張、銀の煙管一本を贈った。

光太夫は出発を十日程先きに控えて、アンガルトという学者からの依頼で、日本語が記載されている辞典の誤りを訂正するために、ワシリエフ地区の港近いところにある大学へ六日ほど通った。大学はアーチ型の門を持ち、その建物は赤と白の色で塗られ、長方形の窓と屋根の方々に赤い煙突を見せている美しいものであった。そこで示された辞典には一つ一つのロシア語に対応する万国語が記載されてあって、日本語も亦何十語か取り上げられてあった。殆どが南部辺の、しかも下賤の言葉が多かった。光太夫はそれを適当と思われる言葉に置き替えた。その仕事の謝礼として、光太夫は葡萄酒、いちご酒、くねんぼ酒、それぞれ一陶、砂糖二塊を贈られた。

光太夫はまた同じ大学から、日本地図二面の作製を依頼された。イルクーツクでラックスマンの依頼に依って、日本地図作製の仕事を手伝ったことがあったが、こんどはその時のように信用すべき資料はなかった。光太夫は再三断ったが、あくまで参考にするに過ぎないということだったので、漂流以来持ち歩いている船頭用の地図を土台にして二面の地図を描いた。この国において見る地図という地図が頗《すこぶ》る詳細を極めたものであったので、光太夫は自分ながら自分が描いた地図にあきたらぬものを感じた。それと同時に、今更のように、自分が日本の国土について無知であることを痛感せざるを得なかった。身を以て経巡っただけに今は日本よりロシアの地理の方が詳しかった。

光太夫はまた大学の近くのネワ川の岸に建てられてあるクンストカーメラに出向いて行って、火箸、象牙の箸、椀、扇子、硯箱、鈴、そうしたこまごましたものを寄附した。いずれも日常使用していたもので、こんなものを寄附して何になるかと思うような品ばかりであったが、ラックスマンの慫慂《しょうよう》に依ってのことであった。それからこれもラックスマンの勧めで、博物館に『森鏡邪正録』『番場忠太紅梅箙《えびら》』『奥州安達原』といったような浄瑠璃本十二点を寄贈した。いずれも光太夫が漂泊時ずっと持ち歩いて来たもので、『森鏡邪正録』だけは写本であった。この博物館は王宮の近くにあって、クンストカーメラの対岸に位置し、ここもまたネワ川に臨んでいた。内部は天井も高く柱も大きくて立派で、宛《さなが》ら王宮の中にあるような思いを持った。こうしたことで、光太夫は出発間際になって却って毎日のように出歩かねばならなかった。

十一月二十六日、光太夫、新蔵、ラックスマンの三人は、ラックスマン夫人の弟イワン・キリシャノウィチ・ストロマノの家に行って、そこで旅装を調えた。輿《こし》造りを業とする富裕な家であった。出発は夜半十二時と決められていた。夕方までに、行を共にする者が集まって来た。ラックスマンの部下二人のほかに、コマノイン・グスタウウィチ・スタラコマンという人物が居た。ラックスマンの同郷の学友で、博学の士であったが、何か問題があって生国ドイツを離れなければならなくなり、ラックスマンと共にイルクーツクに下ることになった人物であった。

一行はキビツカ二輛、荷車三輛を十二頭の馬にひかせてペテルブルグを発った。光太夫にとっては、この都は己が運命を変えた街であり、苦しい思い出も、楽しい思い出もいっぱい詰まっている街であった。ツァールスコエ・セロのブーシュの家に着いたのは午前四時であった。まだ暁方には遠く、漆黒の闇が立ちこめている中に、ブーシュ家の燈火だけがすべての窓から明るく漏れていた。一家全員で遠く故国へ旅立って行く光太夫を暖かく迎えてくれた。光太夫はブーシュから茶二袋、娘から肌着一枚を贈られた。ラックスマンはブーシュから贈られた数種類の草木の苗木を四つに分けて、それぞれ羅《ら》紗《しゃ》の布でぐるぐるまきにすると、二台のキビツカに積み込んだ。朝食を御馳走になると、一行はブーシュ家を後にした。離宮の森には靄が深く立ちこめており、それに陽が当って、朝とも昼とも判らぬ異様な明るさであった。

それからまる二昼夜経った二十九日の午前十時に、一行はモスクワの豪商ジガレーフの家に着いた。ここに十二、三日滞在している間に、光太夫は尼寺、劇場、ジガレーフの兄が経営する大砂糖工場などを見物した。

十二月十一日、モスクワを発ち、十四日朝、ニジニ・ノヴゴロドの町に入った。ここに一週間滞在、二十日出発して、新年を雪原にて迎えた。年号が変らない限りは天明十二年の正月を迎えたわけであったが、光太夫は新蔵に気がねして、そうしたことは口にはださなかった。今年が天明十二年であろうとなかろうと、いまの新蔵にとっては与《あずか》り知ったことではなかった。

一月五日、一行はエカチェリンブルグに着いた。ラックスマンの嫁の叔父イワンリーテという骨、角、皮革の類をひさぐ大商人の邸に一泊する。翌日の夕刻そこを出発するに当って、キビツカ一梃に二十六頭の馬をつけた。これからの悪路に備えての措置であった。

それから先きは途中トボリスクで人家に泊っただけで、あとは厳寒期の原野をひた走りに走った。イルクーツクに着いたのは二十三日の夜半である。アンガラ川の凍結した川の面が眼にはいって来た時、さすがに光太夫は胸が詰まった。そのアンガラ川の凍った面を滑るように奔《はし》って町にはいる。丁度一年目に見るイルクーツクの町であった。深夜のこととて、町は死んだようにひっそりしており、人影のない道路には相変らず雪の細片が舞っていた。小市が、磯吉が、庄蔵が居る町にやっとのことで帰って来たと思った。帰国の許可が降りたことはラックスマンの手に依って、既に小市、磯吉には伝えられている筈であった。庄蔵がそれを知っているかどうかは判らなかったが、何事にも細心の注意を払う小市のことであるから、それを最も刺戟の少い形に於て、既に庄蔵の耳に入れているのではないかと思われた。

一行はラックスマンの家にはいった。その夜はみんな長途の旅の疲れで正体なく眠った。

翌日、光太夫はラックスマンに同行して貰って、何よりも先ず総督イワン・アルフェリエウィチ・ピーリに挨拶するために総督府に出向いて行った。ピーリは鄭重《ていちょう》に二人を迎え、光太夫に、「五月頃までには、御身を故国へ送る船の用意が調う筈である。それまで心静かに帰国の準備をされるがよかろう」
と言った。温情の溢れた言い方であった。そして別室に午餐《ごさん》の卓を設けて、総督としては異例と思われるもてなし方をした。グラスには葡萄酒も注がれた。この席では光太夫が主賓であると思ったのか、ラックスマンは余り喋らず、ちびりちびり葡萄酒を嘗《な》め、無くなると、勝手に葡萄酒の壜を取り上げ、自分で自分のグラスを満たしていた。ラックスマンはこの場合に限らず、いかなる席でも、自分の家に居る時のように、いつも自分勝手に振舞っていた。女帝エカチェリーナの前に居る時だけは、別人のように畏っていたが、それ以外の席ではどこかに傍若無人なところがあった。併し、ラックスマンの優れているのはそれが極く自然に誰の眼にも映ることであった。

総督府から戻ると、ラックスマンの家には小市、磯吉が集まり、新蔵と一年振りに積る話をしていた。光太夫は三人の仲間たちに、女帝より下賜された品々を与えた。小市は銀牌を推し戴くと、黙ってそれを部屋の隅の飾棚の上に置いた。磯吉が自分の銀牌を開けようとしていると、

「ばか者、これは仲間みんなで頂戴した品だ。手など触れないで神棚へ上げて置くものだ」

と、小市は強い口調で言った。磯吉は開けるのをやめ、すぐ小市に倣《なら》って、それを飾棚の上に置いた。光太夫には小市が、銀牌とは無縁な新蔵に気がねして、若い磯吉を窘《たしな》

めていることに気付いた。そうしたことを知ってか知らずか、新蔵は、

「俺も庄も、日本には帰れないが、生きている限りは、この国で銀三百枚を貰えることになった。お前さんたち、日本へ帰ってみな、銀三百枚などとんでもねえことだ。三十枚にも三枚にもありつかねえぞ。まあ、何事も慾を出せばきりのねえことだ。おらあ、もう、これで充分だがな」

と言った。光太夫は新蔵の顔に眼を当てていた。屈託なく明るかった。明るい筈はないのに明るかった。光太夫は、新蔵もまたこの一年で人間ができてしまったと思った。小市が新蔵をかばっているように、新蔵は新蔵で、屈託ない態度をとることで帰国組をかばっているのに違いなかった。

夕方、光太夫は病院に庄蔵を見舞った。庄蔵は窓際の椅子に腰かけて何か書物を読んでいたが、光太夫の顔を見ると、

「よかったな。やはり、この世には神さまはいらっしゃる。お前さんの一念を神さまは取り上げて下さった」

と言った。

「お蔭でな。――新とお前を残して、三人だけ帰って行くのは辛いが」

光太夫が言いかけると、「なんの」と庄蔵は遮《さえぎ》って、

「みんな神さまの思召《おぼしめ》しだ。わしだって郷里へは帰りたい。人間、誰が生国を思わん者があろう。だが、神さまは、新蔵とわしには、お前ら二人もさぞ郷里へは帰りたかろう

が、我慢して、この国に留まって貰いたい。そうしないと、アムチトカ島やニジネカムチャックで死んだ者たちに対して、余りにも片手落ちになる。幸い今日まで生きた者の中にも、郷里の土を踏める者もある。踏めない者もある。そういうことにしなければならぬ。それが人間というものだ。神さまはそうおっしゃってる」

その庄蔵の言葉が、光太夫の胸に応えた。

「俺が願うことは、新とお前に、互いに助け合って、仲よくやって行って貰いたいことだ」

「そんなことは、案ずるには及びませんわ。神さまを信じなければこの国では一日も生きては行けん。新蔵もいまに神さまの声が聞けるようになりましょう」

一年見ないうちに、新蔵も、庄蔵の顔はすっかりこの国の教徒のそれになっていた。白子の浜を出た時の百姓の小伜の顔を、いまの庄蔵の表情から想像することはできなかった。陽光に当ることが少いために顔の色は蒼白んでおり、眼は冷たく澄んでいた。喋り方も静かであった。

翌日、光太夫は小市、磯吉の二人を連れて、丘陵の上のエルサレム墓地の九右衛門の墓に詣でた。新蔵は前日から姿を晦《くら》ましていた。

「新の奴は相変らずだ。女のとこへしけ込むもいいが、一年ぶりで帰って来たのだから庄蔵も見舞い、九右衛門の墓詣りもして、その上でのことにすればいいのだが」

小市は言った。

「まあ、いいだろう」

光太夫は言った。庄蔵が神に依って生きているように、今のところは新蔵は女に依って生きる以外仕方ないのかも知れぬ。それに相手のニーナも人のいい働きものの女である。一緒になるなら一緒になるがいいと思う。

「新の奴、いっそ祝言をしたらどうかな。どうせ祝言するなら俺たちが居るうちの方がいい」

光太夫が言うと、

「そりゃ、だめだ」

小市は言った。

「新は、祝言するなら、俺たちが居なくなってからしようと思っている。郷里へ帰って、異人の女と一緒になったと言われるのが厭なんだ。それだけはどんなことをしても避けたいらしい」

すると、磯吉が、

「郷里へ帰って噂されるのが厭なだけじゃないと思うな。俺たちにも一緒になっていると思われるのは厭なんだ」

「事実、一緒になっているじゃないか。町内で知らない者は一人もあるまい」

「実際にはどうであっても、兎に角、新蔵は厭なんだ。恐ろしく見栄坊なところがある。俺にも、あの女とは、ひとはどう思うか知らないが、変な関係は何もないと言ってる」

「そんなことを言ったって、ニーナは触れ廻ってるじゃないか」

「いくらニーナが触れ廻っても、新蔵は何もないと言ってる」

「じゃ、そのままにしておくんだな」

光太夫は言った。自分たちが居なくなると、新蔵はすぐニーナを教会へ連れて行くだろうと思われた。もともとニーナの勧めで教会通いを始め、恐らく洗礼を受けたのもニーナの助言あってのことであろう。結局郷里の土を踏めなくなったのもニーナという女のためだとも言える。お互いに嫌いではなさそうだから、時期はいつでもいい。気のすむような形で一家を構えるがいいと思った。

三人は丘陵のだらだら坂を墓地へと上って行った。光太夫はペテルブルグへの出発前の慌《あわただ》しい時期の九右衛門の野辺送りのことを思い出していた。ずいぶん遠い昔のことのように思われるが、それからまだ一年の歳月しか経っていない。丘を上って行くにつれ、アンガラ川の凍結した白い帯が見えて来た。アンガラ川は今年は一月十八日に凍結したということであった。光太夫たちがイルクーツクにはいる五日前に凍結したわけで、凍結した川の面はまだ汚れていず白く見えている。

「去年は、三月十五日に突然川の氷が溶け、小麦粉を運んでいた百姓が一人、馬と橇と一緒に流れに落ち込んで死んだ。大騒ぎだった」

小市は言った。

「七月の初めに、スパスカヤ寺院の鐘に時規《とけい》が取りつけられた。今では日に何回も鐘が鳴る」

磯吉も光太夫が居なかった留守の間の出来事を拾った。そして、

「あれは三月八日のことだったかな。ボゴヤウレンスコイ寺院で、ヤクート族の代表者が洗礼を受けた」

と言うと、小市が引きとって、

「そうそう、教父は主教、教母はお前さんがおととい挨拶に行った総督ピーリの夫人だ。町中大騒ぎをした」

と言った。

やがて、三人は九右衛門の墓の前に額《ぬか》ずいた。光太夫は帰国のことを報じた。見栄も外聞もなく、一番帰りたがっていた九右衛門が永久にここに眠っていなければならぬと思うと、胸にこみ上げて来るものがあった。顔を上げた時、光太夫にはふと墓石が動いたように思われた。


光太夫は丁度まる一年イルクーツクを留守にしていたのであるが、その間にこの都を遠く離れた町にも多少の変化はあった。小市と磯吉の口から知ったヤクート族の代表者がボゴヤウレンスコイ寺院で洗礼を受けたこと、アンガラ川解氷の折、小麦粉運びの農民が馬と橇と一緒に川に落ちて溺死したこと、スパスカヤ寺院の鐘に時規が取りつけられたこと、そうしたことが目立つ事件であったが、そのほかにも幾つかの事件と言えば

言えるようなものがあった。光太夫は顔見知りのロシア人たちから、挨拶替りに、そうした事件を報告された。

——あんたの留守の間のことだがな。

とか、

——あんたは、留守にしていたで知るまいが。

とか、そんな言い方で、イルクーツクの町に起った小さな出来事が紹介された。イルクーツクの警察司令官の更迭があって、アンドレイ・イワノウィチ・ブリュムという心許せないひとくせある人物が着任したとか、知事職を代行していたミハイル・ミハイロウィチ・アルセニエフが歿し、チフビンスカヤ教会で葬式が営まれ、その時二十一発の弔砲と共に五百人の部隊による射撃が行われたとか、そういった種類の出来事であった。アルセニエフは死後評判がよくなかった。あとに八人の娘が残されたが、一人だけしか結婚していないので、これから未亡人は残りの娘たちをかたづけるのが大変だ。併しアルセニエフは貪慾《どんよく》でカルタ遊びで金を遺しているので、経済的には心配あるまいなどと言われた。イルクーツク市民は役人や牧師の噂が好きで、その人物が死んだり転任したりすると、ひとしきりその人物の品定めが行われるのが常であったが、大体において、それは的を外れたものとみれば間違いはなかった。従ってアルセニエフの評判も頗《すこぶ》るいい加減なものであった。実際にはアルセニエフは善良で接待好きの人物であった。

このアルセニエフのあとを承《う》けて、イラリオン・チモフェウィチ・ナゲリ少将がキャフタからこの町の新知事として赴任して来た。厳正な人物であったが、市民たちの言い分を借りると、この人物もまた心許せないひとくせある人物ということになった。また、この町で指折りの豪商ムィリニコフの新邸が石造建築として完成したことも、彼が郊外に大きな皮革工場を造ったことも、一七九一年におけるこの町の出来事であった。石造のムィリニコフ新邸の前には、落成当時毎日のように見物の男女が集まったが、ムィリニコフが警官の手で彼等を追い払わさせたということで、この金持の商人の評判も亦よくなかった。

——あの石で造った大きな家も、末はろくなことはなかろう。

ムィリニコフ新邸のことを光太夫に話すロシア人たちは、例外なくそう付け加えることを忘れなかった。併し、この市民たちの予言だけは的中したと言わなければならなかった。この家は五十年後の一八四〇年に、商人トラペズニコフ兄弟とワシリー・メドベドニコフに買われ、間もなく彼等の税金の代りとして、イルクーツク市当局の管理下に移され、一八五三年の記録によると、当時は役所の一部として使用されている。確かに末はろくなことにはならなかったのである。

それはさて措《お》き、光太夫は留守一年間のことを市民たちから報《しら》されるということに於ても、自分がいつかイルクーツク市民の一人になり了《おお》せていることを感じないわけには行かなかった。光太夫の眼にはイルクーツクの町も、そこに暮している市民たちも、今までとは違ったものとして映っていた。やがて近く自分が去って行く町であり、別れて行く市民たちであった。町にも人にも、今までには感じなかった親近さを覚えた。モスクワやペテルブルグなどの大都会を見て来た光太夫の眼には、イルクーツクの町がこんなに小さかったかと思うほど小さく見えた。小さくはあったが、新蔵が帰りたがっただけの魅力はあった。アンガラ川の岸の狭い地域に人々は互いに身を寄せ合い、三千の家々もまた互いに身を寄せ合っていた。そして朝に夕に幾つかの教会の鐘の鳴り響く町を上からすっぽりと雪が包んでいるのである。

イルクーツクの土を初めて踏んだ時以来、ずっと日本の漂流民たちが住んでいた宿舎には、今は新蔵と磯吉が起居し、光太夫は官から与えられた同じウシャコフ地区の別の宿舎に移り、ひとりでは淋しいので、そこに小市を招んでいた。庄蔵は相変らず入院生活を続けていたので、五人の日本人は三カ所に分れて住んでいるわけであった。

この年は春になっても、寒さが厳しかった。三月四日にイルクーツクの高官たちのヤギ猟が行われ、そのために五百五十人のブリヤートが集められた。光太夫は小市と一緒に、役所前の広場に、そこに集まっているブリヤートたちを見物に行った。この年のアンガラ川の解氷は例年より半月ほど遅れて四月三日だった。解氷の時、氷上を渡っていた牛三頭と犬二匹が砕けた氷塊に乗ったまま流された。それを目撃した人の話を聞いて、光太夫は心を痛めた。氷塊と共に連れ去られて行った生きものたちが哀れであった。母国日本では起り得ない出来事であり、それが異国人としての余裕を持ち始めている光太夫の心を刺戟したのであった。

光太夫は絶えず役所に出向いて帰国に関しての連絡をとっていたが、五月にはいって間もなく、漸く船の準備も調《ととの》ったということで、イルクーツク発足の日が二十日と定められた。光太夫はそのことを小市、磯吉に伝え、三人で諜って発足当日まで庄蔵には内密にしておくことにした。新蔵の方には匿《かく》しだてすることなく、すぐ打ち明けた。

「庄には当日まで言わんことにしたいと思うんだが、俺たちは二十日にここを発つことになってな」

光太夫が言うと、

「二十日って、今月の二十日か」

新蔵は訊き返して、一瞬表情を固くしたが、すぐ穏やかな顔になって、

「本願適《かな》って、さぞ嬉しいことだろう。別れの当日、めそめそするのは厭だからいま言っておくが、俺は生れつきわがまま者で、ずいぶん迷惑をかけた。よく見放さないで今日まで面倒みてくれたと思っている。俺や庄蔵のことは、何も案じないでくれ。見ず知らずの土地に置いて行かれるわけじゃない。土地の事情もよく判ってるし、人情も判ってる。結構、俺たちは俺たちで倖せにやって行けると思う。郷里へ帰ったら、家の者にも、村の衆にも、よろしく言ってくんな。何も郷里を見限ったわけじゃねえが、何となくこんなことになってしまった。これこそ神さまの思召《おぼしめ》しというものだと思うんだ。死んだ九右衛門のためにも、体の自由の利かねえ庄のためにも、神さまは誰か残さなければならぬと考えられて、いろいろ考えた末に、俺に白羽の矢を立てなさったんだ。新蔵

が一番優しくて、九右衛門の墓詣りもするだろうし、庄の面倒も見てやるだろうということになったんだ。俺としては買いかぶられて、有難迷惑な話だが、それまでに見込まれれば仕方がねえ」

新蔵は最後の方を冗談に紛らわせて言っていたが、誰も笑わなかった。笑わないどころか、新蔵が言葉を切った時、小市が声を出して泣き出した。そして、

「俺は何かとお前に辛く当って来てすまなかった。勘弁してくれ。俺は正直に言って、郷里へ帰れると決まってから、郷里へ帰ることがさほど嬉しくはなくなった。このまま、イルクーツクに居た方がいいのじゃないかという気がする。こう言うと嘘だと思うだろうが、俺は本当にそんな気がしているんだ。併し、帰りたいとさんざんせがんで、漸くのことで、それでは帰してやると言われ、そう言われた時になって、やっぱりここに置いて貰いましょうかとは言えた義理じゃねえ。そんなわけで、今となっては帰る以外仕方はないことだが、お前や庄と別れるくらいなら、いっそここに残った方がいいというのが、俺のいまの偽らぬ気持なんだ」

それから、

「な、新よ、今まで十年間苦労を共にして来ていて、死別なら兎も角、お互いに生きていて別れなければならんということは何と因果なことだろう。が、いま言ったように、お前と庄はここに残らねばならんし、俺はここを発って行かねばならぬ。まことに因果というほかはない。体を丈夫にせいよ。みさかいなく女子に手を出すなよ。庄と喧嘩す

るなよ。片輪者は時にはわがままになる。聞いて聞き流せよ。俺は一番年齢が多いから早く死ぬ。俺が死んでからも何年も何年も生きておれ」

小市はめんめんと己《おの》が情を述べた。見せかけも飾りもなく、思っていることをそのまま言葉に出したのである。光太夫は途中で小市の泣きごとを遮ろうかと思ったが、結局そのまま喋らせてしまった。

光太夫は磯吉が黙っているのを見て、

「お前も、ひとこと新蔵に別れの挨拶をしておきな」

と、磯吉に言った。すると、磯吉は、

「俺はこんど新蔵や庄蔵と別れても、いつかまた会えそうな気がしている。このまま別れっぱなしになることはないと思うんだ。こんど俺たちと一緒に、この国からの正式の使者が日本に通商の相談に行く。な、そうだろう。話はきっとうまく行くと思うんだ。そうなってみな。この国のことを知っているのは俺たちだけだ。否でも応でも、また俺たちはこの国へやって来なければならぬようなことになると思うんだ。ラックスマンもそう言っていた。そういうことにならんことには、日本という国は立って行けぬらしい。ラックスマン自身も本気で日本へ行くつもりでいる。俺はいろんな調べごとをラックスマンから頼まれている」

「そうさの、そういうことにならんとな」

光太夫も言った。磯吉はラックスマンの言うことをそっくりそのまま信じていたが、いささかもそれを否定しなければならぬ材料は持ち合せていなかった。実際にラックスマンは、そういう日を迎えたい許りに今日まで努力して来たのであり、そしてそれが漸くにしていま緒につこうとしているのである。

光太夫とて、ラックスマンのように、ラックスマンの言うことを信じている磯吉のように、そういう明るい将来に時に思いを馳せることがないわけではなかった。併し、光太夫はそうした自分に気付くと、すぐそこから自分を引き出した。たとえ夢想でも、それの持つ明るさがそら怖ろしかった。そんなことは考えまいぞ、考えまいぞ、そういった気持だった。確かにロシアという国を実際に知っているのは、日本人としては自分と小市と磯吉の三人だけであるに違いなかった。異国における十年の放浪生活で身に着けたものが、故国の土を踏んだ場合、いかようなことになるか、明るく考えれば限りなく明るく羽搏《はばた》いて行ったし、併しまた暗く考えれば、底知れぬ暗い沼の面を覗き込む思いもあった。そのいずれの思いからも、光太夫は己れを守っていた。いまは兎も角、故国の土を踏むこと許りを考えるべきである。それだけを望んで十年の異国の放浪生活に耐え、今日まで生きて来たのである。

日本へ向う通事の発表があった。トラペズニコフとトゥゴロコフの二人であった。どういうものかターリノフは選に洩れていた。トゥゴロコフは生粋のロシア人で曾て日本語学校で日本語を学んだことがあるというだけのことでろくに話せない許りか、聞く方となるとてんで駄目だった。トゥゴロコフに較べるとまだ二人の二世の方が遥かに上だった。タターリノフが落ちてトゥゴロコフが選ばれるということは日本の漂民たちには理解しがたいことであったが、こういうところが異国の人事というものであろうかと思われた。

それから出発まで忙しい日が続いた。ペテルブルグの場合と違って、イルクーツクには親しい人たちが沢山できていた。暇乞いしなければならぬ人は、各階層に亘っており、有名な富豪もあれば、小さな八百屋の一家もあった。しかも光太夫、小市、磯吉三人共通の知人以外に、それぞれ各自の交際相手を持っていた。毎晩のように招宴があった。三人揃って出向くこともあれば、別々に出掛けて行くこともあった。

光太夫は餞別に贈られた品を、一つも落すことなく記した。

——テモへより小麦の焼餅二貫匁、夫人よりメリヤスの頭巾一頂。

——足軽大将オシポ・イワノウィチ・ノウエツコイより茶二袋、鶏卵百個、夫人より船中安穏の護符としてニコライ像一枚、娘よりメリヤスの脚半一双。

——官吏グルジンスコイよりからくん*ひとつがい、妻より鶏三羽。

——ラックスマンの娘マリヤよりからくん三つがい。

こういった調子である。マリヤには、光太夫は自分がこれまで持っていた小袖、羽織、袴などを尽く贈った。

光太夫は何日かを荷作りに費した。この国にあって、故国にないものは、何でも持ち帰りたかったが、自ら限度というものがあった。船には何でも積み込める筈であったが、乗船地オホーツクまで運ぶことが容易でなかった。ペテルブルグで入手した品と、イルクーツクで貰ったり買ったりした品を併せると大変な量になった。光太夫はその中からどうしても故国へ運びたい品々を撰り分け、それを何個かの包みにした。外套、チョッキ、ズボン、肌シャツ、肌ズボン、雨衣、防寒服、帽子、靴の類は、できるだけ各種の物を揃えた。いずれも貴重な風俗資料である。糸巻き、匙《さじ》、煙草入れ、小筥《こばこ》、ブラシ、銀鉢、茶瓶、茶碗、皿、水指し、煙管、櫛、剃刀《かみそり》、鏡等々の日用品の類も一包みにし、指輪、耳輪等の装飾具類から懐中時計、勲章、顕微鏡、中刀、ステッキの類も一包みにした。珍しいものでは掛絵になっているエカチェリーナの像があった。これは光太夫自身の思い出からも是非持ち帰らねばならぬものであった。何葉かの地図、書籍から貨幣類も、故国へ持ち帰れば大きい価値を持つものに違いなかった。地図にはロシアの地図のほかに、亜細亜全図、欧羅巴全図、アフリカ全図、アメリカ全図、亜細亜アメリカ対峙図といったようなものもあった。

出発二日前の十八日に、光太夫は病院の許可を得て、庄蔵を病院から磯吉の宿舎に移した。出発当日、病院に別れを告げに行くより、宿舎に於てそれを切り出す方が、庄蔵に与える打撃が少いのではないかと考えたからである。宿舎の人とか近所の人とか、庄蔵の話相手になる人たちの居る場所に、ひとりになった庄蔵を寝かせておきたかったのである。それからまた急にひとりになっては淋しかろうという配慮もあって、二十日朝に光太夫が発ち、同日夕刻に小市、磯吉が出発するという二段構えにした。

庄蔵を宿舎に移した日、光太夫はひとりでイルクーツクの町を歩き、ボゴヤウレンスコイ、スパスカヤの二つの教会を見、アンガラ川の岸に出た。丁度この日は、アンガラ川護岸工事の着工の日で、多勢の労務者が蟻のように河岸に取りついていた。この工事は二、三年前から計画されていたもので、工事予算が二万二千ルーブリであるとか、市議会の議員のアンドレ・フジャコフと建築家のチマシェフスキーが、多くの競争者を排して請け負ったとか、巷間にやかましく噂されているものであった。

光太夫は郷里伊勢の村々が毎年のように、そこに集まっている何本かの河川の氾濫のために大きい被害を出していたことを思い出し、このような大々的な築堤工事が故国の河川にも為《な》さるべきであると思った。併し、この国の技術を故国に移すとなると、早急には望み得ないことのように思われた。

二十日の朝、光太夫は宿舎に庄蔵を訪ね、急に自分だけ今朝先発する命を受けたからと言って、庄蔵に暇乞いをした。庄蔵は初め呆然としていたが、光太夫が近寄って抱擁すると、事の委細を知って、

「是非もないこと、せいぜい道中気をつけて下され」

と、確《しっか》りした口調で言った。光太夫はこの国の習いに倣《なら》って庄蔵の頬に唇をつけると、すぐ庄蔵の許を離れ、そのまま背を見せて宿舎を出たが、外へ一歩踏み出したところで、小児のように泣き叫ぶ庄蔵の声を聞いた。うしろ髪をひかれる思いだったが、それに耐

えた。

光太夫がイルクーツクの町を発ったのは午刻近い頃だった。同行はラックスマンと、彼の三男のマルチン。ラックスマンとマルチンは光太夫たちの見送りを兼ね、こんど大任を帯びて日本へ渡る息子のアダムとの打合せもあって、オホーツクまで同行することになっていた。

見送りの人たちは夥しい数に上り、その中の一部の者は、イルクーツクから二十二露里離れたプキンという駅まで付き添って来てくれた。プキンまでの見送りの輿《こし》だけで十二あった。ホッケイチやラックスマンの家族たちもみなプキンまで来てくれ、そこの亭で一夜を明かし、翌朝卯の刻（午前六時）に出発する光太夫たちを見送った。

光太夫は別れに臨んでラックスマン夫人の許にひざまずいて、その足を三度戴くようにした。これはこの国において子供が父母と別れる時の礼であるが、光太夫はそれを極く自然な気持で為した。本当に血を分けた母親と別れる気持であった。

光太夫はペテルブルグから乗って来た輿がひどく大きいので、イルクーツク出発の折、これをラックスマン父子に使って貰うことにし、自分のはもう少し小さい手頃なものを役所から借りて来ていた。ラックスマンの輿は十頭の馬が、光太夫のは六頭の馬が曳いた。別に光太夫が餞別に貰った品々や食糧などを積み込んだ輜重車《しちようしや》が一台あり、これは四頭の馬が曳いた。

プキンを出発した三台の輿は道を急ぎ、二十三日の午後二時には、イルクーツクより二百二十露里離れたカジカというヤクーツクへの埠頭に着いた。一日遅れて翌二十四日朝、小市、磯吉等の一行が到着した。小市たちの一行は、小市、磯吉のほかに、通事のトラペズニコフとトゥゴロコフ、それにラックスマンの下僕一人、全部で五名であった。

翌二十五日未《ひつじ》の刻（午後二時）に、ラックスマン、マルチン、光太夫の先発組は川船に乗り込んだ。ここから新しい同行者ができ、一行は十三人にふくれ上がった。一人は光太夫も面識ある豪商シェリホフ、ほかに二人の商人、そして彼等の使用人七名、都合十人が新しく加わったのである。船の長さは七間、幅二間、覆いは落葉松の皮で作ってあった。水手は五人のヤクート人で、櫂《かい》は舳《へさき》に一挺、艫《とも》に二挺あった。ヤクーツクまではこの国第一の大河、レナ川を下って行くのであるが、この水路は二千二百六十五露里に及ぶということであった。

この船旅で、光太夫はシェリホフとも毎日のように話したが、光太夫が意外に思ったことは、シェリホフがこんどの日本への使節派遣のことに、何の成果も期待していないということであった。本当に心からそう思っているのか、あるいはラックスマンに対して何か含むところがあって、そのような言い方をするのか、そのへんのところは理解できなかったが、言葉の端し端しにそのようなものが感じられた。

「あなた方が故国へ帰ることができるようになったことはたいへん結構である。しかも大船をしたてて、送り帰される。まことに悦ぶべきことである。こういうところがこの国のいい気なところだ。あなた方を鄭重《ていちょう》に送り帰したら、何かいい返礼にありつけるだろう。役人とか政治家というものはすぐそういうことを考える。だが、そうそうこちらの思うようにすじは運んでくれない」

シェリホフはそんなことを言うこともあれば、また時には、

「問題は人だ。確りした人物が乗り込んでいれば多少の期待も持てようというものだが、どうもそういう人物も居ないらしい。併し、あなた方はそうしたことに無関係だ。送ってくれるというのだから送って貰って、船が故国の港に着いたら、さっさと降りればよろしい」

などと言った。ラックスマンは聞いているのかいないのか、大抵の場合黙っていた。ただ一度だけ、さもおかしそうに笑い出したことがあった。何がおかしかったのか、シェリホフが話しているのを横で聞いていて、ふいに傍若無人に笑い出したのである。すると、シェリホフは瞬間眼を冷たく光らせて、何か言い出すように口辺の筋肉を動かしたが、思い直したらしく、そのまま押し黙ってしまった。

光太夫はシェリホフともラックスマンとも話したが、シェリホフとラックスマンは必要な時以外言葉は交えなかった。明らかに二人は対立していた。

船は毎日のように単調な風景の中を下って行った。時に対岸が見えないほど川幅が拡がることもあれば、反対に両岸が近寄って来て急流をなすこともあった。キレンスク、オリョクミンスクという二つのヤクート人の聚落があった。それぞれ四、五百の聚落で、二十日ほどの船旅の中で、この二つが旅客が眼にした僅かに聚落と言える聚落であった。

船はそれぞれの聚落の波止場に着いたが、いずれの場合も誰も上陸しなかった。ヤクーツクに着岸したのは六月十五日の午刻《ひるどき》であった。シェリホフたちの一団とは波止場で別れた。二日遅れて十七日に、小市、磯吉等も到着し、同じ宿舎にはいった。ヤクーツクは曾て十一月から十二月へかけて厳寒期を一カ月滞留したところであった。いろいろな思い出があったが、当時の六人の仲間はいまは三人に減っていた。

七月二日、ラックスマン父子、光太夫、それに二人の通訳、計五人の一団は、オホーツクへ向けて、ヤクーツクを発した。この場合も、小市、磯吉等は二、三日遅れて出発することにした。

ヤクーツクからは馬の旅であった。ヤクート人の馬子が道案内の役を引き受けた。来る日も来る日も、人家のない荒野を五頭の馬は進んだ。四、五日ぐらいの間隔でヤクート人の聚落は点在していたが、その大部分が道筋から外れたところにあったので、めったに聚落にはいることはなかった。たまに聚落にはいると、その度に馬子は替った。始終野宿の旅であったが、一番難渋なことは昼夜の別なく夥しい蚊の群れが襲来してくることであった。時には馬は体全体を蚊で覆われ、馬体が見えないほどになった。馬は口や鼻の辺りから血を滴り落しながら、喘《あえ》ぎ喘ぎ歩いた。光太夫たちは毛織りの帽子を冠り、紗で作った袋を更に帽子の上から掛け、革の手装をはめた手に馬の尾で作った蠅払いようの物を持って、それで己が体や馬の体を払いづめに払いながら進んだ。夜の野宿の時には木綿の蚊帳を吊って、その中にはいり、馬糞の乾いたのを焚いて蚊を避けた。

光太夫は曾て同じ道を逆にオホーツクからヤクーツクへ向けて旅したが、その時は秋であり、夜になると寒さで眠れなかったが、蚊の襲来はなかった。寒さの難渋と蚊の難渋と、どちらを取るか、誰にも簡単には決めかねた。こうしたことにつけても、このシベリアの地獄の旅を、ラックスマンが植物採集のために何回も経験していることは驚くべきことと言わねばならなかった。こんどの旅においても、ラックスマンは始終馬から降り立っては、草を引き抜いたり、石を拾ったりしていた。

八月三日に、一行はオホーツクに着いた。五日遅れて、小市、磯吉等も到着した。こんど光太夫たちを護送する大任を帯びているラックスマンの次男、アダム・ラックスマンは既に三月前からこの地に来ていた。光太夫たちはイルクーツクのラックスマン邸に於て、アダムとは一度会っていたが、僅かの間にアダムは体もひと廻り大きくなり、二十五歳の青年とは言え、一国の使節にふさわしい貫禄を身につけていた。

オホーツクへ着いて十日ほどしてから、光太夫たちはアダムの案内で、こんど自分たちを乗せて故国に送ってくれる船を港に見に行った。三年前に造った船で、エカチェリーナ二世号という名を持っていた。アダムの言うところによると、この船とは別に初めスラワ・ロシー号という新造船を用意したが、船長の気に入らず、それをやめてこのエカチェリーナ号を採用することにしたということであった。長さ十五間、幅二間半の大船であった。

八月二十一日に、ラックスマンはオホーツクを引き上げ、イルクーツクへ帰ることになった。ラックスマンはオホーツクには半月ほどしか滞在しなかったが、その間に彼が採集した植物や鉱物の資料は大変な量であった。ラックスマンは息子のアダムに指示を与えるためと、光太夫等を見送るために、はるばる東の果てまでやって来たのであるが、植物や鉱物の採集もこの地へやって来る目的の一つであったに違いなかった。今やラックスマンは三つの目的の全部を果し、再び極東の地からイルクーツクへ向けて引き返そうとしていた。

ラックスマン父子、従僕、オホーツクの長官から付けられた道案内人、この四人の一行を、アダムと光太夫は川船で二里余り送ることにした。小市、磯吉は他に用事があって、オホーツクでラックスマンと別れなければならなかったが、別れに臨んで小市は声を上げて泣いた。小市はこの半年ほど別人のように涙もろくなっていた。

光太夫とアダムの船は、ラックスマン一行の船と間隔をあけないで進んで行ったが、いつまで行っても切りのないことだったので、川の彎曲部で二隻の船は着岸した。ラックスマンも岸に上がり、アダム、光太夫も岸に上がった。光太夫はラックスマンとの別れに際して、ラックスマン夫人に為したように、神が与え給うたとしか思われぬ大恩人の前にひざまずいて、その脚を抱いた。感謝の気持は言葉で現わせるものではなかった。光太夫はただラックスマンの脚を抱いている手に力を入れて行き、その脚に頬を押しつけていた。

「不思議な縁と言うものだろう。恙《つつが》なく旅中を過さっしゃい」

そのラックスマンの声で光太夫は身を引いた。確かに不思議な縁であった。アダムも光太夫が為したように父の脚を抱いた。アダムは落涙し、見るも痛ましかったが、ラックスマンは、

「大任を無事果すように」

とだけ言った。

ラックスマン一行の船が小さくなるまで、光太夫は岸に立っていた。そして、アダムに促されて船に乗ったが、船に乗ってから光太夫の頰を涙がつたい流れた。

エカチェリーナ号のオホーツク港出帆は九月十三日と決められていた。それまでの二十日間ほどを、三人の日本漂民は虚脱したような気持で過した。もはやいかなる仕事も残されていなかった。ただ乗船する日の来るのを待っているだけであった。光太夫は毎日のようにオホーツクの海岸を歩き、珍しいものか珍しくないものか判らなかったが、少し変ったと思われる植物があると、それを引き抜いて宿舎に持ち帰った。磯吉はそれをラックスマンの許で習い覚えた手慣れた手つきで標本に作った。

開帆の二、三日前、長官から野羊ひとつがいと、うどん粉二袋を餞別として贈られた。光太夫はそのいずれをも船に積み込んで貰った。あすはいよいよ船出という日、乗組員四十二人が港に近い広場で顔を合せた。長官、光太夫、小市、磯吉、アダム、船長ロフツォフが一つの卓を囲み、他の乗組員は幾つかの卓に分れて配された。長官、船長、アダムが次々に立って、祝辞を述べたり挨拶をしたりした。光太夫も立って、短い言葉で

謝辞を述べた。絶えず海から風が送られて来ていたが、すでに冬の前触れを思わせるように肌寒かった。

開帆の十三日は快晴だった。午刻に一同は川内に於てエカチェリーナ号に乗り移った。岸は見送人や見物人で埋まっていた。全員を収容した時、船は三発の号砲を合図に纜《ともづな》をといた。河口を離れる時に帆をおろした。帆がおりた時、乗組員は全員整列し、船路の安泰を神に祈った。それが終ると陸からも船からも、小銃が撃ち出され始めた。陸から撃つと、それに応えて船からも撃ち、船から撃つと陸が応えるという恰好で、やがて思い思いに撃ち出す小銃の音で河口は騒然となった。

光太夫、小市、磯吉の三人の日本漂民は船べりに身を寄せ合って立ち、次第に遠くなりつつあるオホーツクの町を見守っていた。一七八七年カムチャツカの土を踏んで以来五年間漂泊した大陸との別離であった。神昌丸が白子の浜を出た一七八二年十二月から算えると九年九カ月目のことであった。

八章

光太夫、小市、磯吉等三人の日本漂民を乗せたエカチェリーナ号は、千島列島沿いに南下して、択捉《エトロフ》、国後《クナシリ》両島に挟まれた幅四十露里の海峡を通過し、国後島の東岸を航して、北海道の東岸七露里の沖合に投錨した。オホーックを出帆したのが九月十三日で、北海道東岸の沖合に着いたのが九月二十六日であるから、流氷の始まる時期としては頗《すこぶ》る順調な航海だったと言わなければならぬ。

ここに碇泊中、アダムは冬営に適当な港湾の物色と日本人居住の有無の調査を兼ねて、十三名の武装船員を伴ってボートで海岸に上陸した。上陸地附近で多くの土民の姿を見掛けたが、その大部分は逃げてしまい、彼等に害心ないことを知らしめるために、半日近い時間を費さなければならなかった。そしてどうにか葉煙草数葉を受け取らせるまでに漕ぎつけ、土民の応援で樽に飲料水を満たすことができた。

十月八日にアダムは通訳トゥゴロコフと舵手オレソフを同乗させて、再び上陸、こんどは西別という他の聚落に赴いてみた。そこでは多くの土民が出迎えてくれ、その中に六人の日本人が居るのを見た。日本人の一人は幕府へ献上する鮭をとるために松前藩より派せられている役人、一人は松前の商人の手代で、藩より貸下げられた若干の埠頭《ふとう》を国後、色丹《シコタン》両島とこの辺境地方に持っていて、土民との交易を業としている人物、他の四人は松前の役人に仕えている下役であった。

この日ロシア人たちが船に戻ると、それを追いかけるようにして日本人の下役三人が土民を伴い、小船でエカチェリーナ号を訪ねて来た。土産として米五合と煙草若干を持って来たので、ロシア側では返礼として塊状の砂糖を贈った。そしてこの地方の良湾について質問すると、日本人たちは口を揃えて南岸に厚岸《アッケシ》港があるが、そこへ行くことは危険である。有名な難所ノサップ岬を廻航することもこの季節では無理であるし、二、三年前には厚岸で土民の叛乱もあった。それより最も近い根室港を目指すべきであると言って、そこへの案内者として土民二人を船に留まらしめてくれた。

翌九日、エカチェリーナ号は土民の曳船に曳かれて根室湾にはいり、無事に湾内に投錨した。根室湾と言っても別に陸地が深く湾入しているわけではなく、多少屈曲の多い海岸線からほど遠からぬところに弁天島という小島があり、それが自然の防波堤の役をして船泊りを作っているだけのことであった。エカチェリーナ号はその弁天島の島陰に錨を降ろした。そこから見る根室の海岸は丈低い灌木と青い草に覆われた低い丘がちらばっている荒涼たる地帯で、浜は狭く、その狭い浜に埠頭とは名ばかりの船着場があり、その辺りに日本人の住居、倉庫、納屋などが三、四軒ちらばっていた。そしてそこからかなり離れた海岸に二、三十戸の土民の家があるのが見られた。

夕刻アダムはこの地の監視人と会うために小船で埠頭に赴いた。アダムたちは日本人の家の一つに招じ入れられ、そこで監視の役人と会った。日本人はアダムたちが膝を折って坐れないのを知ると、腰掛けを出して、それに蓆《むしろ》を敷いてくれたりした。夕食も用意してくれたが、アダムはそれを辞退した。

会談中、アダムは、自分たちはこの地に於て越冬するの已《や》むなきに至っているが、そのために海岸に営舎を建てたいと思う。それに対する許可を貰いたいという希望を述べ、更に越冬中土民の襲撃の怖れなきやを訊ねた。すると役人は、この地の土民はアイヌという種族で性善良、いささかも彼等に対する心配はない。ただ若し信用できぬというのであれば、自分たちは松前へ帰る予定を変更して、警戒のためにこの地で越年してもいいと言った。

監視人は頗る温厚な人物で、彼が質問したことは、一行の人員の正確な数だけであった。彼は職責上松前藩に使者を立て、異国人来着について委細を報告しなければならぬらしかった。ひと口に松前に使者を立てると言っても、松前までは日本里程で三百余里、使者はいかに急いでもそこに達するに三十余の日時を要するということであった。アダムは近くここを出発するというその使者に、松前藩への書状を託することを頼んで帰船した。その夜、船では二人の通訳が、アダムが綴ったロシア文字の文章を日本語に置き替える作業に従事した。かなり長文のものであった。二人の通訳は時々光太夫に応援を求めて来た。

——漂民に対しては可能な限りの保護を加えて労《いたわ》るのが、弊国の掟の命ずるところに御座候。

——博愛仁慈なる女帝陛下は大ロシア帝国イルクーツク総督ピーリに命じ、前記大日本国民をして父母、同国人に再会せしむるために本国還送を命じ給い候。

こうした文章がくどくどと記されたあとで、

——土民の住するこの海岸に達して、貴藩の役人に邂逅《かいこう》仕り候処、時すでに晩秋、ここに越年の已むなきに至り候。右役人を経て、この書を松前藩主に呈し、取りあえず小生等一行の来航の趣旨を申し上げ、追って来春を待ちて更に航行を継続する所存に御座候。小生等は松前藩主が、江戸政府へ小生等来航の趣旨を御伝達相成るよう伏して懇願仕る次第に御座候。

こういったことが、これまた執拗な調子で綴られてあった。光太夫は訳の手伝いをしながら、アダム・ラックスマンがエカチェリーナ女帝から派せられた使者であるか、イルクーツク総督から派せられた使者であるか、甚だはっきりしていないと思った。意識してはっきりさせていないところが感じられた。併し、光太夫はそれについては一言も口から出さなかった。

今や僻地《へきち》とは言え、日本人の役人が派せられている日本領土以外の何ものでもない場所に、光太夫たちは連れて来られていた。あとは身柄がロシア側から日本側の適当な部署に引き渡される日の来るのを待つ許りであった。ただこの冬をこの地で越さなければならぬことが光太夫には鬱陶しく思われた。日本の領土内に一歩でも足を踏み入れれば、すぐ日本人の一人に立ち返ることができそうに思っていたのであるが、事情はそう簡単には行かなかった。

「もう暫くの辛抱じゃ」

光太夫は小市や磯吉の顔を見ると、いつも同じ言葉を口から出した。船が根室湾にはいってからも、日本の漂民たちは上陸を禁じられていたので、毎日のように甲板に出て北海道東端の晩秋の風物を眼にすることで満足しなければならなかった。

「ここが日本か。いっこうに日本に舞い戻った気はせんな」

磯吉が言うと、

「俺は日本へ来たというより、アムチトカ島に連れ戻されたような気がしてならぬ。ここも日本かや。日本のうちかや」

小市も言った。二人とも口では勝手なことを言っていたが、やはり僅かでも同じ皮膚の色をし、同じ言葉を話す日本人の住んでいる場所へ来たということはたとえようなく嬉しそうであった。

十月十四日にアダムは、役人から許可が降りたので、海岸に上陸して越冬の営舎を建てる地を卜《ぼく》した。但し、建築は日本人の家屋と七十間の距離を置かねばならぬということが条件だった。

建築工事はすぐ始められたが、船中に病人が多く出て、そのために工事はなかなか捗らなかった。病人の症状は雑多で区々であった。初めは頭痛を訴える者が多かったが、そのうちに吐血、下痢の患者が続出し、一方で感冒とも喘息《ぜんそく》ともつかぬ咳ばかりしている病人も多く出、エカチェリーナ号は宛《さなが》ら病院船の観を呈した。光太夫、磯吉の二人は幸い健康に異常を認めなかったが、小市は真先きに吐気を訴え、あとはずっと床に就いたままだった。

営舎が落成したのは十一月二十九日だった。浜に建てられてある倉庫や納屋を真似《まね》て丸太と土で同じように造り、風除けの木柵も廻した。多勢の人数を入れなければならぬので役人の家に何倍かする大きいものになった。全員船を引き払って陸上に移った。船には交替で監視人が置かれることになった。船から営舎に移る時、小市は磯吉の肩に縋《すが》って小船から降り海岸の砂を踏んだが、この時も、

「まるでアムチトカ島じゃないか。な、そうだろう。三五郎、次郎兵衛、安五郎、作、清、長、藤助――あいつらが次々に死んで行ったアムチトカ島と何もかも同じじゃないか。砂の色も、潮の色も、空の色も、それから木の形、幹の色まで、あそこのものとそっくりだ」

そんなことを言った。併し、陸の生活に変ってから病人の数は眼に見えて減って行った。若い者は殆ど癒《なお》り、中年以上の者だけが捗々《はかばか》しく癒りきらないで床に就いていた。小市も床に就いている方の一人であった。

小市が言ったことを裏書きするように、全くアムチトカ島と少しも変らぬ氷雪の冬が

やって来た。毎日のように雪が舞い、三日に一日は吹雪のために天地はまっくらになった。そうした中を、十二月十二日に松前藩より高級藩吏鈴木熊蔵なる人物が医師と従者を連れてやって来た。鈴木熊蔵はロシア人小屋を訪ねて来ると、アダムと挨拶を交したあと携行して来た書状を読み上げた。

――貴下より御送附の書状落手仕り候。貴書はこれに当藩の報告書を相添えて江戸に送り届け申し候。本官は右の旨を貴下に通告し、且土民のための危害から貴下らを護り、貴下らの御用を承るためにこの地に出向くことを仰付けられし者に候。

鈴木熊蔵は実直そうな人物であった。自分の口上を書状にして読み上げたのは、藩命を誤りなく伝えるためであった。

更に十日ほど経つと、また松前よりもう一人の藩吏が送られて来た。こんどは多くの部卒を従えていた。それからこの年も終ろうという二十九日に、更に幕吏二名がやって来た。江戸から松前に来、更に松前からこの地へやって来たという人物であった。アダムたちの来着とは無関係にこの地に現われ、ここで越冬しなければならなくなった人物ということであった。

こうした藩吏や幕吏たちと、ロシア人たちは親しくなり、冬籠りの無聊《ぶりよう》を慰めるために、毎日のように互いに宿舎を訪ね合った。そのためにトラペズニコフ、トゥゴロコフの二人の通訳は多忙を極めた。毎日のように誰かについて雪の中に出て行ったり、雪を浴びて帰って来たりした。光太夫たちは、派せられて来ている藩吏とも幕吏とも、他のロシア人たちのように親しくは話さなかった。質問されたことだけを答えることにし、終始遠慮深く身を処していた。光太夫は年末ぎりぎりにやって来た二人の幕吏を、特殊な使命を持って派せられて来ている人物と見ていた。国の北辺に不意に来着したロシア人の一行の正体がいかなるものであるか、それを内偵し、その動静を監視する使命を帯びて来ている人物に違いなかった。アダムもまた口には出さなかったが、そのことに気付いているらしかった。併し、たとえそのような特殊な任務を持っているにしても、毎日つき合ってみると、二人とも意地悪いところは少しもなく、寧《むし》ろ人のいい極めて勤勉で忠実な人柄であった。彼等はロシア船の模型を作ったり、それを図面に描いたりする仕事に熱情をもって当っていた。また藩吏たちは藩吏たちでアダムから世界地図を何葉か借りて、それを写すことに、これまた熱情を示していた。

こうした中にあって、アダムの方もまた無為に過しているわけではなかった。彼は藩吏や幕吏たちの持参している日本地図を借りては、船員の一人に片っ端しから写しとらせていた。そしてアダム自身は、この地に来てから見聞するものを、毎夜のように分厚いノートに詳しく記していた。光太夫はそうしたアダムの姿に父のラックスマンを感じないわけにはいかなかった。光太夫は自分から進んで、そういうアダムの仕事を助けてやった。

年を越えると間もなく昨年末からみぞれ氷状になっている海にオホーツク海からの流氷が見られるようになり、やがて港湾の中は結氷した。港湾が結氷すると、それまで陸とエカチェリーナ号との連絡は小船によって行われていたが、それが犬橇に替った。この頃から雪は落ちなくなり、身を切るような寒風が烈しくなった。

後年、詳しくは一八〇三年以後にモスクワで発表されたアダムの『遣日使節アダム・ラックスマンの日誌』には、この辺境で記述したと思われる日本に関しての万般の記述を見ることができる。

――大晦日《おおみそか》の夜は神棚に蠟燭をともし、部屋の隅々にいり豆を撒きながら、鬼は外、福は内と叫ぶ。これは悪魔立ち去れ、幸福は留まれという意味である。そして各人は自分の年齢の数だけ豆を食べる。そのほか新年になって最初の雷の鳴る時にも豆を撒く。

――生児は、その年の最後の月に生れても、その年の終りをもって一歳として数える。日本の紀元は人皇《ニンオー》にはじまるが、これはキリスト生誕の六百六十年前に当る。

――天文の記号は他国と同様に十二個であるが、ヨーロッパの場合とはその呼称を異にしている。すなわち第一はネ（鼠）、第二はウシ（牛）、第三はトラ（虎）、第四はウ（兎）、第五はタツ（竜）、第六はミ（蛇）、第七はウマ（馬）、第八はヒツジ（羊）、第九はサル（猿）、第十はトリ（鶏）、第十一はイヌ（犬）、第十二はイ（猪）である。

――日本人は毛深いクリール人（アイヌ人のこと）から、乾魚、塩漬魚などの商品を手に入れている。それも大部分ペンジナ海周辺で獲られる赤い魚である。つまり鮭、鱒、鰊のほかに鯨、セイウチ、海豹《あざらし》の油および魚油であるが、クリール人は日本商品との交換を目的としてこれを獲ったり、買い集めたりするために、第二十一島の住民とともに第二十島に集合し、毎年三月中旬そこから五百艘の皮舟に分乗して第十九島、第十八島、第十七島、第十六島に赴き、五月末魚獲物をもって帰ってくる。その中には各種の乾燥茸、熊の脂肪、熊の胆なども甚だ多い。（中略）毛深いクリール人について詳しく記述することは全くできなかった。第一に、私たちは彼らを招き寄せて話をすることができないだけでなく、見ることも稀であった。日本人は、私たちが毛深いクリール人のことを探知できないように、できるだけ私たちから遠ざけようと努めたからである。

——四月二十二日の朝、とくに遣わした使者を通じて、日本の役人鈴木熊蔵が死んだことを知った。私は、これまで四カ月間互いに仲よく暮らしてきた人物が他界したことであるから、葬式に出席させて貰いたいと使者を介して申入れたが、死者を見る必要もなく、出席するに及ばないとの返事であった。しかし通訳は故人ととくに親しかったので、葬式の模様を見てもらうために派遣することにした。通訳は夕方埋葬の後帰ってきてつぎのように語った。息を引き取ると仏壇に線香をあげ、しきたりに従って読経した。それが終ると死者の頭髪を剃って特別の場所におき、それから遺体を洗って最良の服を着せ、帯に大小をはさんだ。（中略）読経して棺に蓋をし、それを釘付けにし、白綿布で結び、運ぶために長い四角の棒を通し、両端から男二人ずつでこれを担った。会葬者はみな、ある者は棺を叩きながら〝まっすぐにいかっしゃり〟と叫んだ。これは〝お前は後帰りしないで真直ぐに行けよ〟という意味である。

このアダム・ラックスマンの日誌に見える藩吏熊蔵の死の前後が、光太夫にとっては北海道の土を踏んで以来最も気持の暗い時期であった。この頃、光太夫は磯吉と共に連日連夜病床にある小市を看護していたのである。

小市の病気は明らかに壊血病であった。松前から派せられて来ている医師の言では、日本には昔よりこの病気はない由で、専ら鍼術と煎薬で治療に当っていたが、それが光太夫たちには不安に思われた。曾てアムチトカ島からカムチャツカに赴く途中、小市は同じこの病気に罹りカップサクラ草を服用して癒していた。同じ治療を施してやりたかったが、そのことは医師の採用するところとならなかった。

四月二十八日に幕吏および松前藩吏が六十名の部卒と百五十名の土民を従えてやって来た。ために根室の埠頭附近の浜一帯は急に騒然たるものになった。急造の宿舎を設けるために、埠頭から浜へかけて人の動きが繁かった。兵や土民たちはがやがや騒ぎながら、やたらに動きまわっていた。小市の病室からもそれが感じられた。光太夫はどうかして小市に一命を取りとめさせてやりたかった。今まで生きて来て、今ここで相果てては十年の苦心が水の泡になるというものであった。長い冬は漸く終ろうとしていた。港湾の氷は一カ月ほど前に溶け、陽の光は急に明るくなり、弁天島近くの岩礁には鵜の並んでいる姿が見られた。松前から幕吏、藩吏の一団が大挙移動して来たくらいであるから、ロシア使節の一行も今やどこへでも移動でき得る季節を迎えていた。実際にまたこの土地を離れる時期は日睫《もくしょう》の間に迫っていると思われた。そうしたことと無関係にこんどの幕吏や藩吏たち大部隊の来着の意味を考えることはできなかった。

翌日の夕刻、小市は息を引きとった。いつこと切れたか判らぬような静かな息の引きとり方だった。

「おい、とっさん」

磯吉は声をかけ、体を揺すぶってみたのち、光太夫の方へ眼配《めくば》せした。光太夫は暗然たる面持で腕を組んだまま身動きもしないでいたが、やがて枕許にあった綿片で死者の唇を濡らしてやった。小市はずいぶんたくさんの仲間の死をみとってやって来ていたが、とうとう自分がみとられてしまったと思った。ロシア滞留末期から小市が涙もろくなっていたこと、新蔵に別れの挨拶をした時、自分もイルクーツクに留まっていたくなったと言ったことなどが思い出され、ことごとに小市の死が哀れであった。

小市は役人の検屍を受け、棺に納められ、浜からそう遠くない白樺の林の中のアイヌ墓地の一隅に葬られた。熊蔵の墓所の隣りであった。

小市はこのさいはての地の暗く沈んだ冬の貌をアムチトカ島のそれと較べて、少しも異るところはないではないかと言っていたが、そういう言い方をするなら、彼の眠った墓所が一番アムチトカ島のそれと似ていると言うべきだった。光太夫には三五郎、作次郎、次郎兵衛等七人の仲間が葬られているアムチトカ島の墓所と、いま小市が眠る墓所とは何から何までそっくりであるように思われた。同じようにそこからは鉛色の潮の拡がりが望め、絶えずどこかで風の鳴っているのが聞え、夏になると小さい赤や白の野花で飾られ、冬になると雪と氷で固く鎧《よろ》われる筈であった。アムチトカ島の墓所では七人の仲間が身を寄せ合っているが、小市の場合はひとりであった。どちらの死が倖せか、光太夫には判らなかった。ただ小市の場合は、日本式に湯灌を行い、白衣を着せられた上で埋葬されていた。それだけが異っていた。

小市が亡くなった翌日、アダムは新たに来着した幕吏のもとに出向いて来るようにという彼等からの使者を得た。すぐ訪ねて行くと、今までより形式ばった迎えられ方をした。家の入口には槍を持った番卒が立っており、部屋の内部には一番上級と思われる幕吏が二人控えていた。茶菓の饗応があった後、幕吏の一人が書状を読み上げ、それをトラペズニコフが通訳した。

それに依ると、幕府は松前から回送されたアダムの書状を受け取り、評定を開いた結果、二人の上級幕吏を松前に派した。その二人はすでに三月に松前に到着して、現在そこに留まっている。その随行の中から選ばれた幕吏と藩吏たちがこんどアダムたちを松前に迎えるためにやって来たのだということだった。多勢の部卒や土民は、道中の警固に当てるためのものであった。

ただ問題は、松前に向うのに、幕吏たちは陸路をとろうとしていることだった。アダムとしては自国の船をこの地に棄ておいて、陸路をとることには同意しかねた。翌五月二日と、翌々三日と、ロシア側と日本側との間に折衝は重ねられたが、容易に問題は解決しそうもなかった。幕吏たちは海路をとるためには松前の上司の許可を得なければならず、そのためには更に二、三カ月の時日を要するだろうと言った。

それからも何回か評議は重ねられた。幕吏としては航海の危険もさることながら、ロシア船を自由に日本海域を航海させることを好まず、またそうさせることにおいて起り得る不慮の事件を怖れていた。ロシア船はどこへ行くかも判らなかったし、このまま本国へ引き揚げてしまうこともないとは言えなかった。

アダムは強硬な態度を崩さなかった。若しどうしても陸路で松前に向わねばならぬのなら、松前行きを中止して、この地から引き揚げてしまいかねない口吻《こうふん》を洩らした。結局、このアダムの態度がものを言って、海路をとることに決定したのは五月の終りであった。そしてエカチェリーナ号と日本船が根室港を解纜したのは六月四日のことである。

松前へ向けて発航する前日、光太夫と磯吉は、いつも各地でそうして来たように、ここでも小市の墓を詣で、それから本船に帰って身の廻りの品の荷作りをしてから弁天島に上がった。磯からの上がり口は急であったが、上の方は平坦になっていて、殆ど腰まである丈高い雑草がそこを埋めていた。この日も島の周辺にちらばっている岩礁には鵜が一列に並んで留まっていた。時折、鵜はそこを離れると、どれも潮すれすれに慌しい羽搏き方で舞った。二人が歩いて行く足許から真鴨が飛び出した。飛び立ったところの草を掻きわけてみると巣があって、十二個の卵がはいっていた。

「ラックスマンが来たら悦ぶだろうな。この辺にはいろんな鳥が居る。白鳥も来るんだ。ここから半里ほど離れたところに、毎年十一月になると凄い数の白鳥が集って来る。三月になると、居なくなる」

いつ調べたのか磯吉はそんなことを言った。小市を残して行く悲しみはあったが、遂に二人だけになった日本漂民には、あすは松前に向けて発つというこの日はやはり明るいのびやかな日であった。

エカチェリーナ号が箱館湾にはいって投錨したのは、根室を発ってから丁度一カ月目の七月四日、日本の暦で言うと、寛政五年五月二十六日であった。

湾内にはいると、間もなくこの地の代官が小船でやって来て、自分が藩命で接待役を引き受けることになったことを告げ、小船三十艘でエカチェリーナ号を港内に曳航《えいこう》した。港内には夥しい数の見物の小船が群がっていて、藩吏たちは彼等を追い払うのに骨を折っていた。アダムは次から次へ訪ねて来る幕吏や藩吏たちと会わねばならなかった。漸く一国の使節らしい忙しさがアダムの身辺を襲い始めていた。光太夫と磯吉は船内に閉じ籠っていた。謹慎者のように身を処していた。箱館の町も、箱館の港も見なかった。いつ日本側に引き渡されるか判らないので、その時の来るのを待っていたのである。併し、四日五日と過ぎ、更に六日七日と過ぎても二人の漂民の身辺にはいかなることも起らなかった。

六日にロシア使節の主だった者はこの地の高名な豪商であるという人物の案内で、小船で埠頭に運ばれ、町を一通り見物させられたあとで、〝露西亜屋敷〟と真新しく書かれた立札のある家に入れられた。この時は光太夫も一行の中に加えられていた。そしてそこで、風呂の接待を受け、入浴後大きな庭園に面した広間で、幕吏、藩吏、代官、土地の有力者と思われる人たちの饗応を受けた。卓の上には山海の珍味が並べられた。塩味の焼魚や煮魚、そのほかにえび類が大きな皿の上に並び、パンの替りに米飯が出された。

この時の献立は、『江戸旧事考』に「寛政年中魯西亜使節饗応の献立」として記録されている。

――熨斗鮑《のしあわび》（三宝）、たばこぼん。

――茶。

――（御座付）、吸物（味噌小魚吸口）、小皿（打焼小串魚青山椒《あおざんしょう》）、猪口《ちよこ》（花鰹寄鰊子《はながつおよせかずのこ》）。

――（膳）、白か大こん、青海苔、ふくの魚、岩たけ、たんさく玉子、蜜柑酢。

――（汁）、みそ、青菜、竹輪かまほこ、小しいたけ。

――（香物）、干さんしょう、ならつけ、花輪。

――（壺）、すり山葵《わさび》。銀杏《ぎんなん》、煎海鼠《いりなまこ》、砂糖仕立。

以上が一の膳で、二の膳は、

――（地紙形）、草花かいらき、ちりめん大根、も魚子つけ、鱒平造り、海そうめん、とつがさ。

――（汁）、針午房《ごぼう》、くじら、ねぎ。

――（猪口）、いり酒、おろし大根、衣きせ鱒、掛しょうか、油揚たら。

三の膳になると、やたらに小皿が並んだ。

――（汁）、うしお仕立、鱸《すずき》こせし。

――（大猪口）、たるま午房、ことしからし。

――（向大皿）、焼物。

――（平）、煮さまし、かまほこ、大竹のこ、結ゆは、わらひ。

――（銀置露）、枝山升、こんふ、玉子、鴨、松たけ。

――（台引）、塩鯛、花鮑《はなあわび》、揚昆布造物。

――（引盃）、吸物、ちりめんざこ、松露《しょうろ》。

以上のあと、銚子が運ばれては、その間に、猪口、小皿、口取、硯ふた、丼、鉢、小皿、雑煮（花かつお、わらひ、串貝、こんふ、磯とうふ）、平、猪口と、いつ尽きるともなく並んでいる。

使節の款待は豪勢極まるものであったが、すべてに亘って優遇されたわけではなかった。船員たちの上陸は許されなかった。ラックスマンは再三船員に市中見物をさせる希望を述べたが、国法で禁じてあるのでいかんともし難いという代官の返事であった。

松前に向うべくロシア使節アダム・ラックスマン一行と、それを警固し、嚮導《きょうどう》する日本側の幕吏、藩吏の一行が物々しい行列を作って、箱館を発って行ったのは寛政五年六月十七日であった。その前日光太夫、磯吉の二人はアダム等と一緒に箱館の町の白鳥という旧家の屋敷に移され、その日はそこから出発して行ったのである。『遣日使節アダム・ラックスマンの日誌』に依ると、その行列は信じられぬくらい物々しいものである。――私が乗物に坐ると、四名の者がこれを担ぎ、さらに四名の交替要員がそばに従っていた。彼らは途中止まらないままで半時間毎に交替した。そのほか用事をはたすために、下級役人からなる監視役が両側に二名ずつついていた。また乗物のあとには二人の者が、私が乗馬を希望した時の用意に鞍をおいた馬を引いて従っていた。そのあとにロフツォフ（船長）、つづいて随行員であるオホーツク州長官コオフの子息が担われていた。そのほかに通訳トゥゴロコフ、イワン・トラペズニコフ、商人ウラス・バビコフ、イワン・ポルノモシヌイおよび五人の役人が乗馬で従った。乗馬はそれぞれ口綱をとられ、同じように両側に監視役が一人ずつついて用事を承っていた。先頭には二人の松前藩吏が乗馬で進み、槍持がこれに従い、つぎに徒歩役人六名、そのあとに三名がつづいた。荷物を積んだ馬や軽い荷物を担った部卒が最後に並んだが、これら総勢四百五十人に達した。

こうした行列の中のどこかに、光太夫と磯吉の二人も挟まれていたのである。行列は海岸線に沿った崖っぷちの道をゆっくりと進んで行った。海っぱたには点々と小さい漁村が配されており、浜には白い波が砕けている。どこの村でも村人が恭しく出迎えている。途中海岸から離れて小さい山を越える。箱館を発ったのは辰の刻（午前八時）であったが、海岸の茂別《もべつ》という聚落に着いたのは未の刻（午後二時）であった。この聚落では箱館の場合と同様に、〝露西亜屋敷〟と記された立札の出ている家が用意されてあり、一行はそこにはいって昼食をとった。部屋は襖、障子ことごとく取り外されてあった。松前藩の定紋入りの幔幕《まんまく》が引き廻《めぐ》らされてあった。ここから再び山に入り、杉林の中を行く。杉は根室でも見なかったもので、光太夫や磯吉は十年ぶりで日本の山中に在る思いを持った。この夜は海岸の泉沢村に泊った。

第二日は泉沢村から隔たること六里の小聚落に宿泊、この日は知内川に沿って溯って山中にはいったので、二人の漂民は沢山の石の間を縫って水の奔《はし》っている日本の川に、久しぶりでお目にかかったわけであった。第三日は山を越え、川を渡り、また山中にはいるなどの難行軍を続け、漸くにして海岸の福島聚落に出て、そこに泊った。第四日はいよいよ松前入りの日である。この日は海浜伝いに進み、吉岡村で昼食、ここから曳船で礼髷村に到り、ここから再び山に入り、山を降り、海岸に出て大沢村にはいった。一行はこの聚落で松前入りの礼服に改めた。着替えするのはロシア使節の一行ばかりでなく、幕吏、藩吏も同様であった。ここからは、こうした場合に決められている儀式に則った行列を作り、威儀正しく松前にはいって行くということであった。

――先頭には白衣を着た江戸の役人が馬で進んだ。二名の部卒が馬の口をとり、ほかに二名が両側から附添い、そのあとに二名の槍持が続いた。更に黒い漆塗りの箱を担いだ二名の部卒が配され、つぎに黒い漆塗りの笠をかぶり銃を担った十二名の部卒が二列に並んでいた。……これらの人々に続いて八名の槍持が二列に従い、そのあとに矢と矢筒を持った十二名が進んで行く。つぎに松前藩吏が江戸役人の場合と同じように騎馬で進み、そのあとに二名の槍持と長槍旌《そうせい》の担い手が従った。……さらにその後に弓を持った八人、騎馬の松前藩吏、槍持二名、監視役といった順序で続く。またそのあとに二列の行列が従ったが、その一列は槍を持ち、もう一列は大きな傘を担っていた。そして緑色の蠟引布を被せた漆塗りの箱が四つ、この後から運ばれて行く。その次に礼服を着た八名の者が私の乗物を担った。そして私の送還した日本人光太夫と松前藩吏の乗物は私の後に配され、これまたあとに槍持が続いた。ロフツォフ、通訳トゥゴロコフ、トラペズニコフ、随行員コオフ、二名のロシア商人、送還された日本人磯吉、五人の日本役人、それぞれに二名ずつの馬の口取りと監視の部卒がついていた。槍持を従えた二名の松前藩吏がこれらの人々の間を歩いて行く。最後尾と先頭の江戸役人は乗馬で進んだが、いずれも根室の役人兵左衛門と同じ官職の者であった。他の役人たちもみな儀式に従って行進していた。荷物の一部は馬で、その大部分は人夫の肩で運ばれていた。

アダム・ラックスマンは書いている。ラックスマンも驚いたに違いなかったが、最も驚いたのは光太夫であった。十年ぶりで訪れた母国であったが、光太夫には一切が余りにも形式的で空々しく思えた。行装美々しくとでも言いたいが、その物々しさに拘らず、露都ペテルブルグの賑わいを見て来た眼にはすべてがひどく貧しく空疎に見えた。道路もみすぼらしかったし、風景も小さく、人間もまた同じであった。藩吏も、幕吏も、部卒も申し合せたように小柄であり、顔は小さくこせこせして見えた。箱館から松前までさして遠い距離とは思われぬのに三泊四日というのんびりした旅程を組んでいる。しかもその間に経験したことは、簡単に運べそうな事柄がひどく固苦しく窮屈な手順を必要とした。何事も簡単には行かなかった。確かに母国であったが、不思議な国に来た思いであった。こうしたことは磯吉の場合も同じで、磯吉は箱館に上陸してからというものはすっかり元気を失っていた。十年の漂流生活に於て、いかなる場合も悄気《しょげ》るということを知らなかった磯吉が、いまはすっかり無口になり、物憂げなものを常に身辺に漂わせていた。

松前にはいったのは未の刻（午後二時）であった。町には一人の通行人も見られず、辻々に槍を持った警固の武士が立っていた。一行が招じ入れられたのは旧家らしい大きな構えの家で、座敷は立派で、庭もよく手入されてあり、敷地全体が高い塀で囲まれていた。

光太夫と磯吉は、ここでロシア使節とその随行者たちと隔てられて、狭い部屋をあてがわれた。併し、ロシア使節の一行と往き来することを禁じられたわけではなかったので、アダムの居る表座敷の方の動静は一応つぶさに知ることができた。

この日の夕刻、幕吏二名が来て、あすの日本側代表との会見にさき立って、会場における礼儀作法の打合せがあったが、アダムが靴を脱ぎ、跣足《はだし》になり、地面に頭をすりつける日本式の挨拶の仕方を拒否したので、この打合せは長引いた。結局幕吏は上官に謀るために引き上げて行き、二時間経って再びやって来て、それぞれが、自国の方式で挨拶して差しつかえないということに決定したことを告げた。

そうしたことを、光太夫はトラペズニコフの口から聞いて、やれやれと思った。トラペズニコフはトラペズニコフで、幼い時から三十六年間瞼に描いて来た父親の国が甚だ勝手の判らぬ国であることに漸くにして思い当ったらしく、だらりと垂れた両手をひろげてみせて、甚だ意気消沈した心境をそんな仕種《しぐさ》で表現していた。挨拶の仕方一つでも、それを決定するのに評定を開いているとあっては、これからさきのことが思いやられた。

この夜、光太夫と磯吉は熟睡できなかった。接待役とも警固役ともつかぬ役人たちが、絶えず廊下を歩いている風で、何となく落着かぬものが屋敷全体に立ちこめていた。

「十年ぶりで国へ帰って来て、国の人と話ができぬということは情けないことだ」

深夜、寝床に横たわっている磯吉は囁くように低い声で言った。いつか二人は二人だけの時でも、高声で話すことは遠慮するようになっていた。

「そうさの」

光太夫は言った。

「俺たちは国で引きとって貰えることは貰えるだろうな」

磯吉はこのことが一番不安らしかった。

「そりゃあ、引きとってくれるだろうさ。日本人が日本の国へ帰って来たんだ。他にどこへ行きようもない。ただこの国はやたらに手間がかかる」

「ひきとってくれなければ、いっそ引きとってくれなくてもいい。おらあ、またロシアへ帰る」

「莫迦《ばか》なことを言うものでない」

磯吉をたしなめて、

「お前は、これから死んでも、そんな言葉を口から出してはならぬ。ロシアへ帰ってもいいなんて言ってみろ。それこそ縛り首だぞ」

光太夫は言った。併し、心のどこかにとんでもないところへ帰って来たという思いのあるのは、光太夫とて同じだった。無事に引きとって貰えるかどうかということにさえ一抹の不安があるくらいだから、果してこの国に於ての自分の明日というものが如何なるものであるかということになると、かいもく見当がつかなかった。まさか殺されることもあるまいとは思われたが、支障なく生業に就けるという自信はなかった。国是としての鎖国というものがいかなるものか、根室に上陸するまで考えてもみなかったということは、われながら甚だ迂闊《うかつ》なことに思われた。根室の越冬生活に於てはまだよかった。箱館に上陸したとたんから、それは押せども突けども動かない鉄の壁のようなものとして立ちはだかって来ていた。アダム一行は鄭重に迎えられ、鄭重に取り扱われている。恐らくこれ以上の迎えられ方はないであろう。併し、そうした日本側の態度の中には素直に受け取れぬものがいっぱい詰め込まれてあった。恐ろしく儀礼的であり、恐ろしく形式張っており、一方に於て鄭重であると共に、一方に於ては毫末も勝手なことは許さないといった肩を張った厳しさがある。どう考えても、アダム一行は歓迎されざる客であると言うほかなかった。突然厄介なものが自分勝手に飛び込んで来たので、大過なくそれを処置しようといった腫《は》れものにでも触るようなところが感じられた。そしてこの厄介なものは二人の漂民を母国に送還するという名目のもとにやって来たのである。こう考えて来ると、光太夫は自分や磯吉が母国に対して受け持っている役割が、幕府にとって甚だ好ましからざるものであることに思い当らざるを得なかった。

翌二十一日未の下刻（午後三時）に、アダム等は乗物を断って、徒歩で馬形台地の会見場所に出掛けた。会見場所は浜屋敷と呼ばれている家老松前勘解由《かげゆ》の邸であった。そこに近くなると、道の両側には鞍をつけた三十頭の馬が居並んでいた。その馬の列の間を通って行くと門があり、門内の歩道の両側は塀になっていて、塀には青と白の幔幕が掛けられてあった。右手にまた門があった。そこを曲ると、こんども歩道の両側は塀になっていて、塀際には部卒百五十名が居並んでいた。片側の兵たちは弓箭《ゆみや》を持ち、他側の兵たちはいずれも銃を塀に立てかけ、左手に火の点じられた火縄を持っていた。ロシア使節の一行はその間を通って、正面の十段ほどの階段を上ると、館の前庭に出た。そこから玄関に達するまでにもう一つ屋根を持った大きな門をくぐらねばならなかった。

板敷の玄関から奥へ導かれる。広間には十二名の幕吏が待っていた。アダム等の着席するのを待って、幕吏の一人が、今日の会見は顔合せといったもので、正式の談判には及ばないであろうということを告げた。そして、更に、漂民を還送して来た礼として将

軍家より米百俵が下賜されたことを伝え、
「あそこにあるのが、その米である」
と庭の方へ首を廻した。広間から見渡せる庭には、なるほど百俵程の米俵が積み上げられてあった。通訳にはトゥゴロコフが当った。オホーツク解纜当時は、トゥゴロコフの日本語の知識は甚だ怪しかったが、最近は辞書の力を借りて大体のことはどうにか用を足せる程度になっていた。

やがて、広間から前座敷に導かれた。そこには松前藩の上級藩吏六名が控えていて、その一人が書状を読み上げた。それにはさきに根室においてアダムが提出した松前藩宛ての書状およびその日本語訳は確かに落手したが、訳文甚だ拙く、正しくはその意味を解することができない。それで藩の掟に依って、いまそれを返却する。そういったことが書かれてあった。

——この度贈り来るところの書翰、一つは横文字にして我国の人しらざる所なり。一つは我国の仮名文に似たりといえども、其語通じ難き所も多く、文字もまたわかり難きによって、一つの失意を生ぜんもまた憚《はば》かるべきを以て、詳しき答に及び難し。よって皆返しあたう。この旨よくよく心得べきもの也。

トゥゴロコフがそれを通訳した。トゥゴロコフは根室に於て自分が主になって訳した文章が甚だ不正確であったということを、いま改めて自分の言葉でアダムに伝えなければならなかったわけで、通訳し終ったあと、多少表情を固くしていた。アダムは松前藩吏の手から、余り役に立たなかった己が提出した文書を、約八カ月ぶりで己が手に収めた。

アダムは再び前の広場に導かれた。間もなく日本側の代表である宣諭使石川将監、村上大学の二人が姿を現わした。ラックスマンと挨拶を交し、二人が所定の場所に着席すると、役人の一人が文書箱を持って来て、その中より一通の書状を取り出して、恭しく石川将監に手渡した。『異国人之被諭御国法書』なるものである。石川将監がそれを読み上げた。日本国の国法として、古来国交なき異国に対しては通商交易を開き難いということを述べた長文のものであった。書状を読み終ってから、更にそれを説明した。トゥゴロコフの通訳で極く大体のことを知ると、アダムはその書状を受けとって、それを受けとったという領収書を役人の一人に渡した。領収書はアダムの指示によってトゥゴロコフが認めた。

——にっぽんのおんこくほう、おんかきつけおんわたし、くわしくおんときかせくだされ、かしこまり、ほんごくえかゑり、そのとふりまうすべくそろ、いじやう、——くわんせいごうしどしろくぐわつ、おろしやこく、あだむらつくすまん

それから別室に移って短い休憩の後、アダムは再び広間に導かれた。日本の役人たちは前のように着席していた。こんどはアダムが型通りの挨拶をし、自分がいかなる使命を帯びてこの国を訪ねたかを述べ、更に箱館入港の事情を説明して、その諒解を求めた。

この日の会見はこれで終り、アダムは駕籠でロフツォフは馬で宿舎に引き揚げた。夜

になってから幕吏が宿所に訪ねて来て、日本刀三振を箱に収めたものと、贈物の目録を持参した。幕吏が帰って行くと、こんどは藩吏が藩主松前章広からの贈物を持ってやって来た。煙草二十函、茶碗一函、漆塗盆一箱であった。

翌二十二日と二十三日には公式な会見は行われなかった。『異国人之被諭御国法書』の内容を説明するために幕吏がやって来て、そのロシア語訳について誤りのないようにと注意するところがあった。アダムはイルクーツク総督の名義になっている国書の翻訳の最後の仕上げをするために二日間とも、トゥゴロコフやトラペズニコフ等と宿舎の一室に閉じこもらねばならなかった。

光太夫、磯吉は、もはやアダムたちの仕事の手伝《てだす》けはできなかった。重要文書の翻訳をトゥゴロコフ等に任せることは甚だ頼りなく感じられたが、今となってはいかんとも為し難かった。

ただ二人の漂民は、自分たちの送還の礼として将軍の名でロシア使節一行に米百俵が贈られたということを聞いて、久しぶりに明るい気持を味わった。少くとも米百俵に相当する価値は認められているわけで、やはり自分たちはどこの国でもない日本の国の民であって、いまその日本に帰って来たのだという思いを持った。

二十四日に、二回目の会見が行われた。この日、アダムは石川、村上両宣諭使の資格を質《ただ》した上で、シベリア総督名義の国書を渡そうとしたが、日本側はそれの受領を拒否した。理由は長崎以外の場所で異国からの公文書を受けとることはできない国法になっており、その国法を犯すことはできないと言うことであった。アダムはこの国書を受けとって貰えぬなら、自分たちがわざわざこの国を訪ねて来た意味も目的も理解されないではないかと詰めよったが、両宣諭使の首肯するところとならなかった。アダムは更にトゥゴロコフをして、国書の内容についてその概要を説明せしめたが、両宣諭使はひたすら、外交的なことは長崎以外の地では行われないことになっているということを主張し、その替りに、長崎入港を希望するなら、そのための許可を与えるように努力しようと言った。交渉はここで暗礁に乗り上げ、ここから一歩も進まなかった。アダムは続いて光太夫、磯吉の引き渡しについて交渉したところ、日本側は宿舎に役人を派すので、その者に引き渡して貰いたいということであった。どこかに物品でも授受するような感じがあった。この日の会見はアダムにとっては甚だ釈然としないものであった。国書を受けとるだけは受けとって然るべきだと思われたが、国法を盾にとられると押せなかった。この席で、漂民送還の礼としての白米百俵のほかに、日本側からロシア船員の糧食として大麦、小麦、蕎麦《そば》、鹿肉等を提供する申し出があった。

この日夕刻、ロシア使節一行の宿舎に光太夫、磯吉の二人を受けとるために、二人の役人が二人の随員を随えてやって来た。二人の随員は、光太夫と磯吉の二人を江戸表に送るための使命を帯びている者であるということであった。役人は二人の漂民受領の文書を持参して来ており、それをアダムに手渡した。それには「今度送り来る漂流人、光太夫、磯吉、松前地において請取処《うけとるところ》の証、件《くだん》のごとし」と書かれ、寛政五 癸丑《みずのとうし》年六月の日附があって、その下に石川将監、村上大学と署名され印が捺されてあった。

光太夫、磯吉は、アダム一行への挨拶もそこそこにあわただしく宿舎を出た。高い空に冷たい光の夏の星が散らばっていた。光太夫も磯吉も、この時初めて母国の夜風を頰にも首にも感じた。二人は四人の役人のあとについて歩いて行った。光太夫と磯吉は靴を履いていたが、勿論四人の役人は草履であった。草履が地面をたたく音が滲み入るように二人の耳に聞えた。蛙の鳴声も聞え、虫の鳴声も聞えて来た。ロシアにあっても、蛙の声も虫の声も聞いていたが、それがどこか違っていた。やはり日本の蛙の声であり、虫の声であった。

ううっと、磯吉が呻くような声を出した。光太夫には磯吉が嗚咽《おえつ》を嚙みしめていることが判った。役人の一人が振り返ったが、すぐまた顔をもとに戻した。磯吉は、後日、光太夫にこの時の思いを語ったことがあった。

「虫の声が聞え、蛙の声が聞え、ひたひた地面を叩く草履の音が聞える。そうした中を自分は歩いている。何とも言えず妙な、懐かしい、落着いた気持だった。漂流前までは自分は確かにこういう国で生きていたのだと思った。そしたらふいに根室で死んだ小市の顔が眼に浮かんで来た。それからやたらに次々に異国で死んだ仲間の顔が浮かんで来た。父っさんの顔、作次郎、次郎兵衛、安五郎、清七、長次郎、藤助、与惣松、勘太郎、九右衛門、幾八、藤蔵、みんなが次々にしゃしゃり出るような恰好で一人一人眼に浮かんで来た。イルクーツクで死んだ九右衛門の顔が出て来た時、俺は堪らなくなったんだ。

九右衛門こそ本当に日本のこうした夜の暗い中を歩きたかったに違いなかったと思った。あのおっさんこそ、本当に死ぬ間際までこうしてこの国の地べたを歩くことをただ一つの生き甲斐《がい》にしていたんだと思った。そうしたら、もう堪らなく泣けて来たんだ」

併し、光太夫も亦この夜には、終生忘れられぬ思いを持ったのであった。ただ、磯吉とは少しく性質を異にしたものであった。光太夫は不幸にして異国のあちこちに眠っている多勢の仲間のことも、イルクーツクに置いて来た庄蔵、新蔵のことも思い出さなかった。自分のことだけを考えていた。氷雪のアムチトカ島よりも、ニジネカムチャツクよりも、オホーツクよりも、もっと生きにくいところへ自分は帰って来たと思った。帰るべからざるところへ不覚にも帰ってしまったのである。この夜道の暗さも、この星の輝きも、この夜空の色も、この蛙や虫の鳴き声も、もはや自分のものではない。確かに曾《かつ》ては自分のものであったが、今はもう自分のものではない。前を歩いて行く四人の役人が時折交している短い言葉さえも、確かに懐かしい母国の言葉ではあったが、それさえももう自分のものではない。自分は自分を決して理解しないものにいま囲まれている。そんな気持だった。自分はこの国に生きるためには決して見てはならないものを見て来てしまったのである。アンガラ川を、ネワ川を、アムチトカ島の氷雪を、オホーツクの吹雪を、キリル・ラックスマンを、その書斎を、教会を、教会の鐘を、見晴るかす原始林を、あの豪華な王宮を、宝石で飾られた美しく気高い女帝を、――なべて決して見てはならぬものを見て来てしまったのである。光太夫は絶え入りそうな孤独な思いを持って、四人の役人のあとに従い、どこへともなく歩いて行ったのであった。どこへ連れて行かれようが、もう決して自分が理解されぬであろうということだけが確かであった。

光太夫、磯吉の二人を日本側に引き渡してしまったあと、第三回目のアダムと日本側の代表との会見は二十七日に行われた。アダムはこの前と同じ会場で石川将監と遇った。石川将監は、この前の会見の時トゥゴロコフに依る説明によって国書の内容は諒解した。ロシア国女帝が、ロシア、日本両国に交易関係締結の希望を持ち、そのために特使アダム・ラックスマンを派せられたということもよく諒解したと述べた後、

「この前繰り返して述べた如く、長崎以外の地において修好通商の取り決めは国法の禁ずるところである。いま、ここに長崎入港の許可を認めた証書がある。われわれは宣諭使の権限に依って、これを貴下に交付したいと思う。若《も》し修好通商関係の取り決めを望むなら、この証書に依って貴下は長崎に至ることができるであろう」

と言った。アダムは一人の役人に依ってその証書なるものを手渡された。一枚の紙片であったが、立派な文箱に収められてあり、充分に手応えのある重さを持っていた。アダムは好むと好まないに拘らず、これで満足しなければならなかった。期待したものを得ることはできなかったが、兎も角長崎入港許可証を入手できたことで、遣日使節としての体面だけは保つことができたわけであった。依然として国書は受け取られないままであったが、修好通商の手形を得たことは、第三回目の会見の大きい収穫であった。ア

ダムは少くともそのように考えた。

　別室で休憩した後、一同は再び広間に戻った。アダムが明るい表情で挨拶すると、日本側もまたこれまでとは異なったにこやかな顔で応対した。この日が最終の会見であったので、アダムの挨拶は当然訣別《けつべつ》の辞になった。

　――余が二人の漂民を還送し来たるは余の義務である。

　アダムが長い挨拶の中で、こういう言葉を口から出した時、トゥゴロコフは〝義務〟という言葉の訳語に詰まった。辞書の頁をあちこちめくってから言った。

　――神から人間本来の勤めとして課せられた当然の仕事である。いや、宗教的責任である。同時にまた国家的責任でもあろう。

　トゥゴロコフはもっとたどたどしい言い方で、どもりどもり、そういう意味のことを述べた。

　アダムは六月晦日《みそか》の松前出発までに、本国から持って来た土産物を進呈する仕事に忙殺された。上産物であるから相手に手渡せばそれでいいわけであったが、これがなかなかそう簡単には行かなかった。漠然とエカチェリーナ女帝から日本国公方《くぼう》へ呈上するといった形のものは、その受け渡しに問題はなかったが、松前藩宛の物になると、もう素直には受けとって貰えなかった。まして、個人への贈り物は、どんなことがあっても、相手の納めるところとならなかった。アダムの一行の中には、交易品の見本を持ったイルクーツクの商人ウラス・バビコフ、イワン・ポルノモシヌイの二人も加わっていたが、彼等ははるばる運んで来た商品の一物をも日本産の物に替えることはできなかった。

アダム一行は六月晦日松前を発し、七月晦日に箱館に帰った。そして八月十七日に陸上の宿舎を引き払って乗船したが、箱館滞在中に小さい事件があった。それは幕吏二人がトゥゴロコフにこっそりとロシア国書の写本の借用を懇請したことであった。これを知ってアダムは、国書の写本一通を相手に交附するように命じた。国書を渡すことはできなかったが、たとえ写本にしても、渡さないで帰るより渡した方がいいと考えたからである。幕吏に渡した写本は、複写されて、直ちに同じ幕吏の手で返されて来た。

十八日朝、エカチェリーナ号は解纜《かいらん》して港外に出、十時に再び投錨して、見送りの幕吏たちの小船と互いに訣別の挨拶を交した。この頃から海は荒れ出し、ためにエカチェリーナ号は二十二日まで沖合に碇泊していなければならなかった。二十三日朝五時、いよいよ抜錨出帆することになり、エカチェリーナ号は船長ロフツォフの判断で日本への訣別の合図に大砲を発射した。そしてすぐ沖合に出たが、やがて藩吏の乗った小船が追いかけて来て、発砲したことの意味を質した。事情を説明すると、藩吏を乗せた小船はすぐ引き返して行った。

エカチェリーナ号は二十七日午後二時、千島群島第二十一島（色丹）が行手に見えて来るまで、二隻の日本船が後方にあるのを認めなければならなかった。明らかに監視船であった。

九月二十日朝、エカチェリーナ号はひどく緩慢な長い航海を打ち切ってオホーツク港にはいった。

アダムはオホーツクにおいて、オホーツク司令官リッテン大佐との間に小さい悶着《もんちゃく》を引き起した。それは日本から贈られた白米百俵の措置であった。リッテン大佐はひとまず、それを己が保管下に置くことを主張し、結局のところ自分の言い分を押し通してそのようにした。この問題が解決するまで、アダムはオホーツクに滞在し、すべて任務に関する事務を完了した上で、イルクーツクに向けて出発したのは一カ月後であった。

アダム・ラックスマンは遣日使節としての功績に依って、エカチェリーナ二世より聖ウラジーミル四等勲章を授与された。光太夫がペテルブルグにおいて同女帝から授与されたものは、それとは比較にならぬ程上級の金牌であったことを思うと、女帝が光太夫等日本漂民に期するところいかに大きかったかが判る。それは兎に角として、アダム・ラックスマンの訪日は政府には大きい成功を収めたものとして受けとられた。アダム・ラックスマンが持ち帰った長崎入港許可証は政府の大きな金庫の奥に大切に仕舞われた。大国ロシアがそれを有効に使うためには、新しい日本の漂流民がやって来るまで気ながに待たなければならなかった。そしてその間、ロシア政府が将来の対日貿易のために為さなければならなかった仕事は日本語学校を充実したものにすることであった。そしてそれは、イルクーツクに留まった新蔵、庄蔵の二人の日本漂民が受け持たなければならなかった役割だったのである。

光太夫と磯吉が江戸に送られたのはこの年寛政五年八月のことである。二人は町奉行の池田長恵に身柄を預けられ、一応の取調べがあったのち、雉子《きじ》橋門外の御厩《みうまや》の宿に入れられた。そして旅の疲れを医す暇もなく、御目付の中川忠英、間宮信如の二人が宿に赴いて来て、永年にわたる異国放浪中に見聞したことについて訊問するところがあった。席にはもう一人の人物が姿を見せていた。政府からの委嘱を受けて、漂民の話を書き記す役を持った篠本廉であった。訊問者の一人中川忠英は後に長崎奉行、勘定奉行を歴任し、海外事情や辺境問題では一方の権威と目され、『清俗紀聞』は、長崎奉行の時、近藤重蔵、林貞裕の助力を得て、中川忠英が編纂《へんさん》したものである。篠本廉は五十歳ほどの儒者として知られた人物であった。

訊問者二人のうち、中川が主になって問を発し、随時間宮が質問を補足した。

「――初め颱風に逢いしより、洋中にあること八カ月と言う。その艱難推して知るべし。その初めて陸に上りたる地を何と言うや。至りしよりの次第いかん」

答える方も光太夫が主になって答え、それを時々磯吉が補足した。二人はイルクーツクの豪商たちの客間で何回も喋ったことを、もう一度ここで繰り返さなければならなかった。イルクーツクにおける場合と較べると、質問者たちが異国というものに全く知識を持っていなかったので、相手を理解させるのに何層倍か骨が折れた。

併し、光太夫が一番苦心したのは、ロシアという国と、その国の人たちに関することであった。自分が思っていることをそのまま口に出してしまうと、当然ロシア礼讃になり、そのようなことがいかに受け取られるか心配であった。光太夫は磯吉が答弁する度にはらはらしたが、磯吉は磯吉でやはりそのことは弁《わきま》えているらしく、ロシアを褒める時は、必ず一方で自国を立てていた。

「――おろしやの人武備にはもとより、その他の事多く鉄砲を以て用をなす。これを放って祝儀ともなし、是を放って合図ともなすと言う。定めしその術も亦たくみなるべし」

こうした質問があった時、それに答えたのは磯吉であった。

「ロシアの鉄砲は飛んでいる鳥を必ずうち落すこと不思議な程であります。しかも、これは鉄砲を持つほどの者は誰でもするところでございます。それもその筈、小さい豆のような弾丸を四、五十もこめて放ちます。弾丸は拡がって散じて飛びますので、その中の幾つかがあたるのは道理というものでございます」

磯吉は答えた。

「なるほど、四、五十の弾丸が一度に飛び出す仕掛ならばな」

質問者が言うと、

「根室でこういうことがございました。松前より根室に出向いて来ておりますお武家の一人が、弾丸一つをこめて水鳥を覘《ねら》ったことがございます。これを見て、ロシア人たちは大いに嘲り笑ったものでございます。ところがそのお武家は見事に一発で水鳥を仕止めました。ロシア人たちはただ驚くばかりでございました。かかることは日本では常のことでございますので、彼の国の人は日本の人に及ばずと申して宜しいかと存じます」

磯吉はこう言っておいて、

「それにいたしましても、それぞれ長所、短所があると言うべきかと考えます」

と結んだ。こういうところはなかなか天晴れと言うほかはなかった。磯吉は既に分別を備えた三十歳の若者に生い育っていた。箱館より江戸に向う道中、同じ年の頃の日本のいかなる若者を見ても、光太夫は磯吉の方に優れたもののあるのを感じた。読み書き教養の点では何とも言えなかったが、この国の若者が見ていないところを見て来ているところから来る自信が、磯吉の表情一つにも現われていた。

「――ヤクーツク、イルクーツクの州府より、次第に他の州府へ送らるる時は、道中役人を付けたりしたことのように聞ゆ。その役人というは位高きや低きや、またいくばくほど付きし」

これに対しては、光太夫が答えた。

「第十位の官なるカワピタン一人、第十六位の役人なるカツプラン一人、これのみにてございます。それも厳重なることはございません。すべて他邦の人に特別に心を置くことなき風俗と心得ます。磯吉イルクーツクに居りました時、官府より切手を与えられましてございます。この切手一つでいずれへの地にも自在に往来し、また逗留《とうりゆう》することも心のままでございます。異国の者でもいっこうに不自由を感じませぬことは、このようでございます。出歩けど監視などということは絶えてなく、どこへ行こうと自由でございました」

光太夫は、あるいは言うべきではないことかも知れないと思ったが、このことだけはありのままを伝えておきたい気持が強かった。箱館でも松前でも、アダムの一行はどこへも自由に出歩くことはできなかった。アダムの場合は一国の使節であるから、万一のことを慮《おもんぱか》っての措置とも思えたが、エカチェリーナ号の船員たちの場合は、折角この国に来ていて、ついに一歩の上陸も許されなかったのである。それが昔からの国法であってみれば已むを得ないこととせねばならぬが、何と言う窮屈なことであろうかと思った。そういう気持から、つい光太夫は口走ってしまったのである。

「――おろしやの国に在りし時、王城および郡県より大人数繰り出すということなかりしや。また他邦遠地にも、戦争あると言う聞こえもなかりしや」

この時、光太夫は瞬時ではあったが躊躇した。光太夫はペテルブルグの港において、新蔵と一緒に対トルコ戦の戦線に出征して行く兵たちの行進を見ていた。それを送る群衆の喚声も耳にしていた。決して戦争がないとは言えなかった。が、暫くして光太夫は答えた。

「そのようなことは絶えてございませぬ。遠方においてもそのようなことがあるとは思えず、また近年においても合戦というようなものがあったということはついぞ聞きませんでした。ロシアという国の人の気立て、気風からいたしましても、合戦などということあるべしとも覚えませせぬ」

すると、磯吉が傍から口を出した。

「人気いかにものんびりとして、はっきり申しますと愚図というのでございましょうか。他国のすきをうかがうというようなこと、絶えてあろうとは存じませぬ。国全体がそのようなことは度外しており、また他国に備えて用心する体《てい》もございませぬ」

すると、

「――おろしやの国の人オランダ船に乗りまじりて、日本に来たりしことありしと言う。そのこと聞きたりや」

「さればでございます。凡そロシアの国にては、他邦他域に多く渉《わた》り、博く履歴せる者を貴ぶ習いでございます。ロシアの医者、オランダ人に雇われ、日本に渡り帰り、日本の書物を著わしたことあるということでございました。その書物なるものを見せて貰ったことがあります。が、いっこうに判読できませんでした」

光太夫は言って、いつかキリル・ラックスマンに依って示され、その一部の日本の土地名を訂正したり、書き入れたりしたことのある地図について説明した。勿論自分の書入れや訂正については触れず、それがかなり正確詳細なものであることを説明した。

中川忠英と間宮信如の二人の漂民訊問は何日かに亘って行われた。そして大体の訊問が終ると、あとは二人の話をまとまった文章に綴る役目を持っている篠本廉ひとりがやって来た。光太夫と磯吉は篠本のために、自分たちが習い覚えたロシア語の単語の全部を書き示さなければならなかった。

翌九月十八日、光太夫、磯吉の両人は新たに江戸城内に設けられた吹上《ふきあげ》上覧所に赴き、十一代将軍家斉の前で、漂流中の話をすることになった。中川忠英や間宮信如が二人の漂民が単なる漁師でなく、それぞれ異国に於て見るべきものは見、知るべきものは知り、その蓄えたる知識も尋常でなく、それを語る態度も凡庸でないことを上司に上申した結果、こうした〝漂民御覧〟の催しが開かれることになったのであった。

この日光太夫、磯吉は、それぞれロシアより持ち帰ったロシアの礼服を身に纏い、エカチェリーナ二世より拝領した金牌を胸に掛けて出仕するようにという沙汰であった。二人は命じられるままに、そのようにした。髻《もとどり》は三ツ組にして黒い絹で結んでうしろに垂らした。赤いボタンのついた外套を着、ロシア革の靴を履いた。

その日上覧所は、正面に御簾《みす》をかけ、御簾越しに二人の漂民を透見《すきみ》できるような将軍の座所が作られ、その前の白砂の敷かれた庭には二人の漂民のために床几《しょうぎ》二脚が置かれた。定刻四ッ半（午前十一時）に光太夫と磯吉はきらびやかな異国の礼服姿でそこに導かれて行った。二人は程よいところで右手に持っていた杖と左脇に挟んでいた氈笠（けおり笠）を地に置き、正面の御簾に対《むか》って拝礼し、それから設けられた椅子に腰を降ろした。椅子に腰を降ろすと、将軍の席は右手になり、二人の正面には六人の人物が張出しの上に小机を前にして居並んでいた。今日の訊問役を承る亀井駿河守、小野河内守、多紀永寿院、それに今日の一切を記録する桂川甫周等であった。そして将軍の席の右手には松平越中守、加納遠江守、平岡美濃守、高井主膳正などの高官が居並んでいる。また御目付の中川忠英の姿も右手の方に見えている。中川忠英は矢部彦五郎と共に今日の執事役を承っていた。

この日のこと一切を記述した桂川甫周の『漂民御覧之記』には、

「更にこの国の人とは見えず、紅毛人の形に髣髴《ほうふつ》たり。それより彼ら二人に問を下すことに答える所的実にして、いささかも虚説なし、まことに千古の一大奇事なり」と記されてある。

ここでも光太夫が主になって答え、時に磯吉が替って答えた。

――その方ども最初に着船したる所は、何と申す地に候や。

これに対して、光太夫は漂流の顚末《てんまつ》から始まって異国の放浪生活十年のあらましを、極く大要かいつまんで話した。一つ一つ質問を受けて、それに答えていては、限られた時間では何も話せなかった。肝要なところだけをさきに話しておくべきだと思ったのである。こうした光太夫の考えは当を得ていた。そのあと何人かの口から出る質問は奇妙なもの許りであった。

――火災の儀いかが候や。

――城楼の上に、大いなる自鳴鐘《とけい》これある由、見及び候や。

――ムスクワに大石火矢これある由、見及び候や。

――駝は見及び候や。

――たばこはこの方同様に候や、何と申し候、きせるは焼物にて候や、かねにて候や。

——武芸は稽古致し候や。

——老中ども相見候や。往来の体いかに候や。

——その方共の首に懸け候物は何に候や。また腰に下げ候物は。

併し、そうしているうちに、思わず光太夫がはっとしたような意地の悪い質問が飛び出して来た。そしてそれを合図に質問の性格ががらりと変って行った。

——その方共の事、おろしやにて救命の恩、その他の厚情、仇には存じまじき事にこれあり候、いかが存じ候や。

これに対して光太夫は慎重に答えた。

「恩義に於てはいささかも仇には存じませぬ。さりながら大切に思わねばならぬと申すほどの義理はございませぬ」

——さほどに恩義これあり候ところ、何故に強いて願を立て、日本へ相戻り候や。

「おそれながら本国には老母妻子兄弟共が居りますので、恩愛の情忘れ難く、その上食物など不自由で難儀いたすばかりでなく、言葉も明白には通じませぬ。朝夕、心に任せぬことばかりでございます。身命をなげうっても、帰国いたし度うございました」

——言葉は覚え候にてはこれなく候や。

「これとても聞取りにて覚えたに過ぎなく、実際の言葉の万分の一にも及びませぬ。まさかの場合になりますと、いっこうに通じかね、とかく不便な事ばかりでございました。ただ餓えたり凍えたりするのをふせぐだけの用を弁じるぐらいのところでございました」

――帰国の儀申し渡し候節、何ぞ申し付けられし事これなく候や。

「老中とも申すべき役人、帰国の砌《みぎ》りに申しましたことは、世界の国でおろしやと交易通商しない国はないと言っていいくらいであるが、日本のみは通交がない。この度お前らを送り還すのを機会として、交易の儀を取り結びたい。さりながら強いてというわけではないと、くれぐれも申し含められました。この儀は女帝の仰せられたことではなく、全く右の役人の一存で申したことと推察いたします」

光太夫は言った。言い終ると、光太夫は次の質問に構えなければならなかった。自分も守らなければならなかったし、ロシアをも守らねばならなかった。併し、ロシアを守るということはまた日本の国をも守ることでもあるように思われた。すると、ふいに違った性質の質問が浴せられた。

――おろしや国にて、耶蘇《ヤソ》宗門に入り改宗致し候者は、四十二日水を浴び、うしろを向いて嘔吐し、その上にて名を改め候由、勿論名を改め候折も、水を浴びせ候由、見及び候ことこれ有り候や。

あとは、また前に戻ってたわいないとしか思えない同じような質問許りが次々に放たれて来た。磯吉が替って答え始めた。

――十文字に致し候もの貴び候儀、見及び候や。

――硝子をふき候を見候や。

――羅紗の織方見候や。

――おろしゃは冬至の頃は、殊のほか日短かにこれあるべく候、いかが覚え候や。

――何ぞ格別に恐ろしと存じ候事に逢い候儀はこれなく候や。

――雁は年中居り候や。

磯吉はこうした種類の問題は得意だった。

「雁は大抵年中見られます。春の中頃から秋の初めまで、わけて夥《おびただ》しく卵を生みかえします。各自の家でも羽を切り、あひるのように飼っており、その卵をとって食用にいたします。雄四、五羽に雌を三、四十ずつつけておきます。卵の味は較べようもないくらいうまいものでございます」

――水車、風車は見及び候や。

「水車は方々にございます。鍛冶屋でも銭座でも、みな水車を使っております。風車は羽四枚で、それはそれは大きなものでございます。これは流れ川のないところで用いております。尤《もっと》も風のない季節は廻りません」

光太夫は磯吉の雁の話や水車、風車の話はこの席で初めて聞くものであったが、磯吉は磯吉でこのようなものはよく見て来ていると感心した。

――おろしやにても日本のことを存じ居り候や。

こんどは光太夫が答えなければならなかった。光太夫は慎重に一語一語を口から出した。

「何事によらずよく存じております。日本の事実を詳《つまびら》かに記してある書物、および日本の国の地図なども見ております。日本人にては桂川甫周様、中川淳庵様と申すお方の名をば、私どもの面倒をみてくれました学者のキリル・ラックスマンは知っておりました。日本の事を書いた外国の書物の中にこの方々のお名が載っているように承っておりま す」

光太夫はいま自分が口から出した桂川甫周という名を持つ人物が現にこの席に居て、自分たちの話を記録していようとは知らなかった。中川淳庵の方はすでに故人となって何年か経っていた。

最後に光太夫は問われるままにロシア国内で見た異民族のこと、イルクーック、ヤクーツクのこと、それからロシアの皇帝一家のことを話した。

「ロシアの国はただ今は女帝で、御名をエカチェリーナ・アレクセウナと申します。御年六十四。太子はパウル・ペトロウィチ、御年三十九。皇孫は一人をアレクサンドル・パウロウィチと申し、御年十六、一人をコンスタンチン・パウロウィチと申し、御年十四に相成られます」

これで問答は終った。光太夫と磯吉は事の首尾のほどは判らなかったが、将軍家の御前を退出すると、すぐ雉子橋の外にある御厩の宿に帰った。桂川甫周が『漂民御覧之記』において、「実に昇平大和の御代に生れ出、御身近く仕うまつる故にこそ、かかる事をも見聞きすれ、さるにてもただに聞きすてがたき事ならねばとて、柄《え》短き筆を取りて、ひそかに記し終ることになむ」と、末尾の言葉を誌しているところから見ると、二人の漂民が語ったことは、一座の者には充分刺戟的な興味あることであったに違いない。二人は宿に退がると、ひどく疲れていた。殊に光太夫は口がきけないほどの疲労感に包まれていた。

光太夫は吹上の上覧所で、なぜ故国へ帰ることを希望したかという問に対して、老母妻子兄弟が居るからという答えをしたが、漂流中老母と妻子が故国で自分を待っていようと考えたことは一度もなかった。老母は漂流当時すでに高齢で死病の床に就いていたし、妻の方は、自分が養子であるという特殊な家庭の事情で、自分の遭難が確実と決まってからは、帰るか帰らないか判らぬ夫を安閑と待っている環境にはなかった。妻は子を連れて他家に嫁ぐか、別に養子を迎えている筈であった。だから光太夫はアムチトカ島の氷雪に包まれた生活の中で、既に老母と妻子を棄てていた。そして老母のことや、妻子のことに思いを馳せることを固く自分に禁じたのであった。そして実際に放浪の十年間をそのようにして送って来たのであった。郷里のことは思うまいぞ、思うまいぞ、何回自分に言い聞かせたことであろうか。アムチトカ島を離れる頃は、光太夫の場合、老母の死は確実であったし、妻子が既に自分の妻子でないことも亦確実であった。

従って、光太夫が老母妻子に惹かれて故国へ帰る望みを断ち切れなかったと答えたことは、はっきりとその場の方便であると言えた。それなら、なぜ帰郷の情を断ち切れなかったのか、光太夫はついぞ今まで考えてもみなかったことを、この日改めて考えさせられた。

「磯吉」

ふいに光太夫は磯吉に声を掛けた。

「お前と俺とは、故国の土を踏みたい思いだけで、十年間生きぬき、とうとういまこうして故国の土を踏んでいる。一体、お前は何に惹《ひ》かれて郷里へ帰りたかったんだ」

「そうだな。初めの二、三年は伊勢の海に惹かれていた。母親には余り可愛がられて育たなかったんで、母親のことはいっこうに考えなかった。伊勢の海をもう一度見たいと思った。併し、途中から伊勢の海のことも思わなくなった。人間どこで果てても同じだという気になった。だが、ラックスマンに仕えるようになってから、ラックスマンがあまり日本の石や花や木や山を見たいと言うんで、俺も日本へ帰って、そんなものを見たくなった。そんなものを見たいのではなくて、ラックスマンが日本に来られるような時が本当に来るんなら、俺はさきに帰って、ラックスマンの来るのを迎える準備でもしておかなくては、そんな気持だった」

磯吉は言った。磯吉の本心であるに違いなかった。磯吉は磯吉なりに、心からキリル・ラックスマンという学者を尊敬していたので、終りの何年かは、ラックスマンのために故国の灯を心の中にともし続けていたのかも知れない。併し、磯吉の望むようなラックスマンのやって来る時代の到来は、いまこの国の土を踏んでみると、それは一場の夢物語でしかなかった。

それなら、一体俺はと、光太夫は考えた。そして磯吉に対してと言うより、自分自身に言った。

「俺はな、俺は、俺はきっと自分の国の人間が見ないものをたんと見たんで、それを持って国へ帰りたかったんだ。あんまり珍しいものを見てしまったんで、それで帰らずには居られなくなったんだな。見れば見るほど国へ帰りたくなったんだな。思えば、俺たちはこの国の人が見ないものをずいぶん沢山見た。そして帰って来た」

光太夫はここで言葉を切って、

「だが、今になって思うことだが、俺たちの見たものは俺たちのもので、他の誰のものにもなりはしない。それどころか、自分の見て来たものを匿さなければならぬ始末だ」

吹上の上覧所の問題は、桂川甫周には千古の一大奇事であり、昇平大和の御代の慶事であったのであるが、光太夫には凡そそうしたものから遠いものであったのである。

光太夫、磯吉の二人が雉子橋門外の御厩の宿から番町明地薬草植付場に移されたのは、寛政六年六月のことであった。江戸の土を踏んでから十カ月目のことである。用番戸田采女《うねめ》正から勘定奉行へ渡された書付けによっての措置であった。

——右之者共（光太夫、磯吉）外国へ漂流候処、年月難儀を凌ぎ、恙《つつが》なく帰国仕り候事奇特なる志につき、金三十両宛被下候

一、此度別儀を以て在所へは相返さず、当地に差し置き、住所の儀は番町明地薬草植

付の内に住居つかまつらせ、月々御手当として、光太夫へ金三十両、磯吉へ金二十両宛相渡可申候

一、両人共勝手次第妻をも呼び、安堵《あんど》致し住居仕り候様致さるべく候、尤《もっと》も植場手伝等申し付候儀は先ず見合せ、無役にて差置可被申候

一、外国の様子、猥《みだ》りに物語りなど致さざるよう仰せ渡され候趣、右の両人へも可被申付候。且両人領主へも何《いず》れもより可被相達候。身分の儀は、薬草植場に差し置き候もの同様に支配可致候。

光太夫と磯吉は三十両、二十両の手当てを貰って、薬草植場にかくまわれることになったのである。薬草植場の手伝いも許されず、ひとと自由に話すことも禁じられてしまったのである。斯《か》くして二人は郷里へも帰ることもできず、一生ここに住まわねばならぬことになり、実際にまた一生ここに住んだのである。光太夫はこの時四十四歳であり、磯吉は三十一歳であった。

光太夫、磯吉への沙汰があってから二カ月遅れて、同じ年の八月に、根室で他界した小市に関しても、御勘定奉行久世丹波守から亀山領主留守居に対して申し渡しがあった。

——去る寛政丑年魯西亜《ロシア》国より帰国致し候節、旅中にて病死致し候勢州亀山領之南若松村水主《かこ》小市妻、十三年以来後家を立て、四石余の田地を農業致し候段、お上のお耳に達し、奇特なる志につき、この度銀十枚被下置、併《あわ》せて小市が彼国に於て着用致し候衣類、諸道具被下置候。

そして、小市後家に渡される小市の所持していた品々の目録には、王面銀国王之印、島びろうど胴着、白らしゃ胴着、花色らしゃもも引、島びろうど股引、毛織頭巾、皮足袋、さじ、襟巻、印判、毛織蒲団（裏毛皮）、手袋、鹿皮着物、その他三十余点の品名が示されてあった。また日本より持参の品としては、二両二分の金と小綿布子一枚とがあった。

小市に対する措置はかなりきちんとしたものであった。死んだ小市に較べると、生きている光太夫と磯吉に対する措置は、郷里へ足を踏み入れさせないという一事を取り出しても、かなり苛酷なものであった。

二人が番町明地薬草植付場に移された同じ年の十一月一日に、光太夫は当時蘭学者として高名であった大槻玄沢の京橋の邸に招かれた。社中の者が一堂に集まって陽暦一月一日の賀筵を張るということで、本来なら薬草植付場からは自由に外出できぬ身であったが、桂川甫周の口ききで、乞われてその会に顔を見せることになったのである。

この頃は、光太夫の気持が一番暗く惨めになっている時であった。半幽囚の身で、いくら特殊な許可を得たとしても、そうしたところに出向いて行くことは如何かとも思われたし、また肝心の光太夫自身の気持がそうしたことからは遠い状態にあった。併し磯吉が、何も自分から世間を狭くすることはない、どこへでも出られる時は出た方がいいし、また、出るように務めるべきであると口を極めて勧めたので、ついにその言葉を容れてしまったのである。

会場は蘭学者の集まりにふさわしく異国風に造られてあった。幾つかの卓を合せた周囲に二十九人の者が並んでおり、卓の上にはナイフ、ホーク、スプーンなどが置かれてあった。また蘭医の家らしく、壁には西洋医学の祖だというヒポクラテスの画像が掲げられてあった。

光太夫はその日甫周の求めでロシアの服を纏って行ったが、他の参会者は勿論和服姿で、紋服を着用した者も多かった。光太夫だけには椅子が用意されてあり、光太夫はそれに腰かけて求められるままにロシア文字の揮毫《きごう》をしたり、ロシアに関する質問について答えたりした。光太夫はいかなる質問に対しても、自分の知っていることは全部話そうとする態度をとった。併し相手が蘭学者ばかりであるにしても、吹上上覧所に於ての場合と同じようになお話すのを憚《はばか》らねばならぬこともあったし、話しても理解して貰えぬだろうと思われることもあった。

会の中頃、光太夫はひどく無気力になっている自分に気付いた。ロシアのことについて語れば語るほど、気持が沈み、心が衰えて行くのをどうすることもできなかった。

そのうちに一番光太夫の漂流生活について詳しく知っている甫周が、光太夫の人柄について、またその漂流からロシアの女帝の殊遇を受けるに至るまでの顚末《てんまつ》について語った。光太夫が自分で語るべきことを、甫周が替って受持ってやっている恰好であった。

光太夫は甫周の言葉を耳に入れたり入れなかったりしていた。時々、光太夫は語っている甫周の方へ顔を向け、またそこから眼を他に離した。確かにそこでは自分について語られていた。併し、自分とは全く無関係なことが語られていると言っても間違いではなかった。

光太夫の耳の中で、甫周の言葉が何回も小さく遠くなって行ったが、そのうちに、光太夫の瞼にふいに一人の人物の顔が浮かんで来た。ラジシチェフであった。トボリスクの長官の家の夜会で、部屋の隅に一人腰かけて、自分を紹介している長官の話に耳を傾けている貴族出の流刑囚の顔であった。光太夫はいま自分はあの流刑囚と同じ顔をしているのではないかと思った。あの話し手を突き離している冷たい眼と、傲岸としか見えぬ気難しさを、自分の顔も亦持っているのではないかと思った。

この日、談論風発の席上において、この集まりに新元会という名が冠せられることと、この集まりがこの年だけのものではなく、これから毎年のように催されるということが取り決められたが、光太夫はそうした集まりの雰囲気からは遠いところに居た。再び自分が招かれようとも思わなかったが、よし招かれたにしても自分が顔を出す場所ではないと思った。この蘭学者たちの集まりは、この日の取り決め通りその後毎年のように開かれた。世間では称して、これを〝おらんだ正月〟と呼んだ。

その芝蘭会から帰った夜、光太夫は磯吉に、

「ニビジモフとはカムチャツカへ着いた時、ろくに挨拶も交す暇なく別れたが、あの男はいまどうしているかな。礼も言わないで別れたことが、どういうものか今頃になって気になって仕方がない」

と言った。光太夫は絶えて思い出したこともなかった氷雪のアムチトカ島で一緒に生活したニビジモフのことが、芝蘭会よりの帰途からしきりに思い出されていたのである。

「ニビジモフなら、いまもオホーツクかヤクーツクあたりに居るんじゃないかな」

磯吉もふいに遠くを見るような眼をして言った。

「そうすると、二人ともシベリアだな」

光太夫はひとり言のような言い方をした。二人ともと言っても、磯吉には理解されないことであった。光太夫はラジシチェフとニビジモフのことを考えていたのである。そして暫くしてから、光太夫は言った。

「俺たちは、な、磯吉、いま流刑地に居るんだ。そう思えばいい。長いこと方々さまよい歩き、やっとのことで流刑地に辿り着いた。そう思えばいい。な、そうだろう。流刑地に着いた以上、もう何も考えてはいけない。ロシアのことは考えまいぞ、考えまいぞ」

嘗《かつ》て光太夫は長い漂泊の生活に於て、郷里のことは考えまいぞ考えまいぞと自分に言いきかせていたが、いまはその光太夫の生きる心構えの中で、己が生国たる郷里が、遠い異国のロシアに替っていた。光太夫はもうロシアのことは考えまいと、新しく己れに課したのである。

確かに光太夫が考えたように、二人の漂民の身の振り方に関する一枚の公けの書付けを最後にして光太夫、磯吉の漂流民としての生活は終止符を打たれ、この書付けを基点として後半生の生活は始まってゆくのであるが、残念なことに二人がこれからいかなる人生を歩んだかは、殆んど判っていない。作者もこの辺で、伊勢漂民たちの十年に亘った長い漂泊生活の物語の筆を擱《お》かなければならぬようである。

伊勢漂民の異国放浪の顚末を綴った記録文書は、片々たるものを併せると、かなりの数に上っている。その中で主なものは三つである。一つは御目付役中川忠英、間宮信如が御厩の宿に於て光太夫、磯吉との間に交した問答の始終を、政府の委嘱を受けて記録した篠本廉の『北槎《ほくさ》異聞』である。もう一つは桂川甫周の『漂民御覧之記』、残りの一つは同じく甫周が、詳細に光太夫、磯吉から漂流の模様、異国放浪の始終を訊き出して、甫周一流の筆で綴った『北槎聞略』である。『北槎聞略』はその規模構成に於ても、内容に於ても、当時その名をロシアにまで知られていた蘭学者桂川甫周にして初めて為し得た労作であると言えよう。

――臣国瑞（甫周）、内旨を奉じ、彼国《かの》制、地俗、居廬《きよろ》、飲食、諸瑣事《さじ》に至るまで詳問訊求し、更に中国の記載、西洋の書冊に出るものと参訂攷補《さんていこうほ》して附按《ふあん》となし、書十二巻、図二巻を作り、甲寅の秋に至りて、書成て、上《たてまつ》る。

甫周は巻頭の〃北槎聞略引〃なる一文にこう記しており、それに続く〃北槎聞略凡例〃には、

――臣国瑞、内旨を奉じて此編を撰するや固《もと》より事隠密に係る。あえて外行すべき書

にあらざれば事の嫌疑を避けず、又すでに通暁し易きにとれば、書辞卑俚《ひり》を厭わず、只その情実の違わず事状の脱漏なからん事を要するのみ。其意もと文詞《ぶんし》を弄して徒《いたず》らに耳目のたのしみに供するにあらざればなり。

このように記している。甫周がいかに情熱をこめて二人の漂民の語るところを綴ったかが判る。〝書成て、上る〟と記している〝北槎聞略引〟に見る日附は〝寛政六年八月〟となっている。光太夫等が薬草植場に移されたのは二カ月前の六月であるから、この書の稿はすでに御厩の宿の頃成っていたのであろう。

甫周は〝此編を撰するや固より事隠密に係る〟と書いているが、隠密の書が当然持たなければならぬ運命として『北槎聞略』はどこに仕舞われてしまったのか、その姿を晦《くら》ましてしまって、長く世に出なかった。

『北槎聞略』が隠密の書として行方を晦ましてしまったことを思えば、半幽囚の生活を強いられた光太夫、磯吉の二人の漂民の後半生が判らなくても、さして異とすべきではないかも知れない。『北槎聞略』が隠密の書であったように、その書の主人公である二人の漂民も亦、隠密の人であったのである。

光太夫と磯吉の後半生は、前半生の烈しさに較べると、死んだようなものであったろうと思われる。実際にまた光太夫も磯吉も、一度は死んだ人間であったのである。神昌丸の遭難の年から三年目の天明四年に、すでに海上で相果てたものとされて、郷里白子では遭難者たちのための供養碑が建てられていた。郷里許《ばか》りでなく、江戸回向院にも卵《らん》塔《とう》が立てられ、卵塔場の裏の墓地には船型の石を使って墓が作られていたのである。そういう記述が『神昌丸魯国漂流始末』の雑録、その他に収められてある。

一度死んだ光太夫の後半生について僅かに判っていることだけを拾い上げてみよう。

光太夫は薬草植場に移されてからさほど経たない時期に妻帯し、一男一女をあげている。よそ目には娘かと思われるような若い妻であった。郷里に居る筈の妻子が江戸へ呼び寄せられていないところから見ると、光太夫が漂流中に自らに言い含めていたように、妻は子を連れて他家へ嫁いだか、あるいは新たに養子を迎えるかして、光太夫との縁は切れていたのであろう。光太夫が帰国した時は、既に老母妻子共に病歿していたという記録もあるが、勿論はっきりしたことは判らない。

光太夫も磯吉も郷里の土を踏むことはできなかったが、郷里からは光太夫に逢いに来ている。それも簡単には行かず、いちいちそのすじに対面願を提出し、対面の許可を得なければならなかった。磯吉の兄清吉は江戸廻船問屋の者数名の連署で、〝国許に母者も存命而罷在候間《まかりあり》、何卒私儀、磯吉に対面仕罷帰り、母者も申聞せ安堵仕度奉存候間〟といったような文面の対面願を出している。そして漸くにして適《かな》えられた対面も同心立ち会いの許で行われたらしい。

清吉ばかりでなく、光太夫の甥彦八も対面願を出して、光太夫を訪ねている。清吉が磯吉を訪ねたのが一回か二回か不明であるが、少なくとも一回は、彦八と清吉は一緒に、御用部屋に赴いて光太夫、磯吉に面会し、ロシアから持ち帰った時計とか、銀銭、銅銭、紙入などを見せて貰っている。

光太夫が妻帯したくらいであるから、磯吉も妻を得たに違いないが、この方は何も判っていない。磯吉について判っているただ一つのことは、彼が寛政十年正月、許されて郷里の村に帰り、一カ月滞在したことである。そしてその折彼が語った話が、光太夫漂流実録『極珍書』として、若松心海寺実静なる僧の筆で書かれ、その写本がいまに残っている。古い光太夫関係の資料にはこのことは取り上げられていないので、光太夫研究家に依る近年の発見に依るものであろうか。

光太夫の嗣子《しし》は大黒梅陰である。寛政九年番町薬草植場で生れ、十四歳の時丁稚《でっち》奉公に出たが、書を読むことが何よりも好きで、父光太夫の死後、薬草植場の邸を出て、門弟を蓄え学者として一家を成した。光太夫の好学の血が、子梅陰に於て花咲いたと言うべきであろう。

光太夫は半幽囚人としての不自由な半生を送らねばならなかったが、文政十一年四月十五日に七十八歳で歿している。頗《すこぶ》る長命であったわけである。この時子梅陰は三十二歳であり、磯吉は六十五歳であった。江戸本郷元町興安寺に葬られた。磯吉は更に十年生きて、天保九年七十五歳で歿している。これも長命であったと言っていいであろう。磯吉も同じ興安寺に葬られ、その墓は光太夫の傍にあった。昭和四年に調べた人の話では、当時興安寺の過去帳には二人の名が記されてあったが、墓はいずれも既に当時なくなっていたということである。

最後に、ロシア正教に帰依したために帰国を断念し、光太夫等と別れてイルクーツクに留まった庄蔵と新蔵は、その後どうなったであろうか。その前に、日本漂民たちの大きな庇護者であったキリル・ラックスマンについて一言触れておかねばならぬ。

光太夫と磯吉が帰国したのは寛政五年（一七九三年）のことであるが、この日本漂民の送還実現に奔走したキリル・ラックスマンは、この一事では満足しなかった。わが子アダム・ラックスマンが第一回遣日使節として日本を訪れたことは、一応その目的を達成したものとして受け取られたが、父親のラックスマンとしては必ずしもそうは考えられなかった。息子は帰国して勲章を貰ったが、ただそれだけのことで、自分の日本行きがいつ実現できるかということになると、かいもく当てはなかった。

息子のアダムが帰国した翌一七九四年、父親のラックスマンはペテルブルグを訪れて、再び要路の大官に、新たに日本へ使節を送ることを提案している。この時シェリホフはまっこうからラックスマンに反対し、それが労多くして効ないことを主張した。両者はそれぞれ支持者を得て論戦したが、結局ラックスマンが相手側を押しきって勝利を占めた。そしてこの結果、ラックスマン自身が個人の資格でカムチャツカから日本へ赴くということが許可されたのであった。ラックスマンはすぐ実行に移さずにはいられなかった。どのような危険を冒しても、日本へ渡り、日本で見なければならないものがたくさんあったのである。鉱脈も、植物も、地質も研究の対象になる何もかもがラックスマンを招んでいたのである。

翌一七九五年、ラックスマンはペテルブルグを出発、何度往復したか判らぬ冬期のシベリア街道を東に向ったが、西シベリアのトボリスク附近でついに病に倒れ、吹雪の唸る声を耳にしながら息を引きとった。豪商シェリホフの死も、同じ一七九五年のことである。

さて、話は戻るが、一七九二年五月、光太夫等と別れた新蔵、庄蔵にとっては、その年の後半は恐ろしく淋しいものであったに違いない。二人がその年をいかなる思いで過したかは知るべくもないが、ペ・イ・ペジェムスキーとウェ・ア・クロトフの共編になる『イルクーツク年代記』(一九一一年刊)はその年のイルクーツクにおける出来事を次のように拾い上げている。

——七月二十二日夜半十二時、聖職者の妻ウルロツカヤの家で火事が起り、この家のほかに、トロエポリスキー、シチューリン、エレゾフの三軒が類焼した。この焼跡には後に中学校と食糧委員会の建物が建てられた。

——同じ七月の二十六日、市内の各地に落雷があり、三軒の家が焼けた。このうち一軒は全焼し、警務司令官の家では炊事場が焼けた。

——九月十四日、ウソリーへ荷物を運んでいた船が、嵐のためにアンガラ川で沈んだ。

——十一月四日、蒙古との国境の町トロッコサフスクへ警務司令官として赴任するフリドリヒ・ウェストファレン氏がイルクーツクに到着した。

――同じ十一月七日、冬期の橇街道が開通した。
――十二月十五日、夜半一時に、商人チモフェイ・ハリンスキーとミハイル・ドゥシヤコワの家が火事で全焼した。
――この夏、航海学校に日本語のクラスが創設された。この学校はまた、グバノフ氏から鉱物標本室を寄贈された。この標本はバルナウルの鉱山で集められたものである。

ざっと、以上のようなことが、光太夫等の居なくなった年のイルクーツクでは起ったのであった。そして日本語のクラスが創設されたという航海学校で、新蔵は慣れぬことながら教鞭をとり始めたに違いなかったし、片方の足を失った庄蔵も、松葉杖をつきながら、教壇に立ったかも知れない。そして二人は火事と落雷以外に、さして事件らしい事件というもののないイルクーツクで、彼等は彼等で新しい後半生の生活を始めたのである。

新蔵、庄蔵に関するその後半生の消息は、僅かながら知られている。それはその後仙台の若宮丸の漂民が、イルクーツクにはいり、そこで八年間を過して、第二回遣日使節レザノフの船で日本に送還されて来たからである。文化元年（一八〇四年）、光太夫、磯吉の帰国より十一年経った時のことである。レザノフはアダムが持ち帰った長崎入港許可証を持って長崎に来て互市を求めたが、結局失敗して無為に帰らなければならなかった。ロシアが日本の鎖国の重い扉を開くには、それから約五十年後の嘉永六年（一八五三年）のプーチャチンの時まで待たなければならなかったのである。それは兎も角として、レザノフの船で帰国した仙台漂民の語った漂流顚末は、大槻玄沢の筆で『環海異聞』『北辺探事』二巻にまとめられてあるが、その中に新蔵と庄蔵の消息が伝えられている。

それに依ると、新蔵は日本語の弟子六人を持っており、日本語より寧《むし》ろロシア語、ロシア文字の方に通達しており、自分の後輩である仙台漂民のことを何から何まで世話し、漂民たちがペテルブルグに行く時も、一緒について行って事務万端、自分が引き受けて処理してやったということである。先妻はマシウエヤノ・ムシヘイナフと言ったが、女子を生んで病死したので、新蔵はカチリナ・エキムフモオナという後妻を迎えた。併し、新蔵については『北辺探事』の中に、脚の悪い庄蔵と仲違《なかたが》いし、余り庄蔵の面倒を見なかったということが記され、〝新蔵伊勢の産にて、生得怜悧《れいり》、極めて才覚者と聞ゆ。その実は薄く見ゆ〟と批判されている。だが、この新蔵は己が名を冠した一著を今日に遺している。『日本および日本貿易について、あるいは日本列島の最新の歴史的記述』と題して、新蔵の歿後一八一七年にペテルブルグで刊行されたもので、その扉には「本書は生粋の日本人、九等文官ニコライ・コロツィギンによって監修され、イワン・ミルレルに依って著わされたものである」と記されている。コロツィギンとは新蔵のロシア名であり、イワン・ミルレルは当時イルクーツクの中学校長であった人物である。新蔵はロシアに留まってその監修者として甚だ日本の漁師らしからぬ題名の書物を遺したことになる。仙台漂民から〝その実は薄く見ゆ〟と評された新蔵であるが〝生得怜悧〟と

〝才覚者〟の故に、ロシアの日本語教育のためには少からぬ貢献があったと見るべきであろう。

庄蔵は新蔵より寧ろ仙台漂民たちと交際し、その介抱を受け、仙台漂民がイルクーツク滞在中に病歿している。四十五、六歳であったろうか。最近の研究では新蔵は一八一〇年に五十歳で他界したと言うことになっている。日本へ帰って来た光太夫、磯吉の方が長寿を全うしたわけである。

編註

一〇　**ベーリング**　(Vitus Bering 1681 — 1741)。デンマーク生れのロシアの探険家。海軍にはいり一七二四年にアジアとアメリカとが陸続きか否かを時のピョートル一世から下問されて探険に出発し、海峡のあることを確めたのは五年のちのことであった。カムチャツカ探険にも参加して、アリューシャン諸島を発見した。

一〇　**カムチャダール、コリヤーク、チュクチ**　居住地はカムチャダールがカムチャツカ半島南半、コリヤークはシベリアの東端アナディル川からカムチャツカ半島の中部山岳の森林地帯とベーリング海沿岸のツンドラ地帯、チュクチはチュコート半島である。いずれも極北諸族で、シャーマニズムの強い信仰をもっている。

一五　**カザック**　タタールとスラヴの逃亡農奴や都市の流民の混血種族で、騎馬に長じた遊牧民。十七世紀以降、ロシアのシベリア進出と防衛の先陣をつとめた。「カザック」は「自由の人」を意味する。

一六　**ピョートル一世**　(Pëtr I 1672 — 1725, 在位 1682 — 1725)。海への出口をもとめる外交政策をもってロシアの地位をヨーロッパ列強のあいだに高めた。一六九六年の対トルコ戦、一七〇〇年からの対スウェーデン戦、一七二三年の対ペルシア戦に勝利を博し、また政府・宮廷・軍隊・行政組織を西ヨーロッパ諸国にならって再編成し、新都をペテルブルグに建設して、ロシアの後進性を脱しようとつとめた。

二〇　**アンナ・ヨアンノウナ**　(Anna Ivanovna 1693 — 1740, 在位 1693 — 1740)。ピョート

ル一世の異母兄イヴァン五世の娘。即位後、皇帝の相談役の枢密院を廃して独裁権力をふるい、寵臣が内政を左右するにいたった。ポーランド継承戦役（三三）ではフランスをおさえ、トルコとの戦（三九）には勝利をおさめた。

二七　**ジェームス・クック**　(James Cook 1728―1779)。ふつうキャプテン・クックとして知られているイギリスの探険家。一七六八年以降三回にわたって、南太平洋諸島、ベーリング海峡、太平洋の学術調査に貢献した。

三一　**廻米**　米の廻漕、又は廻漕される米をいい、藩主へおさめるために廻漕される領内の廻米と、藩主が貢米を貨幣にかえるために大坂そのほかの市場へおくる領外への廻米と、幕府の直轄地から江戸へおさめる廻米とがある。ふつうには後の二者を廻米といっていた。

三一　**船頭**　近世の回船業に於て船頭はブルジョワジーである船主自身であって、荷主の委託商品の廻漕のほか、自らも産地間の買付・販売を行なった。船主が多数の船を持っている場合は船頭を傭ったが、被傭者たる船頭も、廻漕の責任者たるばかりでなく、歩合制などによる商品の買付・販売の権限を与えられていた。

三二　**千石船**　米千石（約一五〇トン）を積むことができる船で、一六三五年（寛永十二年）には五百石積み以上の大船の建造は禁止されたが荷船にかぎって許されるようになり、光太夫の生れたころには千石以上の大船が沿岸航路につき、かれが死ぬころには千から千六百石積みの荷船が大坂だけでも六十隻に達していた。

三三　**船親父**　和船の乗組員の構成は、船頭・楫取（かじとり）・親父（おやじ）・賄（まかない）・水手（かこ）・炊（かしき）であった。人数はだいたい五百石船で六名、千石船で十一名、千百石船で十六名ぐらいであった。

一一四　**ツングース人**　東部シベリアから北満州に分布している民族。原住地には定説がない。生活は狩猟をもととし、シャーマニズムを信仰し、重要な問題は民族集会できめられる。

一三〇　**チュルク語**　広い意味でのトルコ語にあたり、トルコ共和国をふくめて西はバルカン、クリミアからヴォルガ川中流、東はレナ川にいたるほど、この言語の分布地域はひろい。

一三四　**エカチェリーナ二世**　(Ekaterina II Alekseevna 1729 — 1796, 在位 1762 — 1796)。本書二六四頁以下に詳しい。

一三四　**シャーマン**　シベリア、モンゴルなど北方民族にみられるシャーマニズムという呪術的な原始形態の宗教の指導者をいう。悪霊追放・病気治癒・安産などの呪法・吉凶予言・占いをおこなう際、超自然の霊がシャーマンの肉体をかりて種々の言動をするものと考えられている。

一四三　**ブリヤート**　東シベリアの南部、バイカル湖周辺に居住し、シベリア原住民のうちでは最大の人口をしめる。一部はモンゴルに住む。大部分は遊牧民で、高地の牧場に牛馬を放牧して生活をたてている。

一七八　**キリル・ラックスマン**　(Kiril G. Laksman 1737 — 1795)。

一八四　**アダム・ラックスマン**　(Adam K. Laksman 1766 — 1803)。

二二八　**イコン**　キリスト、聖母、聖者、聖者伝説の場面を小型の木板か金属板に描いた画像。東方教会では西欧教会の聖像礼拝よりも重要な役割をもっている。

二四六　**傷寒**　寒さのためにおこる重い熱病とされているが、今日でいう腸チフスと考えられている。

二五六　**ポーランド分割**　選挙王政の「貴族共和国」のポーランドでは王位をめぐる内紛がつづき、そのたびにフランス、オーストリア、プロイセン、ロシアの干渉をうけ、列強のあいだでこれを分割し地図上からポーランドを除去するにいたった。その第一次分割は一七七二年のエカチェリーナ二世による保護国化に始まった。

二五六　**ポチョムキン**　(Grigorii A. Potyomkin 1739―1791)。女帝の援助のもとに投機的陰謀、賄賂、官金私消をおこない、元帥となり軍隊を改革し、黒海艦隊を建造した。「戦艦ポチョムキンの反乱」の艦名にその名をのこしている。中野好夫氏の「神と女帝を弄んだ男」(「別冊文藝春秋」第五十六号)は彼を扱っている。

二七〇　**崑崙**　ここでは、現在のインドシナ半島にあたる地域をさす呼び名。

三一四　**歩判**　一歩判のこと。四枚で小判一両にあたる補助金貨。その大きさから俗に小粒といわれていた。

三一四　**南鐐**　二朱銀の別名。または南鐐二朱銀ともいう。八枚をもって金一両とかえることができた上質の銀貨。

三三一　**からくん**　カラクン鳥を蒸焼にして塩でまぶしたもので、長期の旅行では最高の食料である。

解説

江藤　淳

《「いいか、みんな性根を据えて、俺の言うことを聞けよ。こんどは、人に葬式を出して貰うなどと、あまいことは考えるな。死んだ奴は、雪の上か凍土の上に棄てて行く以外仕方ねえ。むごいようだが、他にすべはねえ。人のことなど構っててみろ、自分の方が死んでしまう。いいか、お互いに葬式は出しっこなしにする。病気になろうが、凍傷になろうが、みとりっこもなしにする」

「えらいことになったもんだな」

九右衛門が憮然とした面持で言った。光太夫は更に続けた。

「たとえ、生命が救《たす》かっても、鼻が欠けたり、足が一本なくなっていたりしては、伊勢へは帰れめえ。――いいか、みんな、自分のものは、自分で守れ。自分の鼻も、自分の耳も、自分の手も、自分の足も、みんな自分で守れ。自分の生命も、自分で守るんだ。十三日の出発までに、まだ幸い十日許りある。その間に自分の生命を守る準備をするんだ。きょうからみんな手分けして、長くこの土地に住んで居るロシア人や、土着のヤクート人たちから、寒さからどう身を守るか、万一凍傷になったらどうすればいいか、吹雪の中におっぽり出されたら、自分の橇が迷子になったら、馬が倒れたら、そんな時、どうしたらいいか、そうしたことをみんな聞いてくるんだ。それから、みんな揃って、皮衣や手袋や帽子を買いに出掛ける。ひとりで出掛けて、いい加減なものを買って来るんじゃねえぞ。買物にはみんな揃って出掛けるんだ。いいな」

光太夫の言い方が烈しかったので、機先を制せられた形で、誰も文句を言うものはなかった》（二章一二三―一二四頁）

この一節が、おそらく『おろしや国酔夢譚』の核をなす部分である。それまでに、大黒屋光太夫の一行は、すでにさまざまな体験を重ねて来た。彼らは八ケ月にのぼる不安な漂流生活を送り、見知らぬ北方の島に漂着すると間もなく船を喪った。異人や土民のあいだで暮すうちに、仲間を葬りもした。アムチトカ島、ニジネカムチャツク、ヤクーツクと、帰国の見通しも立たぬまま、シベリアの奥深く連れて来られもした。しかし、この瞬間まで、他の仲間はもちろん光太夫といえども、いまだに真の経験の名に価する経験をしてはいなかったのである。

「むごいようだが、他にすべはねえ。人のことなど構っててみろ、自分の方が死んでしまう。……いいか、みんな、自分のものは、自分で守れ」

これが、光太夫の経験の内容である。すべての基本的な経験と同じように、この経験もまたきわめて明快な構造を持っている。つまり、それはあまりに明快であるが故に直視しにくいという種類の自己認識であり、多くの人々は単に直視しにくいという理由から、この認識に到達することがない。だからこそ、九右衛門は、この「むごい」言葉を聴いて「憮然」とせざるを得ない。しかし、それを経験した光太夫には、もはや「憮然」としているいとますらない。彼はいま、眼からうろこが落ちるような思いで、自分のまわりに黒々とひろがっている冷たい空間を見わたし、その重味が存在の奥底に浸透して来るのを感じているからである。

この経験は、無論人間の生の自覚にかかわる経験であるが、同時に光太夫にとっては、一種の比較文化的(cross-cultural)な経験でもある。日本にいれば、どんな深刻な人生の危機を味わったところで、彼はこれほど明晰に生の基本的な構造を看透すことができなかったにちがいない。他人に甘えたり、甘えられたりしていては、個人も集団も存続できない。もし、甘えたり、甘えられたりしながら、なおかつ存続している集団があるとするなら、それはよほど特殊な条件が充たされている場合だけであって、これを以て普遍妥当な例とするわけにはいかない。日本の生活には、少くともこの条件が充たされているかのような幻想が附着している。その幻想が、にわかに光太夫の視野から消えたのである。

そのかわりに、彼の視野に浮び上って来たのは、人の四肢をもぎとって行く厳寒の支配する果てしないシベリアの雪原である。このロシアの発見は、正確に彼の存在がとらえたあの黒く冷え冷えとした空間の発見と照応している。まさにこの意味で、光太夫の経験はすぐれて比較文化的（cross-cultural）な経験だということができる。「伊勢には帰れない」——それは、自分のいる場所がロシアであって、他のどの場所でもないことを、骨身に沁みて悟ることである。

ところで、人は単に空間を移動しただけでは、このような認識に到達することはできない。そのためには、漂流以来ヤクーツクに到達するまでに、光太夫のなかに堆積された時間が必要であり、この『おろしや国酔夢譚』は、もっぱら光太夫の心からあの幻想を剝ぎとって行く、巨大な空間と時間の作用を表現しようとした作品だということもできる。人は、漂流する船の上でさえも、カムチャツカやオホーツクに連れて来られたあとでさえも、なお日本で生活しているときと同じ幻想のなかで暮すことができる。もし、光太夫のように、真の経験の痛みを知ることがないならば。そして、孤独な人間として生存するということの意味を見詰めることがないならば。

ところで、

「……それから、みんな揃って、皮衣や手袋や帽子を買いに出掛ける。ひとりで出掛けて、いい加減なものを買って来るんじゃねえぞ。買物にはみんな揃って出掛けるんだ。いいな」

という光太夫の言葉は、「みんな、自分のものは、自分で守れ」という言葉と、一見矛盾しているかのように聴える。しかし、この「みんな揃って」は、「自分のものは、自分で守れ」と表裏一体であって、ここではあの幻想を剝奪される経験を通過して、光太夫と他の漂流民との関係が、全く新しい関係に組み替えられているのである。つまり、それはもはや甘えたり、甘えられたりの関係ではない。「自分のものは、自分で守」ることを心に決めた人々が、「自分を守」るために「みんな揃って」行くのである。そうしなければ、生存を維持することができないような異質の現実が、彼らの周囲にひろがっているからである。

ロシア滞在中に、光太夫は、今一度重要な体験をしている。それは、女帝エカチェリーナ二世に拝謁したことである。

《「可哀そうなこと」

そういう声が女帝の口から洩れた。

「可哀そうなこと、――ベドニャシカ」

女帝の口からは再び同じ声が洩れた。光太夫にとっては一切のことが夢心地の中に行われていた。暫くすると、執政トルッチンニノーフの夫人であるソフィヤ・イワノウナが進み出て来て、

「漂流中の苦難、死亡せし者のことなど、詳しく陛下に申し上げるよう」

と、言った。光太夫は直立した姿勢のままで、アムチトカ島へ漂流してから今日までのことを、ゆっくりした話し方で、いささかの間違いもないように注意して話した。初めのうちは言葉が勝手に自分の口から飛び出して行くようで不安だったが、途中から自

分でもそれと判るほど落着いて話すことができた。一通り語り終えた時、

「死者は全部で何人なるや」

という女帝の声が遠くで聞えた。

「十二人でございます」

光太夫が答えると、

「オホ、ジャルコ」

と、低く女帝は口に出して言った。これはこの国の人々が死者を悼《いた》む時に使う言葉で、女帝は不幸にも異国に於て他界した十二人の日本の漂流民に対して哀悼の意を表したのであった。それから、誰にともなく、

「この者の帰国の願いはずいぶん前々からのものと思うが、いかにして耳にはいらざりしや」

と、女帝は言った。誰も答える者はなかった》（六章二七二―二七三頁）

このときまでに、凍傷で隻脚を失った庄蔵はロシア正教に入信し、ロシア人の寡婦の家に出入りしていた新蔵も、やはり正教徒になってロシア人になってしまっていた。光太夫自身も、帰化する気持はないにしても、正確なロシア語を自由に使いこなせるようになっていた。つまり、彼らは、ロシアの異質な現実に適応して生きようと努めた結果、明らかに普通の日本人とは違う人間になっていたのである。

しかし、何故彼らは「自分のものは、自分で守」るようにして、ロシアの現実に適応

しようとしたのだったろうか？　それはもとより、生存を維持する必要からであった。それなら、何故彼らは力を傾けて、生存を維持しようと努めたのだろうか？　いうまでもなく「伊勢へ帰」りたい一心からであった。だが、ここにおいて彼らは、ひとつの背理に直面せざるを得ない。なぜなら、「伊勢へ帰」りたい一心が、現実には彼らを無限に「伊勢」から遠ざける結果を生んでしまっているからである。

そのことを、光太夫は、アダム・ラックスマンの一行とともに箱館に上陸して間もなく自覚させられる。

《……この夜道の暗さも、この星の輝きも、この夜空の色も、この蛙や虫の鳴き声も、もはや自分のものではない。確かに曾《かつ》ては自分のものであったが、今はもう自分のものではない。前を歩いて行く四人の役人が時折交している短い言葉さえも、確かに懐かしい母国の言葉ではあったが、それさえももう自分のものではない。自分は自分を決して理解しないものにいま囲まれている。そんな気持だった。自分はこの国に生きるためには決して見てはならないものを見て来てしまったのである。アンガラ川を、ネワ川を、アムチトカ島の氷雪を、オホーツクの吹雪を、キリル・ラックスマンを、その書斎を、教会を、教会の鐘を、見晴るかす原始林を、あの豪華な王宮を、宝石で飾られた美しく気高い女帝を、——なべて決して見てはならぬものを見て来てしまったのである》（八章三七一頁）

作者が『おろしや国酔夢譚』で描こうとしたのは、ほかならぬこの孤独と徒労の感覚であろうと思われる。大黒屋光太夫は、「伊勢へ帰る」ことすらもできなかった。彼は、ともに帰国した磯吉といっしょに、番町の薬草植場内にあたえられた住居で、飼い殺しの余生を送らなければならぬことになったからである。それなら、彼があれほど必死に「守」り抜こうとした「自分のもの」とは、いったいなんだったといえるのだろうか？それは、結局、だれに伝えようと思っても伝えられない、彼自身に固有なあの経験にほかならなかったとでもいうほかない。

しかし、彼の努力が孤独なものであり、光太夫が「自分を決して理解しないもの」に囲まれていると感じれば感じるほど、彼の経験の重味はひしひしと読者の胸に伝わって来る。住ノ江の浦島の子のことは、しばらく問わない。だが、光太夫のあとにも、実は比較文化的な経験を味い、それをだれにも伝えられずにいる無数の光太夫たちがいる。おそらく現代においてさえその数が減っていないことを、この『おろしや国酔夢譚』は心の深い部分に感得させる力を備えているのである。

文春文庫

おろしや国《こく》酔《すい》夢《む》譚《たん》

定価はカバーに表示してあります

2014年10月10日　新装版第1刷
2025年5月20日　第4刷

著　者　井《いの》上《うえ》　靖《やすし》
発行者　大沼貴之
発行所　株式会社 文藝春秋

東京都千代田区紀尾井町 3-23　〒102-8008
TEL 03・3265・1211㈹
文藝春秋ホームページ　https://www.bunshun.co.jp

落丁、乱丁本は、お手数ですが小社製作部宛お送り下さい。送料小社負担でお取替致します。

印刷製本・TOPPANクロレ

Printed in Japan
ISBN978-4-16-790208-7